黄河國家治理文獻集成（清代卷）第三十七册

《黄河國家治理文獻集成》編委會 編

總第五十三册

清代漢文朱批奏摺黄河治理資料輯録（二）

張曉東 輯

內蒙古出版集團
內蒙古人民出版社

圖書在版編目（CIP）數據

清代漢文朱批奏摺黄河治理資料輯録．二 / 張曉東輯．-- 呼和浩特 : 内蒙古人民出版社，2025. 8.
（黄河國家治理文獻集成）. -- ISBN 978-7-204-16513-1

Ⅰ．TV882.1

中國國家版本館 CIP 數據核字第 202556T7M2 號

清代漢文朱批奏摺黄河治理資料輯録（二）

輯　　録　張曉東
策劃編輯　王　瑶
責任編輯　王　瑶
裝幀設計　劉那日蘇　吉　雅　安立新
責任監印　包鐵柱
出版發行　内蒙古出版集團　内蒙古人民出版社
地　　址　呼和浩特市新城區中山東路 8 號波士名人國際 B 座 5 層
網　　址　http://www.impph.cn
印　　刷　内蒙古愛信達教育印務有限責任公司
開　　本　880mm × 1230mm　1/16
印　　張　23.75
字　　數　290 千
版　　次　2025 年 8 月第 1 版
印　　次　2025 年 8 月第 1 次印刷
印　　數　1—1000 册
書　　號　ISBN 978-7-204-16513-1
定　　價　198.00 元

如出現印裝質量問題，請與我社聯繫。聯繫電話：（0471）3946120

編纂委員會

主　任　陳利保

副主任　周承英　吴義學　王　瑶

成　員　賈大明　何可欣　董立群　羅　婧　王曉俊　董麗娟
白　玲　特日格勒　徐　飛　李月琪　王麗燕　李　琳

主　編　董　杰

副主編　張曉東　曹　玲

委　員（按姓氏筆畫排序）
王　丹　王智慧　王鑫義　白胡日查　朱紫陽　李　萌
李新蕊　姚亞菲　陳　思　曹佳興　梁芹洋　張文文
張　岩　張博原　張　祺　張曉英　喬恩懋　賀　莎
楊　怡　楊建國　楊　承　霍燕平　魏雪剛

引言

千古河流成沃野，幾年沙勢自風湍。

得益于黄河冲積所帶來的疏松土質和有機物，中華先民利用石製工具開始了農業生産，并逐步發展出旱地粟作農業，『能够最大程度保障食物供給的穩定性，奠定了中華文明起源和形成的堅實基礎』〔一〕。而利用河水灌溉，提高區域可預測農業産量，『在産業史上起着最有决定性的作用』〔二〕。隨後，技術進步、經濟發展、人口增加，讓先民的文化生活大爲豐富。嚴文明先生評價道：『這是一場影響深遠的革命。』〔三〕在這場革命中，平衡水、沙、産、人四者之間的關係，始終是黄河治理的核心問題。四者關係一旦失衡，就容易引發諸多灾患。

歷史上，黄河下游因人口稠密、經濟發達，一直是學術界關注的重點。但自河源至今内蒙古托克托縣河口鎮的黄河上、中游區域，雖遠離王畿，人口稀疏，却也一直備受關注，人們逐步認識到黄河全流域治理是國家的重要任務。《漢書》載：『堤防之作，近起戰國，雍防百川，各以自利。』〔四〕没有全流域的協同治理，僅靠各地分段築堤，則黄河河患無法解决。秦建立了中國歷史上第一個中央集權大一統王朝，秦始皇東巡碣石，刻石銘記『决通川防，夷去險阻』〔五〕，開啓中央政府調動各要素治黄之先河，這『在中國，實質上是國家的一種職能』〔六〕。同時，國家通過對黄河的有效治理，爲沿黄流域人民群衆乃至其他地區人民群衆提供了重要的公共物品和産業支撑，成爲人民群衆眼中中央政府的功過評價指標之一。因此，治黄在增强沿黄各族群國家、政治、文化認同的基礎上，强化了中國大一統國家的合法性，成爲歷代國家治理能力的一個重要測度。

一、黄河治理維護了國家的社會穩定

從秦并六國到漢朝建立大一統國家，中國統一的多民族國家形成并得到初步發展。當時中央政府對所轄疆域有『北邊郡』和『内郡』之稱。内蒙古額濟納旗出土的居延漢簡有載，『狠（墾）田以鐵器爲本北邊郡毋鐵官印器内郡令郡以時博賣予細民毋令豪富吏民得多取販賣細民』，可以看出北邊郡是與内郡相對應的行政管轄區域。《史記》卷二十八『封禪書第六』載：『上乃遂去，並（并）海上，北至碣石，巡自遼西，歷北邊至九原。』〔七〕。《史記》卷三十『平準書第八』載：『天子北至朔方，東到太山，巡海上，並（并）北邊以歸。』〔八〕司馬遷多次提及北邊，足見統治者對北邊治理的重視。

漢武帝時，齊人延年提出從今内蒙古引黄河水經今北京一帶，向東注入渤海，以衛北部邊疆。『是時方事匈奴，興功利，言便宜者甚衆。齊人延年上書言：「河出昆侖，經中國，注勃海，是其地勢西北高而東南下也。可案圖書，觀地形，令水工準高下，開大河上領，出之胡中，東注之海。如此，關東長無水災（灾），北邊不憂匈奴，可以省隄（堤）防備塞，士卒轉輸，胡寇侵盜（盗），覆軍殺將，暴骨原野之患。天下常備匈奴而不憂百越者，以其水絶壤斷也。此功壹（一）成，萬世大利。」』[九]《史記》卷二十四『樂書第二』載：『天馬來兮從西極，經萬里兮歸有德。承靈威兮降外國，涉流沙兮四夷服。』[十]如今，包頭地區出土了『四夷盡服』瓦當，出土文物與傳世文獻的呼應，成爲黄河治理維護祖國北部邊疆穩定的見證。

《史記》卷三十『平準書第八』載：『嚴助、朱買臣等招來東甌，事兩越，江淮之閒（間）蕭然煩費矣。唐蒙、司馬相如開路西南夷，鑿山通道千餘里，以廣巴蜀，巴蜀之民罷焉。彭吳（吴）賈滅朝鮮，置滄海之郡，則燕齊之閒（間）靡然發動。及王恢設謀馬邑，匈奴絶和親，侵擾北邊，兵連而不解，天下苦其勞，而干戈日滋。』[十一]清代《汾陽縣志》卷十三『藝文』收録曹學閔《開修黄蘆嶺車路紀德政碑記》，上載：『永寧州，界連西陲，北達邊外歸綏諸路，商賈遠貿粟麥，泛皮船隨黄流南下，聚于州西磧口，一府之民仰利賴焉。而東至太原，南抵平陽，州縣凡二十餘，亦視汾爲槖籥，蓋所繫非特一方生計矣。』[十二]民國時期，東北淪陷後，開發西北刻不容緩，而『黄河中游之水利，自應加以擴充及整理，藉（借）收桑榆之效，以挽狂瀾於（于）萬一』[十三]。

因黄河流域自然條件優越，歷朝歷代都十分重視對此地的開發，通過强有力的國家干預方式推動各類産業的發展，爲中國北部疆域的形成和社會穩定奠定了基礎。

二、民族交往、物資交流、技術轉移促成黄河治理共同體

《史記》卷十五『六國年表第三』載：秦始皇三十三年（前214），『築長城河上，蒙恬將三十萬』[十四]。這數十萬人中，擁有一技之長的人員不在少數。由此，邊地人口不斷增多，而豐富的物産則促進了商品交流與統一市場的形成。西漢《鹽鐵論·力耕第二》記録了『异物内流』的情形：『是以贏（騾）驢馲駞（駝），銜尾入塞，驒騱騵馬，盡爲我畜，鼲鼦狐貉，采旃文罽，充於（于）内府，而璧玉珊瑚瑠（琉）璃，咸爲國之寶。』[十五]此後，黄河北岸的『贏（騾）驢馲駞（駝）』『驒騱騵馬』『鼲鼦狐貉』『采旃文罽』與西南織錦、中原麻織、農作物等物資相互交流，逐步形成統一的國内大市場，加强了邊疆與其他地區的經濟聯繫，促進了邊疆特色産業的發展。

隨着民族交往交流交融的增强，清代以降，黄河流域内蒙古段輸入到内地的也不僅僅是『异寶』了。《綏遠通志稿·水路》載：『自乾隆以還。口外墾殖日廣。民殷物阜。出境之油、糧、鹽、鹼（碱）、甘草各貨。入境之日用雜貨。山西與歸綏往來之商運。凡經河路者皆以托屬河口爲唯一之碼頭。』[十六]從清乾隆年間到民國時期，由内蒙古經黄河運到山西的貨物有糧、油、鹽、碱、藥材、皮毛等，其中以糧油爲最大宗。糧食品種主要有糜黍、穀子、高粱、豆類及玉米、大小麥

等，油料主要是胡麻。内蒙古供貨支綫有從阿拉善盟阿拉善左旗吉蘭泰鹽池到山西吕梁市磧口鎮的運鹽駝路，五原縣、臨河區一帶各大幹渠的運糧水道，杭錦旗、達拉特旗的甘草馱運綫，鄂托克旗的運碱駝路。内蒙古段各條支綫以供貨爲主，山西段若干支綫以運銷爲主。

《臨縣志》載：『清朝乾隆至民國年間，陜、甘、綏、蒙等地的物資，通過此航綫運達磧口，再用牲口馱運到離石、吴城，轉運至東路（汾、平、介、孝等縣）。據民國 20 年（1931）統計，每年從綏遠磴口航至磧口的貨船不下 4C00 餘艘』，『是陜、甘、綏、寧與晋西北物資集散之重鎮』。〔十七〕可見，内蒙古在甘肅、寧夏與陜西、山西等沿黄上下游物資交易中起到了重要的聯結作用；同時也吸引了山西、陜北、河北、山東、甘肅等地的農民遷移至此，并將開渠打壩、引水澆地等農業生産技術、手工技術和商業貿易經營方式帶到這裏。他們在此扎根，除了從事農業生産外，還挖甘草、下窑背炭、在黄河上拉船、在沙漠中拉駱駝、打短工放冬羊、開碾磨油坊，等等。不同地域、不同民族的人們合力修築河渠、引水興業，逐漸形成休戚與共的共同體。其間積纍的産品交易、商業管理、社會治理等方面的經驗，在今天依然有借鑒意義。

清代『首重治河，探河源以窮水患』〔十八〕，但更深層次的考量是『宣揚大一統及增强國家認同』〔十九〕。黄河流域人口基數大、分布廣，而全流域治理理念將不同地區、不同民族的人們凝聚成命運共同體，而『大一統』理念正是這一治理實踐的核心主題。

三、黄河流域拓展了中國的發展空間

早期統治者因巡幸及邊防建設所需，統籌管理沿黄馬道，維持着中央政府對北邊的有效治理。河套平原引黄渠道的建設爲秦漢王朝屯田事業提供了基本的水利保證，并將這些區域變成防禦北部邊患的大後方與根據地。于是，沿黄馬道、沿黄河運與萬里茶道、草原絲路等陸路運輸聯通起來，促進了中華文明與其他文明的交流互鑒，拓展了新的發展空間。

新中國成立之後，沿黄各族兒女在中國共産黨的領導下團結合作、艱苦奮鬥，實現了大河安瀾。黄河流域建立起行之有效的防洪抗汛機制，支撑着沿岸的産業發展，改善了周邊生態環境。當代治黄史證明，正是由于中國共産黨的正確領導以及集中力量辦大事的制度優勢，纔從根本上減輕了河患的威脅。進入新時代，黄河流域在築牢安瀾根基的同時，以蓬勃活力拓展着中國的發展空間。沿黄九省區在協同發展中不斷釋放潛力，讓黄河流域成爲國家區域協調發展戰略中不可或缺的重要一極，爲中國的發展源源不斷地注入新動能。

綜上所述，黄河流域的治理不是單純的河道治理、生態環境治理或社會治理，而是一種關涉水、沙、産、人四者關係的系統性、協同性治理，是推動國家可持續發展的動力，也是厘清國家治理與邊疆治理兩者動態交互實際效果的絶佳視角。而黄河工程等『中國本土理論資源、學術積釁』〔二十〕，有助于研究國家治理的演進歷程。進入新時代，黄河治理與國家治理的關係研究不斷開闢新視角、持續涌現新成果，其中鑄牢中華民族共同體意識、邊疆治理與黄河流域生態保護和高質量發展成爲非常重要的研究視角。因此，基于這一角度搜集整理黄河國家治理文獻，意義重大。《黄河國家治理文獻集成》，應運而生。

本叢書系統梳理了黄河治理的歷史脉絡與經驗，既爲新時代黄河流域生態保護和高質量發展提供了歷史鏡鑒，更以文獻爲載體，傳承了治理智慧、凝聚了民族力量，是服務國家發展戰略、鑄牢中華民族共同體意識的重要學術實踐。

《黄河國家治理文獻集成》編委會

二〇二五年一月

〔一〕韓建業：《中華文明的起源和形成》，載《中華民族共同體研究》2022年第4期，第80–91+172頁。
〔二〕中共中央馬克思恩格斯列寧斯大林著作編譯局：《馬克思恩格斯選集》第二卷，人民出版社，2014年，第240頁。
〔三〕嚴文明：《黄河流域文明的發祥與發展》，載《華夏考古》1997年第1期，第49–54+113頁。

〔四〕（漢）班固：《漢書》卷二十九『溝洫志第九』，中華書局，1964年，第1692頁。

〔五〕（漢）司馬遷：《史記》卷六『秦始皇本紀第六』，中華書局，1963年，第252頁。

〔六〕冀朝鼎：《中國歷史上的基本經濟區與水利事業的發展》，朱詩鰲譯，中國社會科學出版社，1981年，第7頁。

〔七〕（漢）司馬遷：《史記》卷二十八『封禪書第六』，中華書局，1963年，第1398–1399頁。

〔八〕（漢）司馬遷：《史記》卷三十『平準書第八』，中華書局，1963年，第1441頁。

〔九〕（漢）班固：《漢書》卷二十九『溝洫志第九』，中華書局，1964年，第1686頁。

〔十〕（漢）司馬遷：《史記》卷二十四『樂書第二』，中華書局，1963年，第1178頁。

〔十一〕（漢）司馬遷：《史記》卷三十『平準書第八』，中華書局，1963年，第1420–1421頁。

〔十二〕（清）方家駒修，（清）王文員纂：《汾陽縣志》卷十三『藝文』，清光緒十年刻本，第57–58頁。

〔十三〕王華棠、劉錫彤、吴樹德：《黄河中游調查報告》，華北水利委員會編印，1934年，第1頁。

〔十四〕（漢）司馬遷：《史記》卷十五『六國年表第三』，中華書局，1963年，第758頁。

〔十五〕王利器：《鹽鐵論校注》，中華書局，1992年，第28頁。

〔十六〕綏遠通志館：《綏遠通志稿》第十册，内蒙古人民出版社，2007年，第176頁。

〔十七〕臨縣志編纂委員會：《臨縣志》，海潮出版社，1994年，第273、321頁。

〔十八〕趙爾巽等：《清史稿》卷一二六『河渠一』，中華書局，1977年，第3715頁。

〔十九〕劉惠：《乾隆朝重構黄河河源的實踐與國家認同》，載《清華大學學報》（哲學社會科學版）2018年2期，第147–154+195頁。

〔二十〕許耀桐：《當代中國『治理』概念的演進探析》，載《國家現代化建設研究》2023年3期，第100–111頁。

出版前言

黄河，中華民族的母親河，她不僅孕育了中華文明，更見證了中華民族數千年的發展歷程。習近平總書記深刻指出：『從某種意義上講，中華民族治理黄河的歷史也是一部治國史。』這一重要論述，爲新時代黄河文化的保護傳承以及流域治理提供了根本遵循，也深刻揭示了黄河治理在國家發展和民族復興進程中的核心地位。在學習貫徹習近平新時代中國特色社會主義思想，積極響應國家黄河流域生態保護和高質量發展重大戰略，大力推進北疆文化建設的背景下，《黄河國家治理文獻集成》的編纂出版，具有重要的歷史意義、學術價值與現實指導意義。

黄河治理，自古以來就是國家的頭等大事。從遠古時期大禹治水，到當代運用科學技術進行系統治理，中華民族在數千年的時間裏，積纍了豐富的治河經驗，留下了浩如烟海的文獻遺産。《黄河國家治理文獻集成》收録了元代至民國時期古籍、朱批奏摺、期刊圖片等多模態文獻資源。這些文獻内容豐富、維度多元，既包含記載河工技術、治理方略等的專書，又有漢文朱批奏摺、工程檔案以及不同區域的調查研究報告等。民國時期的文獻則標志着現代水利科學開始融入黄河治理，展現了我國水利事業在時代變革中的創新與發展。近代照片的收録則以更加直觀的方式將黄河治理、黄河沿岸的風貌呈現給讀者。

該文獻的出版，不僅是對瀕危黄河文化遺産的及時搶救與保護，更是對我國水利史、國家治理史、邊疆治理研究學術鏈條的重要補充，具有較高的文獻價值和學術意義。尤爲重要的是，這一集成工作，深度契合鑄牢中華民族共同體意識這一全黨全國各族人民的共同任務。各民族在治理黄河的歷史進程中，緊密協作、共同探索，這些珍貴文獻便是各民族交往交流交融和中華文明認同的生動見證。對這些文獻進行整理出版，能够讓各族人民更加深刻地認識到，在歷史長河中，各民族共同爲黄河治理貢獻了力量，共同守護了家園，從而進一步增强對中華民族共同體的認同感與歸屬感，夯實鑄牢中華民族共同體意識的歷史根基。

《黄河國家治理文獻集成》以『國家治理』爲核心綫索，構建起一個全面、系統、多維的文獻體系：在時間跨度上，聚焦從元代至民國這一傳統治河向現代水利轉型的歷史時期，爲深入研究我國水利事業的發展脉絡提供了清晰的時間坐標；在内容分類上，細緻劃分爲技術專著、工程檔案、區域研究、朱批奏摺、科學報告、圖片等類别，涵蓋黄河治理的各個方面，從不同角度展現了我國在黄河治理上的探索與實踐；在版本選擇上，秉持嚴謹、科學的態度，確保文獻内容的準確性與代表性，爲學術研究奠定堅實基礎。

在編纂過程中，叢書特别注重『全流域治理』的理念，不僅收録了有關下游防洪治河的重要文獻，還涵蓋了中游地區水土保持以及上游地區灌溉開發等方面的珍貴記載。這種對黃河全流域治理的全方位關注，與當前『共同抓好大保護，協同推進大治理』的要求高度契合，充分體現了叢書在傳承歷史文化遺産的同時，緊密服務于當代國家發展戰略的時代價值。

在出版過程中，嚴格保持原書的版式與行款，最大程度地還原文獻原貌。對于部分出現黴變、殘缺的頁面，運用先進的數字化修復技術進行精心處理，在保留原始批注與印章痕迹的基礎上，兼顧了文物的真實性與文獻的可讀性。

此外，爲了更好地服務讀者，方便學術研究，本叢書新增了目録、提要等内容，這些新增部分由編委會精心撰寫。新增目録一般編製二級，個别圖書編製三級；原書有目録而内文無對應標題的，根據原書目録照録；原書目録爲關鍵詞或者其他情况的不編製目録；原書目録與内文不一致的，以原書内文爲準；原書無目録的，按卷端、版心或其他部分輯録；一册書中收録多種圖書的，以書名爲一級標題，編製二或三級。在文字使用上，統一使用現代漢語規範繁體字，對于原版文獻中的异體字、避諱字也使用現代規範繁體字，無對應規範繁體字的保留原字。

《黄河國家治理文獻集成》的出版，是對黄河文化遺産的一次系統性、搶救性保護，具有重大而深遠的現實意義：從學術價值層面來看，叢書成功構建起一座連接傳統與現代治黄文獻的橋梁，爲黄河流域生態保護、水利工程史、國家治理史、邊疆治理、中華民族共同體學等多個領域的學術研究提供了豐富、翔實的基礎文獻，有力推動了相關學科的發展與創新；從文化價值角度而言，生動展現了北疆文化與黄河文化在歷史長河中的交融共生，爲内蒙古『北疆文化』品牌建設提供了堅實的文獻支撑，進一步豐富了中華文化的内涵與外延；從實踐價值方面考量，書中所藴含的治河理念爲我們在新時代背景下實現人與自然和諧共生、推動黄河流域可持續發展提供了寶貴的歷史經驗與智慧啓示。

在此，我們要衷心感謝各藏書機構的大力支持，正是他們提供了珍貴底本資源，纔使得本叢書的編纂出版成爲可能。同時，我們也要向文化遺産智能應用服務中華民族共同體建設『英才興蒙』團隊致以崇高的敬意，他們歷經五年的辛勤耕耘，以嚴謹的治學態度和專業的學術素養，對文獻進行了系統的整理和輯録，爲叢書的内容質量提供了堅實保障。此外，我們還要特别感謝内蒙古自治區黨委宣傳部、内蒙古出版集團將本叢書納入『北疆文庫』重點項目，并在出版過程中給予全方位支持與幫助。

我們衷心期待，這套凝聚着無數心血與智慧的《黄河國家治理文獻集成》，能够在新時代的『黄河大合唱』中奏響歷史的强音，爲黄河流域生態保護和高質量發展注入强大的歷史動力，讓黄河文化在保護中傳承，在傳承中創新，在創新中不斷發展，綻放出更加絢爛的光彩。同時，希望這套叢書能够成爲促進各民族文化交流、鑄牢中華民族共同體意識的重要載體，助力各民族更加緊密地團結在一起，共同爲實現中華民族偉大復興的中國夢而努力奮鬥，讓中華民族共同體意識在黄河文化的滋養下，扎根于每一位中華兒女的心中，成爲推動中華民族不斷前進的强大精神力量。

提要

《清代漢文朱批奏摺黄河治理資料輯録》共10册，收録清代康熙四十四年（1705）至咸豐三年（1853）關于黄河治理的漢文朱批奏摺1000件，以時間爲序編排，每篇奏摺均保留朱批痕迹，真實呈現了清代黄河治理的決策與執行過程。

所收録的奏摺内容包括工程實踐（如堤埽、堤壩與河道工程的修建和維護）、防汛體系（如水情監測、灾情預警與應急響應）、綜合管理（如河道管理、跨區域協調、物料與經費管理、漕運管理）、治河制度與管理機制、灾害影響及灾民撫恤等。

第一册收録康熙四十四年（1705）至雍正七年（1729）的100件奏摺。第二册收録雍正七年（1729）至乾隆二十年（1755）的120件奏摺。第三册收録乾隆二十年（1755）至乾隆三十八年（1773）的130件奏摺。第四册收録乾隆三十九年（1774）至乾隆四十六年（1781）的110件奏摺。第五册收録乾隆四十六年（1781）至乾隆五十二年（1787）的110件奏摺。第六册收録乾隆五十三年（1788）至清嘉慶六年（1801）的100件奏摺。第七册收録嘉慶六年（1801）至嘉慶二十二年（1817）的90件奏摺。第八册收録道光三年（1823）至道光十六年（1836）的60件奏摺。第九册收録道光十六年（1836）至道光二十五年（1845）的80件奏摺。第十册收録道光二十五年（1845）至咸豐三年（1853）的100件奏摺。

目録

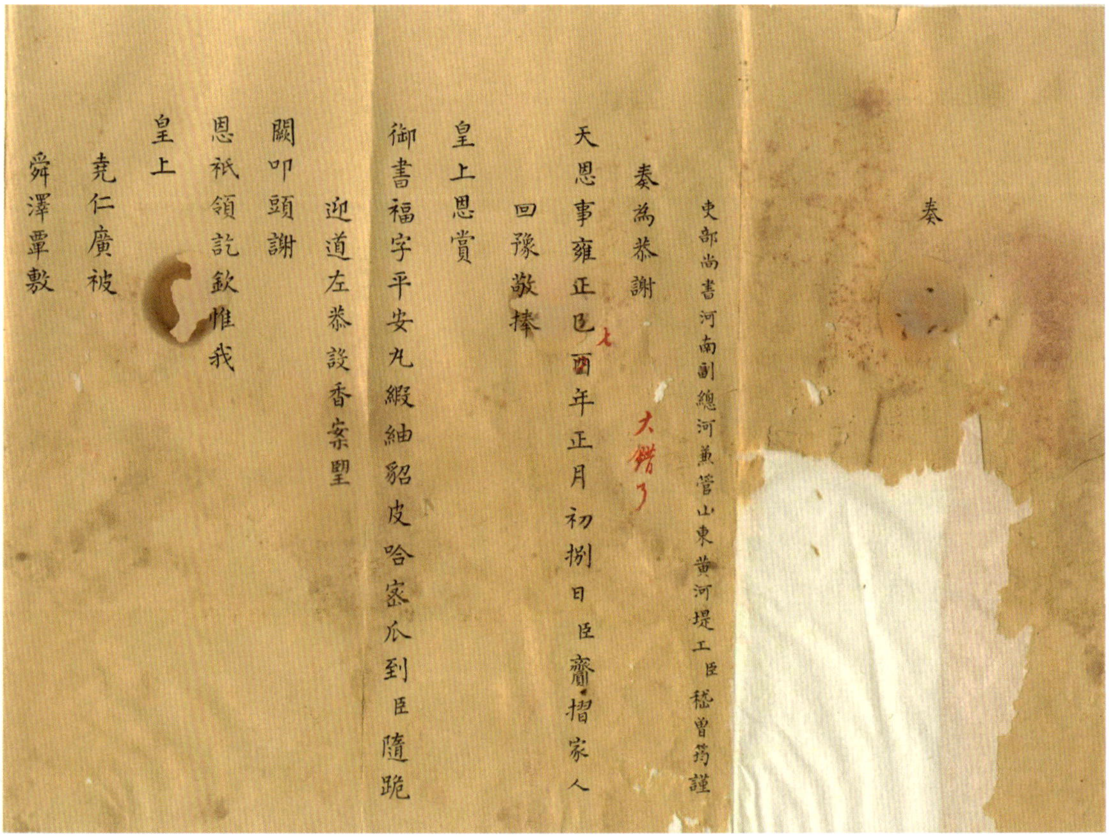

奏

吏部尚書河南副總河兼管山東黃河堤工臣嵇曾筠謹

奏為恭謝

天恩事雍正七己酉年正月初捌日臣齋摺家人　大錯了

回豫敬捧

皇上恩賞

御書福字平安丸緞紬貂皮哈密瓜到臣隨跪

迎道左恭設香案望

闕叩頭謝

恩祗領訖欽惟我

皇上

堯仁廣被

舜澤覃敷

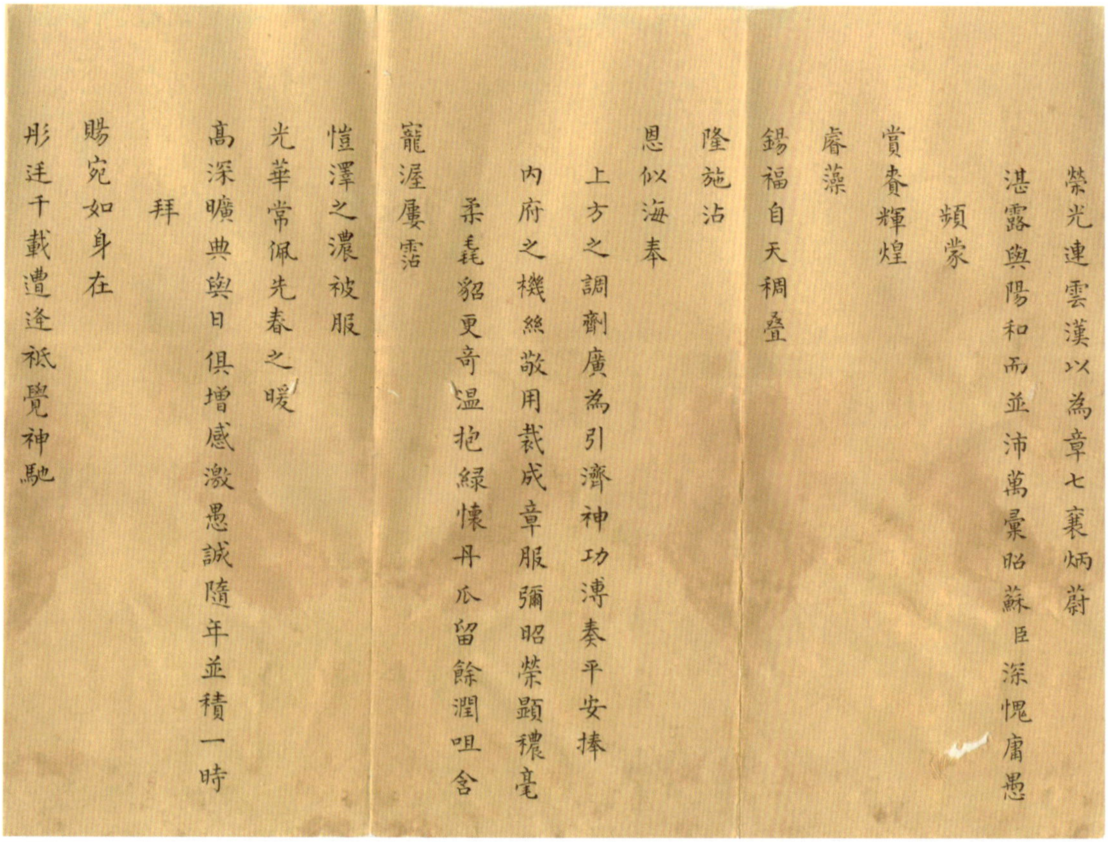
榮光連雲漢以為章七襄炳蔚
湛露與陽和而並沛萬彙昭蘇臣深愧庸愚
頻蒙
賞賚輝煌
睿藻
錫福自天稠叠
隆施沾
恩似海春
上方之調劑廣為引濟神功溥奏平安捧
內府之機絲敬用裁成章服彌昭榮顯穠毫
柔毳貂更奇温抱綠懷丹爪留餘潤咀含
寵渥屢霑
愷澤之濃被服
光華常佩先春之暖
高深曠典與日俱增感激愚誠隨年並積一時
拜
賜宛如身在
彤廷千載遭逢祗覺神馳

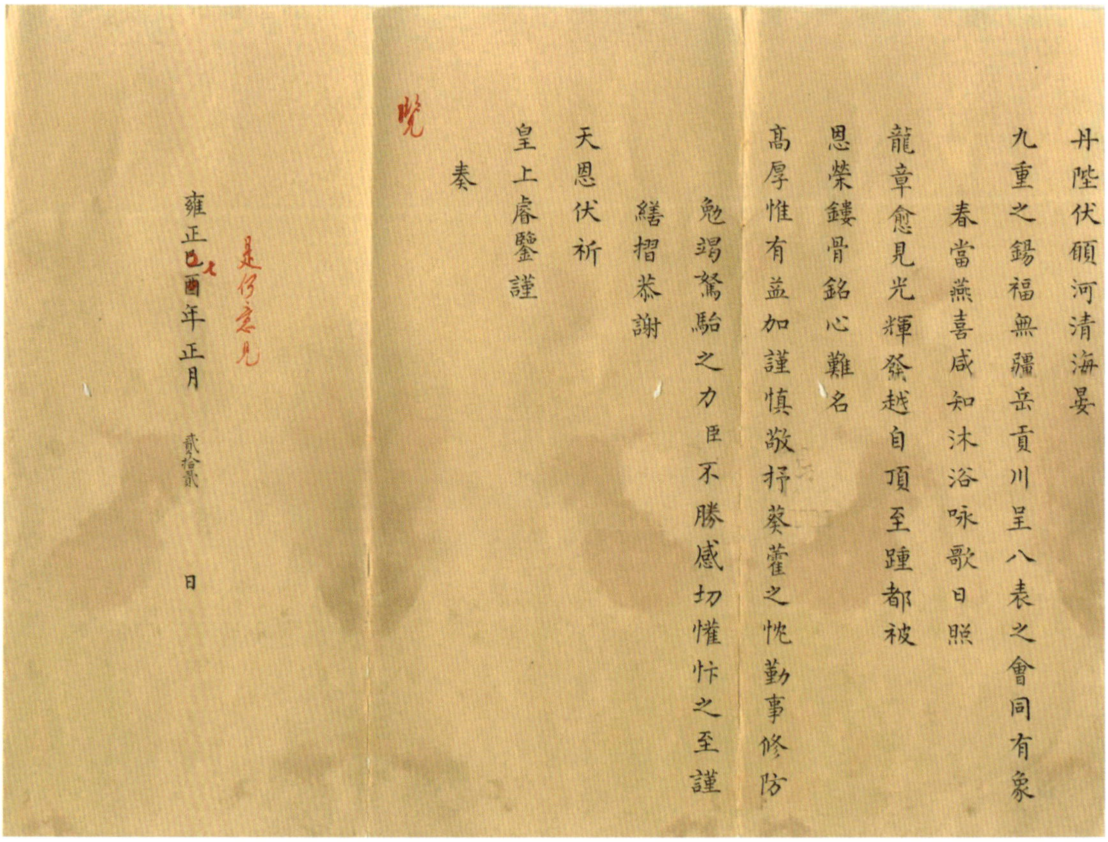

丹陛伏覩河清海晏
九重之錫福無疆岳貢川呈八表之會同有象
春當燕喜咸知沐浴咏歌日照
龍章愈見光輝發越自頂至踵都被
恩榮鏤骨銘心難名
高厚惟有益加謹慎敬抒葵藿之忱勤事修防
勉竭駑駘之力臣不勝感切懽忭之至謹
繕摺恭謝
天恩伏祈
皇上睿鑒謹
奏

覽

是何意見

雍正己酉年正月貳拾貳日

奏

吏部尚書河南副總河兼管山東黃河堤工臣嵇曾筠謹

奏為恭謝

天恩事雍正陸年拾貳月初五日准工部咨開

恭報搶築等事一案拾壹月拾陸日奉

旨嵇家廠漫口合龍之處原屬險急工程其用

過土方價值又屢經部駁嵇曾筠為人謹慎

小心若果浮冒伊必據實核減這次加恩准

其開銷不必再行駁詰欽此咨行到臣欽此

欽遵隨恭設香案望

闕叩頭謝

恩欽惟我

皇上聖明天縱承乾

御極即以河南堤工有關運道民生
指示修防大發帑金今日金堤高厚民樂盈寧
者皆賴
皇上聖謨宏遠所致也茲以微臣題銷秦家厰
土方價值屢奉部駁荷蒙
皇上特降
諭旨恩准開銷聞
命之下益切悚惶伏念臣本書愚備員河干水
兢自矢六載於茲凡有廳汛所做工程該
道冊報臣每嚴加核減親勘確實果無浮
冒方敢報銷此臣慎重工帑之微忱時時
凜矢旦明而不敢直陳於
君父之前者乃早蒙
皇上洪慈洞照
特沛温綸捧誦
皇言唧感無地臣自揣知識愚鈍報稱無能惟
有勤事修防痛加釐剔凡係工程錢糧不
致纖毫浮冒事事謹慎刻刻小心以仰報

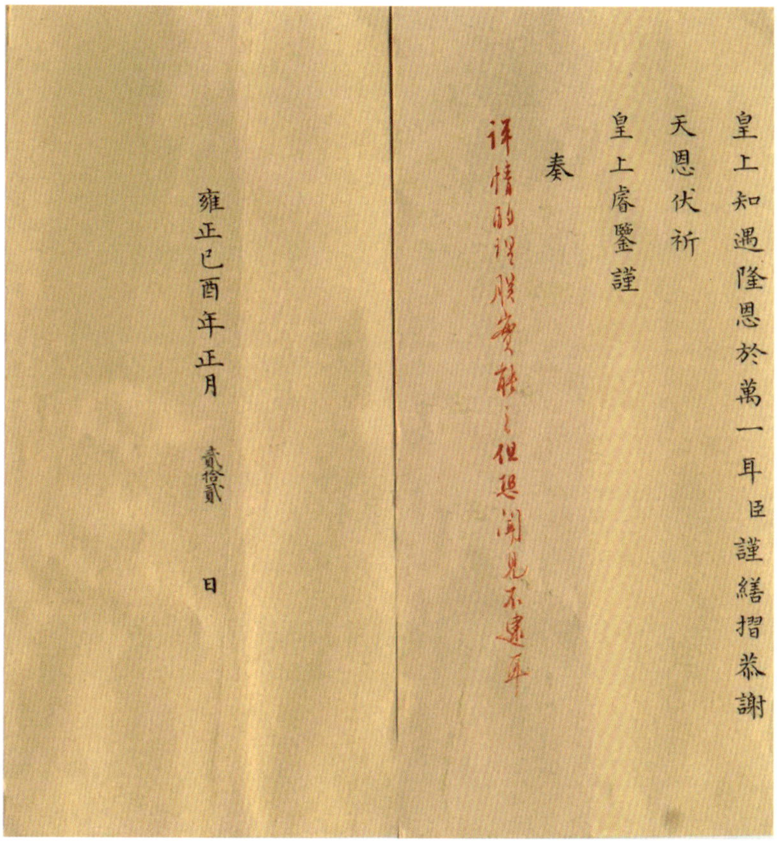

皇上知遇隆恩於萬一耳臣謹繕摺恭謝

天恩伏祈

皇上睿鑒謹

奏

詳情酌理朕實嘉之但恐聞見不遠耳

雍正己酉年正月　　壹拾貳　　日

奏

吏部尚書河南副總河兼管山東黃河堤工臣嵇曾筠謹

奏為欽奉

上諭事雍正己酉年正月初捌日臣齎摺家人

回豫敬捧

皇上硃批臣運河水勢深通黃河料物齊備等

事奏摺欽奉

硃批

旨欣悅覽之聞你諸事擔荷之力甚久往往推

諉屬員此不可者若如此但知潔已則人心

不服人心各顧瞻望不前與汝無益當留心

自省改革可也欽此欽遵臣跪讀之下惶悚

無地伏念臣一介庸愚毫無知識六載河

干愆尤叢積荷蒙
皇上覆載洪慈包容
教誨保全至今今蒙
聖訓誠飭以臣擔荷之力甚欠往往推諉屬員
令臣留心自省改革宥其既往勉其自新
感戴
生成涕零如雨第臣有下情不敢不敬陳於
聖主之前者竊查河工私弊易生河工浮議亦
易起臣受
恩深重惟知矢慎矢公務期工收實在帑不虛
糜是以工無論大小臣必親勘地無間遠
近臣必親到河員以有事為榮以興工為
利但云工程險要而不知內中有應做不
應做之工若一槩擔承估計興修必致帑
金糜費臣於此等工程必再四推敲駁飭
詳加核實方敢具
題此臣拘謹愚誠難逃
聖明洞鑒之中也再臣素未嘗諳練河務自奉

命到工兢兢學習刻刻隄防凡遇迫不及待之
險工即立時擔荷率先搶護外至若工程
浩大需帑繁多尚可稍緩時日者臣必再
三相度形勢一面調撥銀兩預備料物一
面商定於河臣細訪於熟諳員弁兵夫詢
謀僉同然後踴躍前進下一埽務必得一
埽之力做一工務必收一工之效其難其
慎以冀萬全是以數年來凜遵
聖訓幸得黽勉供職臣竊念豫東二省河工最
關緊要我
皇上宵旰焦勞諄諄
訓示微臣世受
國恩才庸任重即捐糜頂踵尚難報稱寧敢稍
萌推諉屬員之念上負
聖主知遇之隆祇緣大工業已告竣長堤屹若
金湯自應以樽節錢糧為重倘臣冒昧擔
荷或致帑金糜費屬員虧空則臣罪難逭
至於估計工程錢糧例由道廳冊報臣等

察核稍有浮冒臣等查叅若不慎重詳察
自用自專恐致草率易生朦蔽臣愚不得
不兢兢過慮也欽蒙
皇上矜憐教導
特頒
諭旨詳加
訓誡臣自慚駑鈍惟有感激猛省諸事留心凡
有一毫推諉之念必痛加改革以仰副
聖主教誨之仁恩於萬一耳臣謹繕摺恭謝
天恩現今凌汛已過工程平穩惟有山東單縣
諸塱壩工應加修理臣現在前往督率與
工務於桃汛前修防穩固伏祈
皇上睿鑒謹
奏

謹慎固是然不可因小而誤大凡事過猶不及今爾雖勤
已極更當加倍小心不可但知潔己錢粮事務河務又
在其次也朕數日如失所倚每念及河干不覺心神
俱慄想及賢佐不禁涕泗交流奈何奈何向後之能
慰朕懷普[illegible]蒼生之[illegible]福[illegible]笑皆在汝等之勤

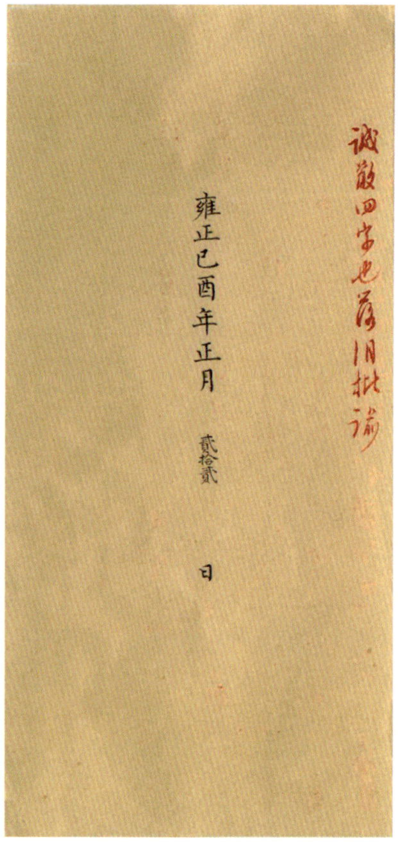

誠敬四字也落旧批諭

雍正己酉年正月貳拾貳日

奏

吏部尚書河南副總河兼管山東黄河堤工臣嵇曾筠等謹

奏為敬陳豫東二省黄河堤埽工程仰祈

睿鑒事竊臣等一介庸愚荷蒙

皇上天恩畀以河防重寄敢不交相砥礪以冀

永遠鞏固伏查豫省黄河北岸自武陟以至儀封南岸自滎澤以至虞城長堤屹峙鞏若金湯水由地中循軌安瀾且埽壩乘時補築防風及早加鑲員弁兵夫曉夜巡防實為有備無患至東省堤工濱河三百餘里向年歲修工程俱係有名無實經臣曾筠於雍正五年具疏

題明剔除虛冒論方計土實在加幫現今首

險次險堤工俱已幫築完竣其餘平易之
處雖間有卑薄離河尚遠不致踈虞今當
雍正柒年估計歲修已經檄飭道廳勘估
册報臣等現在親往確查嚴加核减督令
募夫乘時幫築從此每歲加修自能一律
高寬不必另費帑金而長虹綿亘直與豫
省堤工同其堅厚矣總因東省黃運兩河
弊竇叢生臣等遵
旨管理山東黃河堤工感沐
聖恩惟有力圖整頓不避嫌怨實心釐剔其運
河工程仍屬南河管轄近聞督臣田文鏡
亦在清查具奏我
皇上日月照臨自無微不燭也再查單縣諸堡
壩埽工前因南岸陡長沙灘逼溜北注汕
刷堤根臣等已於歲内先下摟崖護埽今
又下深水大埽七十餘丈簽下長樁晝夜
加鑲極其堅穩已經告竣將來汛水漲發
若有上提下坐之處再為相機修築總之

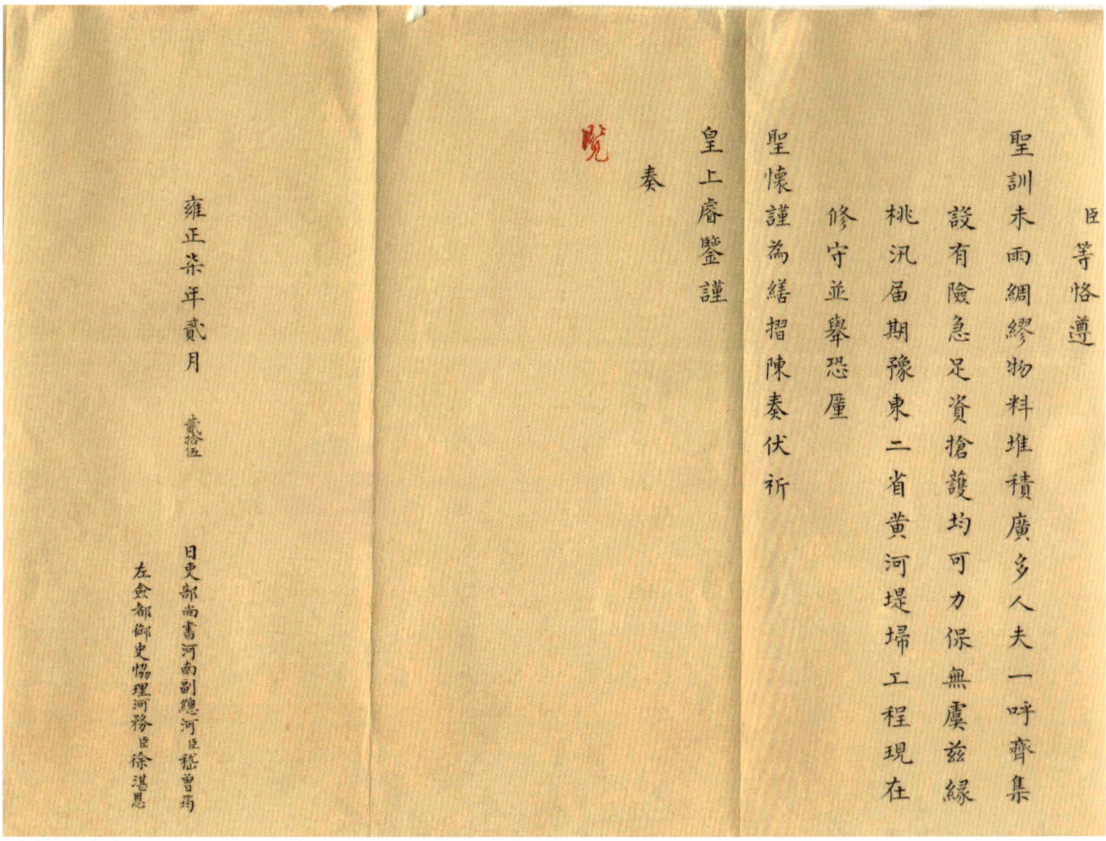

臣等恪遵
聖訓未雨綢繆物料堆積廣多人夫一呼齊集
設有險急足資搶護均可力保無虞茲緣
桃汛屆期豫東二省黃河堤埽工程現在
修守並舉恐廑
聖懷謹爲繕摺陳奏伏祈
皇上睿鑒謹
奏
覽
雍正柒年貳月　貳拾伍　日吏部尚書河南副總河臣嵇曾筠
左僉都御史協理河務臣徐湛恩

一〇五

奏

吏部尚書河南副總河兼管山東黃河堤工臣嵇曾筠謹

奏為欽奉

上諭事雍正柒年貳月拾捌日臣於儀封北岸

工次跪接

皇上御批臣欽奉

上諭事奏摺欽奉

硃批

旨謹慎固是然不可因小而悞大凡事過猶不

及今齊蘇勒已往更當加倍小心不可但知

潔己錢糧事較河務又在其次也朕數日如

失所倚每念及河干不覺心神俱慄想及賢

佐不禁涕泗交流奈何奈何向後之能慰朕

懐與吾萬姓之蒙福罹災皆在汝等之公勤
誠敬四字也落泪抆諭欽此臣跪讀之下悚
懼恐惶置身無地竊念臣樗櫟庸材仰荷
皇上天恩拔擢豢養生成特畀河工重任提撕
警覺教育多方兹以河臣齊蘇勒已往特
頒
訓旨誥誡諄諄憶臣自奉
命十里店堵築漫口曁受任副總河以来經今
柒載向與河臣共事凡一應水勢工程必
請商指示寅恭誼協受益良多雖近緣河
臣抱恙情性殊常不無疑忌臣總以公事
為重虛衷竭力委曲辦理冀免隕越我
皇上慎重河防時深饑溺之思
眷念勞臣彌切股肱之痛皆由臣才庸識短奉
職無能不克仰副
天心以致
聖主憂勤
宸衷時惕捫心愧歉嗚咽難言伏念

皇上秉乾御極日有萬幾四海蒼生均仰賴於
一人之有慶今以河干諸事上廑
天懷臣雖犬馬無知亦思感奮况披風沐雨奔
走多年講求埽理審視河形其間孰輕孰
重孰緩孰急河務機宜勤以補拙熟以生
巧惟有躬親相度先事持籌水勢瞭如修
防無悞此則臣勉竭駑駘留心學習一愚
之得不敢不竭獻於
聖主之前也總之臣自今以往惟有凛遵
聖諭加倍小心無事則以查核錢糧為重有事
則以搶護工程為要不敢因小而悞大不
敢矯枉而過正念念切於公勤刻刻勉於
誠敬所有豫東二省黄河工程臣總以身
肩任務保長隄永固圖萬姓之久安頌
皇仁之錫福以祈仰慰
聖懷於萬一耳臣謹繕摺恭謝
聖訓伏祈
皇上睿鑒謹

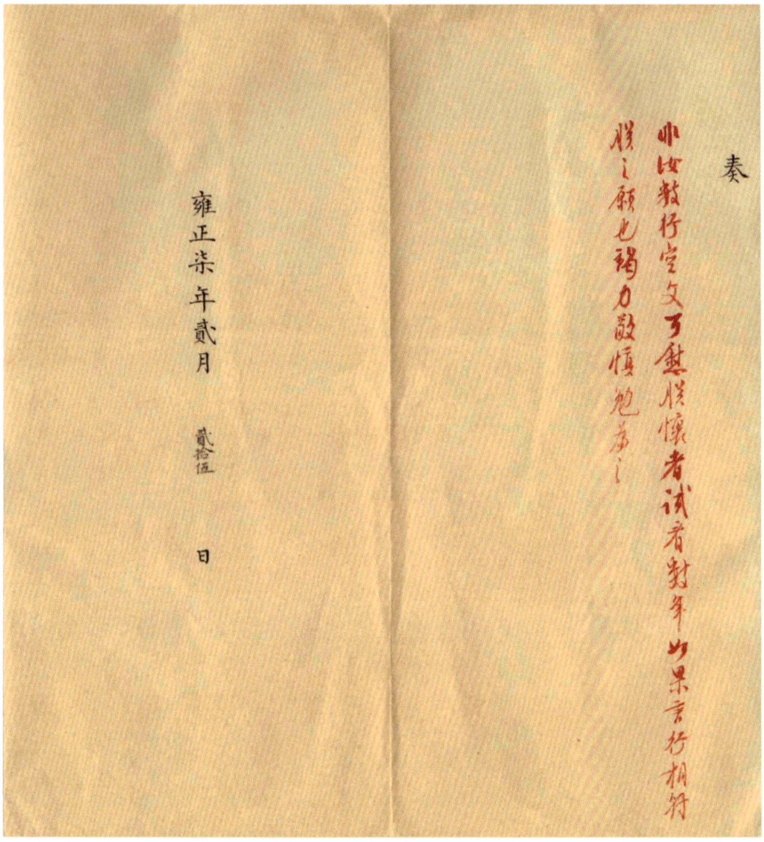

奏

非此數行空文可慰朕懷者，試看數年，如果言行相符，朕之願也。竭力敬慎勉為之。

雍正柒年貳月貳拾伍日

一〇六

奏

陕西總督臣岳鍾琪謹

奏爲經界積久不清兩境爭端無已恭請

勅派部員確勘查照賦糧歸着事竊查秦省之朝邑
縣與晋省之蒲州原以黄河爲界而明代黄河
故道東距蒲州城僅二三里西距朝邑縣城幾
三十里自明末河流遷改西去朝邑僅十數里

我

朝百年以來河流日漸西徙今去朝城纔六七里蒲
民執以河爲界之説每遇西泮東漲隨時報墾
而朝邑百姓又謂歷年遷改之河身俱是秦民
之糧地以致康熙五十三年蒲朝百姓爭田私
鬭其時雖經兩省撫臣會勘將大慶關西南二
十七里築牆立界而仍有大慶關西北等處一
十七里嫩灘難以築牆植柳未經分晰界址故

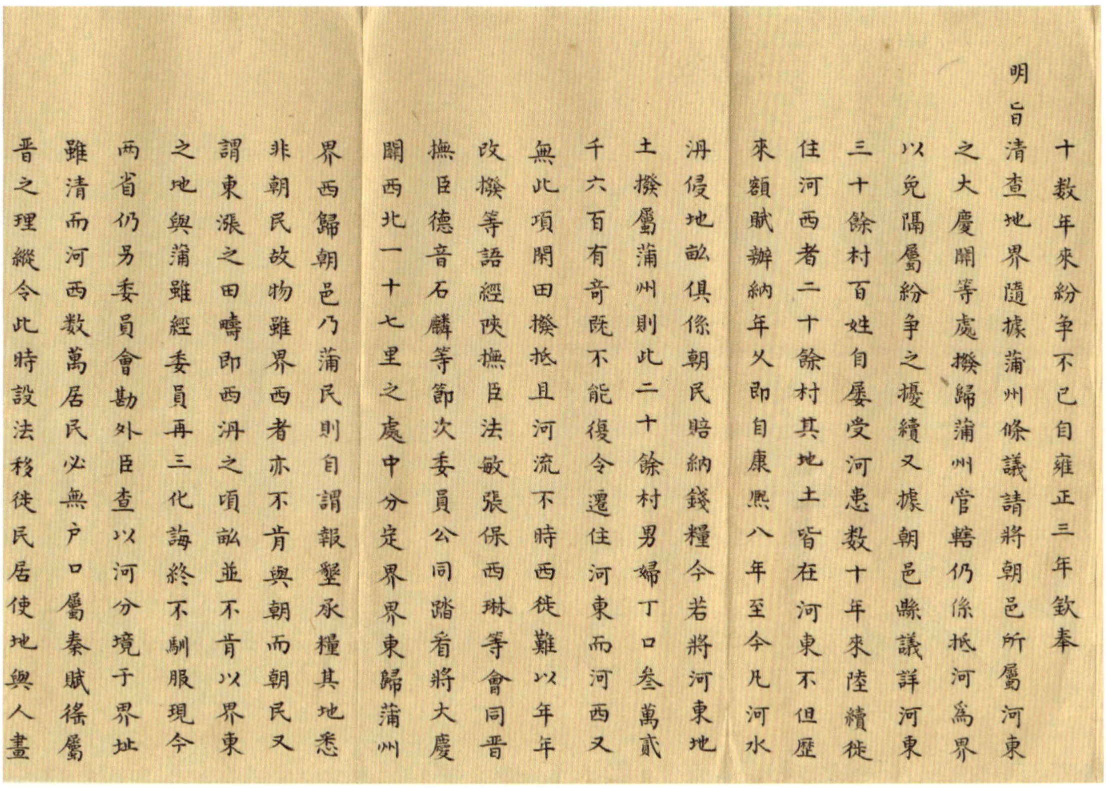

十數年來紛爭不已自雍正三年欽奉

明旨清查地界隨據蒲州條議請將朝邑所屬河東

之大慶關等處撥歸蒲州管轄仍係抵河爲界

以免隔屬紛爭之擾續又據朝邑縣議詳河東

三十餘村百姓自屢受河患數十年來陸續徙

住河西者二十餘村其地土皆在河東不但歷

來額賦辦納年久即自康熙八年至今凡河水

洴侵地畝俱係朝民賠納錢糧今若將河東地

土撥屬蒲州則此二十餘村男婦丁口叄萬貳

千六百有奇既不能復令還住河東而河西又

無此項閑田撥抵且河流不時西徙難以年年

改撥等語經陝撫臣法敏張保西琳等會同晋

撫臣德音石麟等節次委員公同踏看將大慶

關西北一十七里之處中分定界界東歸蒲州

界西歸朝邑乃蒲民則自謂報墾承糧其地悉

非朝民故物雖界西者亦不肯與朝而朝民又

謂東漲之田疇即西洴之頃畝並不肯以界東

之地與蒲雖經委員再三化誨終不馴服現今

兩省仍另委員會勘外臣查以河分境于界址

雖清而河西數萬居民必無户口屬秦賦係屬

晋之理縱令此時設法移徙民居使地與人畫

一歸併而黃河水性遷改不常兩州縣之地界
必致歲歲紛更數萬口之屋廬焉得頻頻遷徙
此以河爲界之説獨不能用之於黃河而尤不
能用於蒲朝之兩境者也但展轉會勘徙延歲
月難以永斷葛藤今蒲民藉口在報墾承糧而
朝衆不甘在輸將日久欲服兩造民心惟有清
查糧賦伏念朝邑自康熙八年以後至今並未
報豁黃河坍瀉之地糧則是此六十年中凡以
西坍而東漲之地雖蒲民已經報墾者朝民尚
在歲歲賠糧況未經報墾而乘機佔種者其係
朝民納賦更無煩詰詢也夫蒲朝舊以黃河爲
界今查蒲州條議內稱朝邑之大慶關距蒲城
五里則是黃河故道在大慶關以東甚明而朝
邑縣議詳內稱自康熙八年以後河水侵坍地
畝現在賠糧則是康熙八年以前河徙之坍地
錢糧已經除豁甚明又據蒲州條議內稱大慶
關西南二十七里築牆立界在康熙五十三年
則兩造百姓之紛爭又不止在五十一二年甚
明是康熙五十年以前蒲民之報墾承糧猶得
謂非私意而五十年以後之報糧佔地則盡出
於有心合無仰請

皇上密勑部臣將山西蒲州歷年報墾底册確查自
國初至康熙八年共報墾沿河田地若干自康熙
九年至康熙四十九年共報墾沿河田地若干
自康熙五十年至今共報墾沿河田地若干仍
請
勑派部院賢員密馳赴蒲查取
國初至今歷年報墾沿河地畝各報呈底册一一
檢收封固然後傳喚晋省之河東道陝省之潼
商道眼同將大慶關西南之二十七里西北之
一十七里所有地畝盡行丈量通共計若干頃
畝內除蒲民自
國初至康熙八年報墾之若干頃畝所有錢糧在
朝邑已經報豁則此項地土照數歸與蒲民即
朝邑之人自亦無不心服其自康熙九年至康
熙四十九年蒲民報墾沿河之若干頃畝應照
陝省則例確算丁地錢糧
奏請在朝邑沿河百姓名下如数豁除則再將此
項地土照数歸與蒲民雖任朝民之頑梗亦難
仍執賠糧之說復起爭端除以上兩項總共若
干頃畝應給蒲民之外其餘地土不但蒲民未
經報墾承糧者應歸朝邑即蒲民自康熙五十

年至今所有報墾之若干頃畝亦應照晉省則
例確算丁地錢糧
奏請在蒲州沿河百姓名下豁除則並此項地土
概歸朝邑蒲民亦不能藉口承糧越耕朝地矣
然後通算蒲民共應得若干頃畝儘東撥給立
石分界再令朝民照依石界陸續築牆植柳庶
幾永杜争端伏念微臣仰蒙
硃遇濫任封疆時時恭繹
諭旨地皆朕土人皆朕臣此盈彼絀悉在朕版圖之
內無容分視臣欽遵仰體不敢存蒲民屬晉朝民
屬秦之念務期兩地人民理順情安永無争競
以上副
聖朝一道同風之治但臣淺陋之見恐未允協爲此
具摺恭請
訓示伏乞
皇上睿鑒
批示施行謹
奏

此事所奏甚是朕再斟酌另有旨諭差員料理

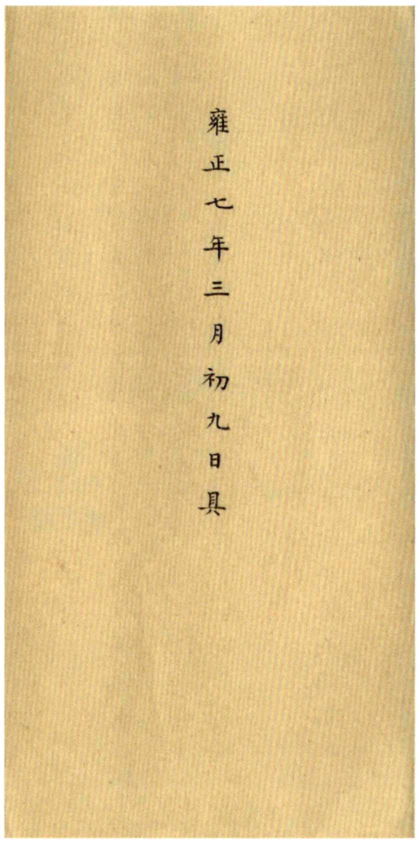
雍正七年三月初九日具

一〇七

奏

河東總督臣田文鏡謹

奏爲黄河水汛平穩敬謹修防以固堤工以

慰

聖懷事臣查豫省黄河水勢今歲自桃汛以來

至叁月貳拾柒日止一切工程俱各平穩

臣已會同總河臣嵇曾筠合詞具

題在案此皆仰賴我

皇上德盛化神是以

天心協應河水安流官堤鞏固今肆月初捌日起

伏汛又届凡一切椿埽物料臣已飭令預

備齊全并檄行管河道及在河官弁督率

兵夫人等駐守河干照依四防二守之法

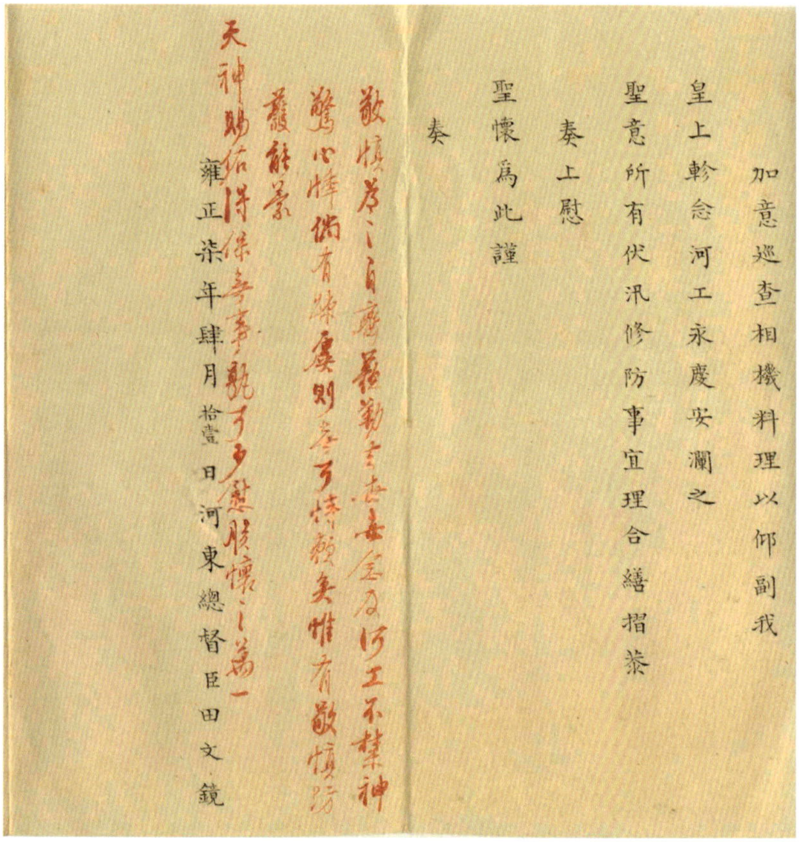

加意巡查相機料理以仰副我
皇上軫念河工永慶安瀾之
聖意所有伏汛修防事宜理合繕摺恭
奏上慰
聖懷爲此謹
奏

敬慎之心自應益勤方未安全及河工不禁神
驚心悸倘有慶則又可恃賴矣惟有敬慎防
護能蒙
天神賜佑件件保無事就可以慰朕懷之萬一
雍正柒年肆月拾壹日河東總督臣田文鏡

奏

吏部尚書總督河南山東河道提督軍務臣嵇曾筠謹

奏爲恭報黄河水勢工程平穩情形仰祈

睿鑒事竊惟時當夏令汛水將臨我

皇上慎重河防屢頒

訓旨誥誡諄諄俾臣得敬謹遵循先事預防所

有豫省黄河南北兩岸應行修守之處臣

已嚴飭道廳文武汛官督率兵夫鑲墊堅

整足資捍衛又移咨内閣學士協理河務

臣徐湛恩勤加查察茲於伍月初拾日黄

河長水叁尺貳寸旋即消落一切堤埽工

程俱各平穩再運河糧艘尚行昨於伍月

拾捌日全數催過濟寧查比上年過濟之

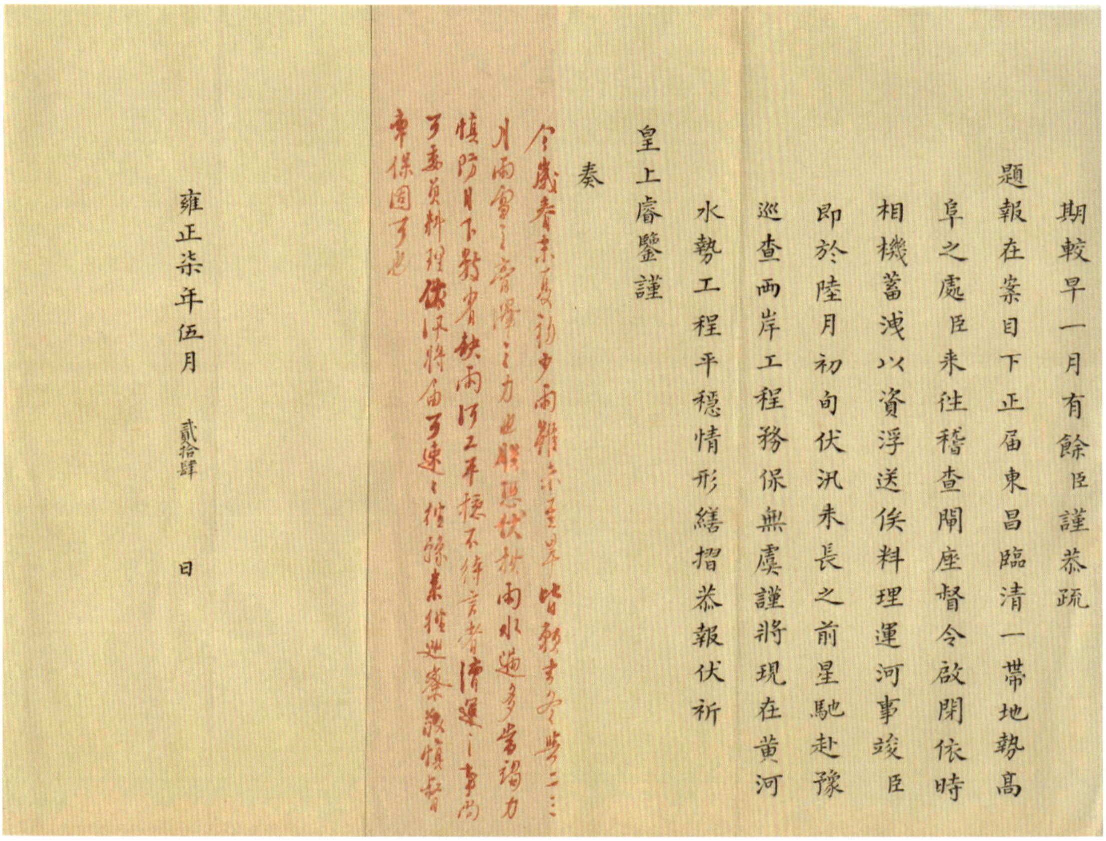
期較早一月有餘臣謹恭疏
題報在案目下正屆東昌臨清一帶地勢高
阜之處臣來往稽查閘座督令啟閉依時
相機蓄洩以資浮送俟料理運河事竣臣
即於陸月初旬伏汛未長之前星馳赴豫
巡查西岸工程務保無虞謹將現在黃河
水勢工程平穩情形繕摺恭報伏祈
皇上睿鑒謹
奏
今歲春末夏初少雨雖亦望早皆報者多此二三
月雨雪之資潤之力也朕恐伏秋雨水過多當竭力
慎防目下尚有缺雨河工平穩不待言者清運之事尚
可無負料理伏汛將屆可速速往豫來往巡察敬慎督
率保固可也
雍正柒年伍月貳拾肆日

一〇九

奏

河東總督臣田文鏡謹

奏爲恭報黃河水汛平穩仰慰

聖懷事竊臣查得黃運兩河關係運道民生時

廑

聖主垂念臣欽遵

諭旨時刻留心敬謹料理屢檄河道河廳及在

汛官弁等不時修防加意巡守務使堤埽

鞏固不得稍有懈忽茲入伏汛以來臣查

伍月下旬及陸月初旬豫省連得大雨伍

月貳拾玖日據陝西寧夏府知府鈕廷彩

報稱伍月拾玖日寧夏水長貳尺有餘等

因到臣臣即移咨河東江南河臣并飛檄

管河道河北道督率官弁兵夫等無分風
雨晝夜嚴加守護巡防臣復另委千把員
弁不時來往嚴加稽查隨據管河道祝兆
鵬河北道朱藻陸續具報於陸月初貳日
黃河水長貳尺當即消落壹尺初肆日沁
河水長貳尺初陸日黃河水長叁尺陸月
初柒日黃河水落壹尺肆寸初玖日黃河
水落貳尺沁河水落壹尺拾壹日黃河水
長貳尺玖寸拾叁日水落壹尺伍寸河岸
高出水面叁肆尺不等並未出漕堤埽工
程俱各平穩等語臣查向來寧夏水長最
易泛漲近年中泓刷深各處支河槊行堵
築河汛循軌水未出漕此皆仰賴我
皇上敬祀百神誠通
上帝是以河流安瀾堤埽鞏固臣不勝踴躍懽忭
之至所有水勢長落河汛平穩情形理合
繕摺奏
聞仰慰

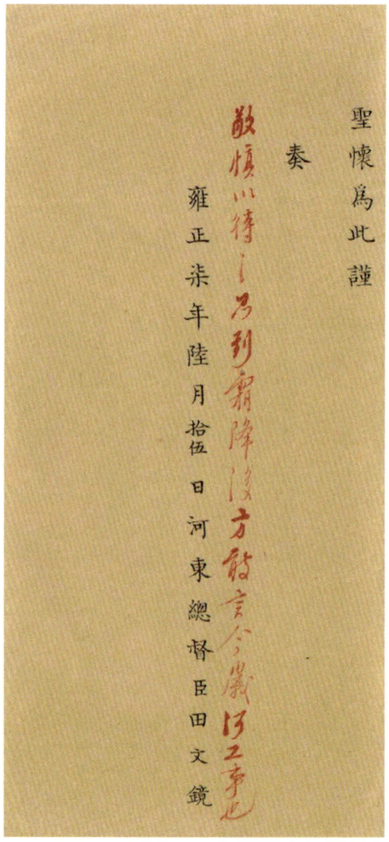
聖懷爲此謹
奏
敬慎以待之乃到霜降後方敢言今歲河工事也
雍正柒年陸月拾伍日河東總督臣田文鏡

一一〇

奏

河東總督臣田文鏡謹

奏爲恭報黄河水汛平穩仰慰

聖懷事竊查雍正柒年陸月拾伍日經臣將黄河水汛平穩情形具摺恭

奏在案兹于陸月貳拾陸日據陝西寧夏府知府鈕廷彩報稱陸月拾肆日寧夏水長貳尺有餘等因到臣臣當即移咨河東江南河臣并飛檄管河道河北道督率官弁兵夫等無分風雨晝夜嚴加防守臣復另委千把員弁往來稽查隨據管河道祝兆鵬河北道朱藻陸續具報沁河于貳拾捌日水長貳尺黄河于貳拾捌日卯時起至

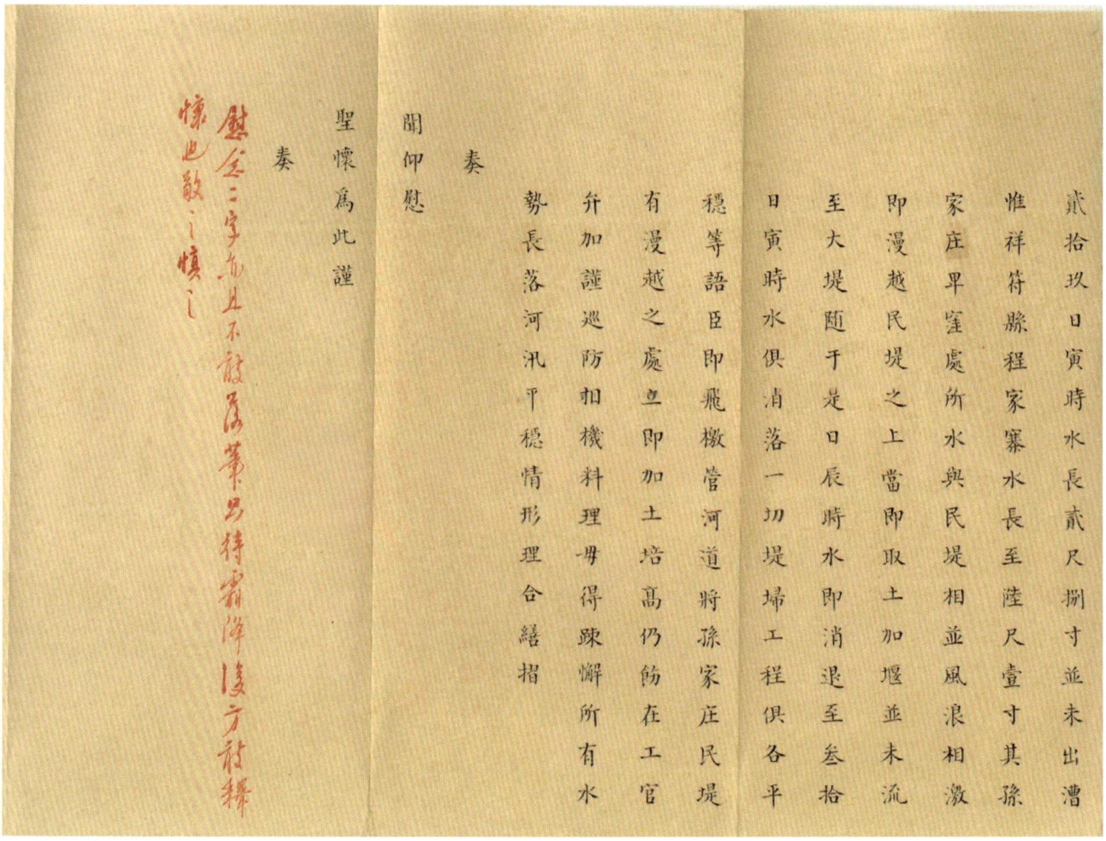

貳拾玖日寅時水長貳尺捌寸並未出漕
惟祥符縣程家寨水長至陸尺壹寸其孫
家庄卑窪處所水與民堤相並風浪相激
即漫越民堤之上當即取土加堰並未流
至大堤隨于是日辰時水即消退至叁拾
日寅時水俱消落一切堤埽工程俱各平
穩等語臣即飛檄管河道將孫家庄民堤
有漫越之處立即加土培高仍飭在工官
弁加謹巡防相機料理毋得踈懈所有水
勢長落河汛平穩情形理合繕摺
奏
聞仰慰
聖懷為此謹
奏

覽奏二字尚且不敢落筆必待霜降後方敢釋
懷也敬之慎之

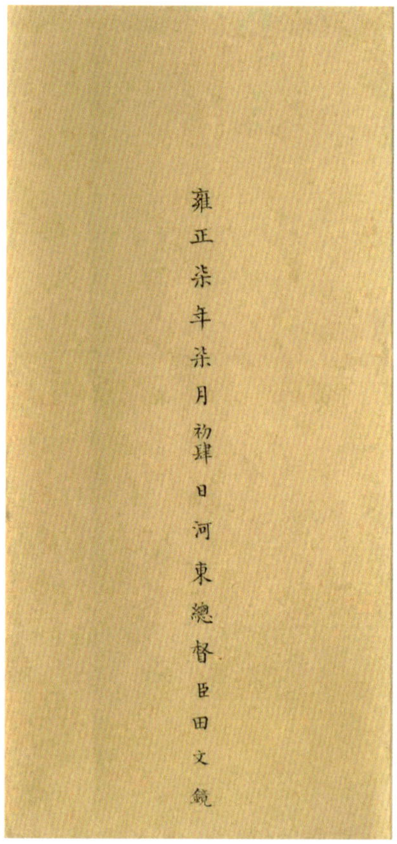

雍正柒年柒月初肆日河東總督臣田文鏡

一一一

奏

河東總督臣田文鏡謹

奏爲恭報黃河水汛平穩仰祈

睿鑒事竊查黃河水汛平穩業經臣節次具摺

恭

奏在案茲于雍正柒年閏柒月初肆日據陝

西寧夏府知府鈕廷彩報稱本年柒月貳

拾叁日寧夏水長壹尺有餘等因到臣臣

當即移咨河東江南河臣并飛檄管河道

河北道督率官弁兵夫等嚴加防守臣仍

飭委千把總員往來巡查嗣據管河道祝

兆鵬河北道朱藻并各廳汛員弁等具報

閏柒月初陸日黃河水長壹尺初柒日黃

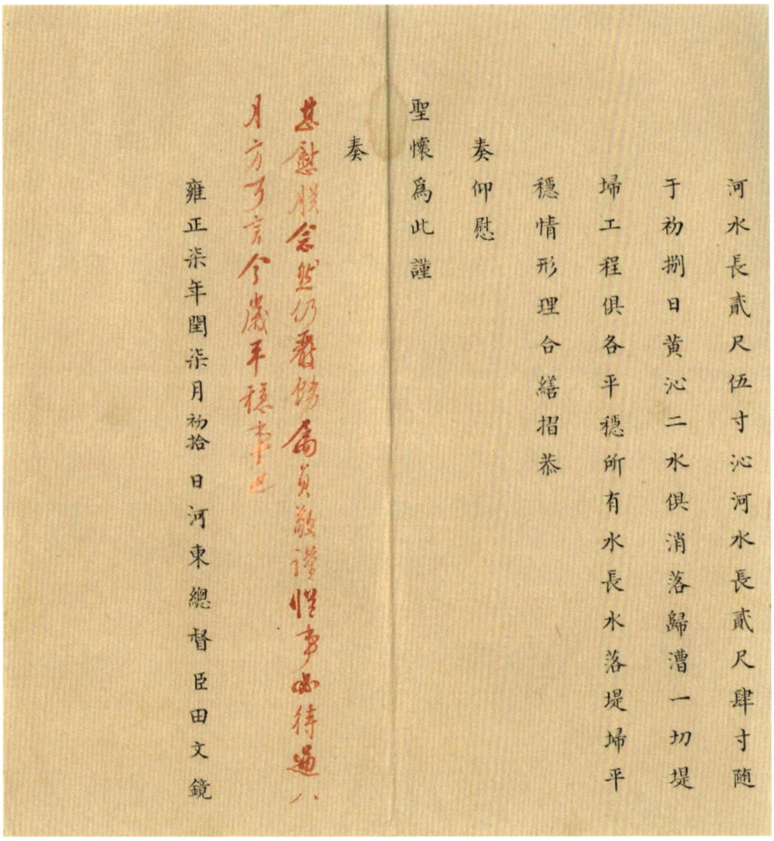

河水長貳尺伍寸沁河水長貳尺肆寸隨
于初捌日黄沁二水俱消落歸漕一切堤
埽工程俱各平穩所有水長水落堤埽平
穩情形理合繕摺恭
奏仰慰
聖懷爲此謹
奏
甚慰朕念然仍飭屬員敬謹惟事必待過八
月方可言今歲平穩也
雍正柒年閏柒月初拾日河東總督臣田文鏡

一一二

奏

河東總督臣田文鏡謹

奏為恭報黄河伏汛平穩仰慰

聖懷事竊查黄河水汛平穩業經臣節次具摺

恭

奏在案兹于本年柒月初柒日據陝西寧夏

府知府鈕廷彩報稱本年陸月貳拾捌日

寧夏水長貳尺有餘等因到臣臣當即移

咨河東江南河臣并飛檄管河道河北道

督率官弁兵夫等嚴加防守臣仍飭委千

把總往來巡查嗣據管河道祝兆鵬河北

道朱藻并各廳汛員弁具報柒月初捌日

黄河水長叁尺沁河水長貳尺貳寸隨于

初玖初拾拾壹等日水俱消落歸漕又于
拾柒拾捌兩日黃河水長叁尺壹寸沁河
水長肆尺陸寸隨于拾捌拾玖兩日水各
消落叁尺一切堤埽工程俱各平穩等語
臣竊查伏汛以來黃沁二水雖長落靡常
今伏汛已逾堤工鞏固共慶安瀾此皆仰
賴我
皇上慎重河防
至誠至敬屢頒
訓旨指示周詳是以在工官弁無不敬謹防護
但秋汛踵至臣欽遵
聖訓益加敬慎仍嚴檄管河道河北道督同廳
汛率領兵夫無分風雨晝夜加意防守相
機料理以期無負
皇上教誨之至意所有伏汛平穩情形除會同
總河臣嵇曾筠另疏
題報外理合繕摺恭
奏仰慰

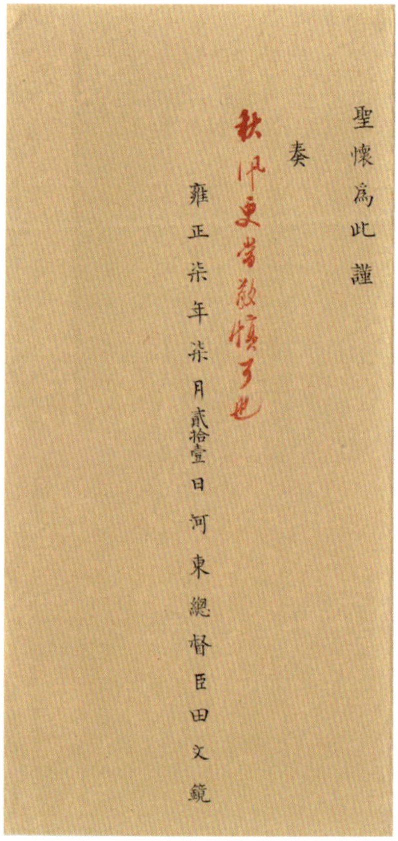

聖懷爲此謹

奏

秋汛更當敬慎方也

雍正柒年柒月貳拾壹日河東總督臣田文鏡

一一三

奏

吏部尚書總督河南山東河道提督軍務臣嵇曾筠等謹

奏爲恭報秋汛水勢工程平穩情形仰慰

聖懷事竊照豫省黄沁兩河自伏秋交會以來

仰賴

皇上敬誠感召循軌安瀾工程平穩臣等已經

恭摺

奏明在案嗣於閏柒月内據寧夏府報黄河長水貳次計壹尺有餘并貳尺不等沁河報長水貳次計貳尺有餘并叁尺陸寸不等當沁黄交漲之時臣等飛飭員弁兵夫防閑愈加謹密所喜河泓深廣容納暢流不致泛溢兼之兩岸堤埽工程俱各加鑲

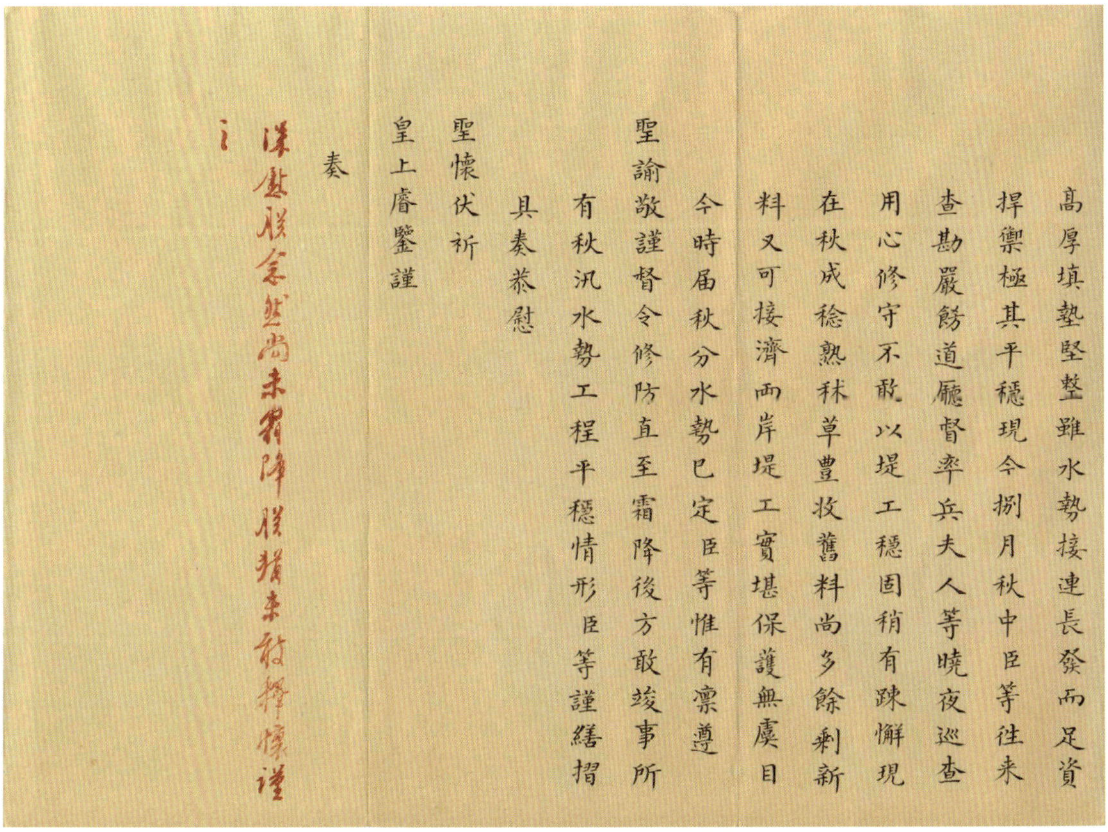
高厚填墊堅整雖水勢接連長發而足資
捍禦極其平穩現今捌月秋中臣等往来
查勘嚴飭道廳督率兵夫人等曉夜巡查
用心修守不敢以堤工穩固稍有疎懈現
在秋成稔熟秫草豐收舊料尚多餘剩新
料又可接濟兩岸堤工實堪保護無虞目
今時届秋分水勢已定臣等惟有禀遵
聖諭敬謹督令修防直至霜降後方敢竣事所
有秋汛水勢工程平穩情形臣等謹繕摺
具奏恭慰
聖懷伏祈
皇上睿鑒謹
奏
深慰朕念然尚未霜降朕猶未敢釋懷謹之

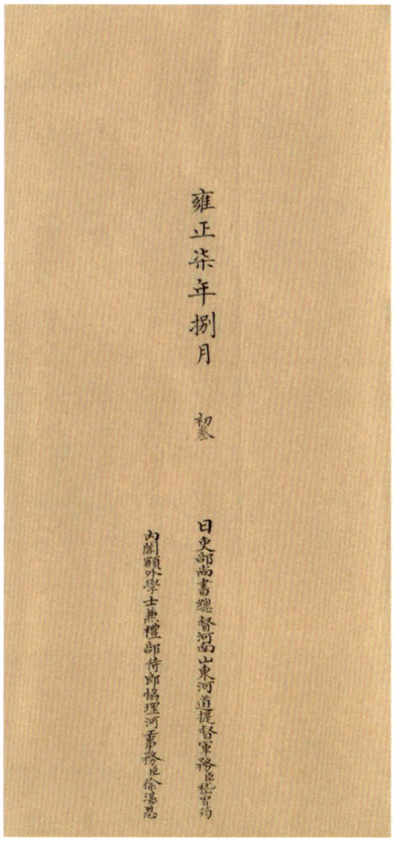

雍正柒年捌月　初叁　日吏部尚書總督河南山東河道提督軍務臣嵇曾筠

內閣額外學士兼禮部侍郎協理河事務臣徐湛恩

一一四

奏

河東總督臣田文鏡謹

奏爲恭報黄河水汛平穩仰祈

睿鑒事竊照黄河水汛平穩經臣節次具摺恭

奏在案兹于雍正柒年閏柒月拾伍日據陝西寧夏府知府鈕廷彩報稱本年閏柒月初肆日寧夏水長貳尺有餘到臣臣即移咨河東江南河臣并飛檄管河道河北道督率官弁兵夫等嚴加防守臣仍飭委千把員弁往來巡查嗣據管河道祝兆鵬河北道朱藻并各廳汛員弁等具報閏柒月拾柒拾捌貳拾叁等日黄河水長貳尺貳寸隨即消落歸漕其沁河水並無長落一

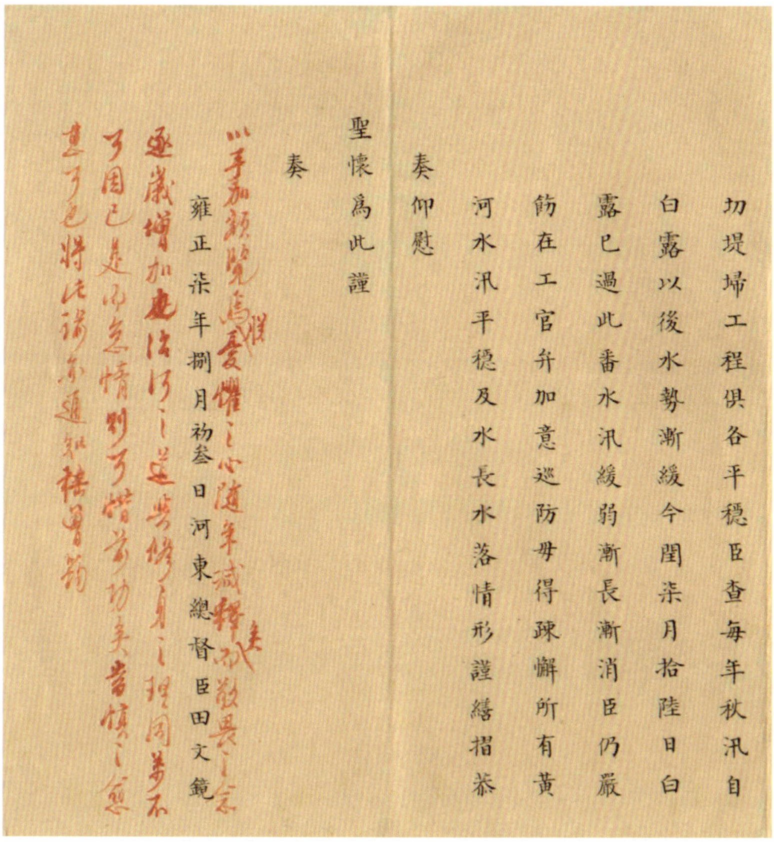

切堤埽工程俱各平穩臣查每年秋汛自
白露以後水勢漸緩今閏柒月拾陸日白
露已過此番水汛緩弱漸長漸消臣仍嚴
飭在工官弁加意巡防毋得疎懈所有黃
河水汛平穩及水長水落情形謹繕摺恭
奏仰慰
聖懷為此謹
奏

以手加額覽焉朕憂懼之心隨年減釋矣而敬畏之念
雍正柒年捌月初叁日河東總督臣田文鏡
逐歲增加豈法行之道要修身之理同等不
可因已是而忽情則可惜前功矣當慎之愈
甚可也將此諭爾通知嵇曾筠

一一五

奏

河東總督臣田文鏡謹
奏爲豫省黄河堤工請停加修議添堡夫仰
祈
睿鑒事雍正柒年柒月貳拾壹日准總河臣嵇
曾筠咨内開欽奉
上諭黄河堤岸乃運道命生所關最爲緊要年
來殫心經理增卑培薄幸堤工堅固共慶安
瀾獨是工程報竣例應歸汛修防而額設河
兵堡夫只能修補水浪衝激之處防備臨險
搶護之用至于堤身一年之内風雨淋漓車
馬踐踏漸致侵蝕者亦勢所必有而堤遠工
多不能責諸寥寥兵役也朕思堤工雖千有

餘里若按丈每年加修伍寸計費不過叁肆
萬兩倘置之不議一年剝削肆伍寸合十年
而計之其所費之多恐有不止于加修之數
者况河流漲漫不時難以預料何若逐年增
修保固爲未雨綢繆之計也朕意如此其果
否有益之處著南北兩河總督尹繼善嵇曾
筠悉心商酌詳確定議具奏欽此仰見我
皇上軫念堤工
睿慮周至臣查豫省黄河兩岸堤工荷蒙
皇上疊發帑金
指示修培是以崇隆堅固一律巍然臣有兼
理河道之責時時仰體
皇上慎重河防之
聖意飭令管河各官敬謹料理如車馬往來另
有道路不在堤上行走不致輪蹄踐踏損
傷其雨淋殘缺水溝浪窩則令兵夫隨時
修補毋許稍緩若新修之堤其頂面兩旁
尚未生草盤結風吹雨淋不免侵削則于

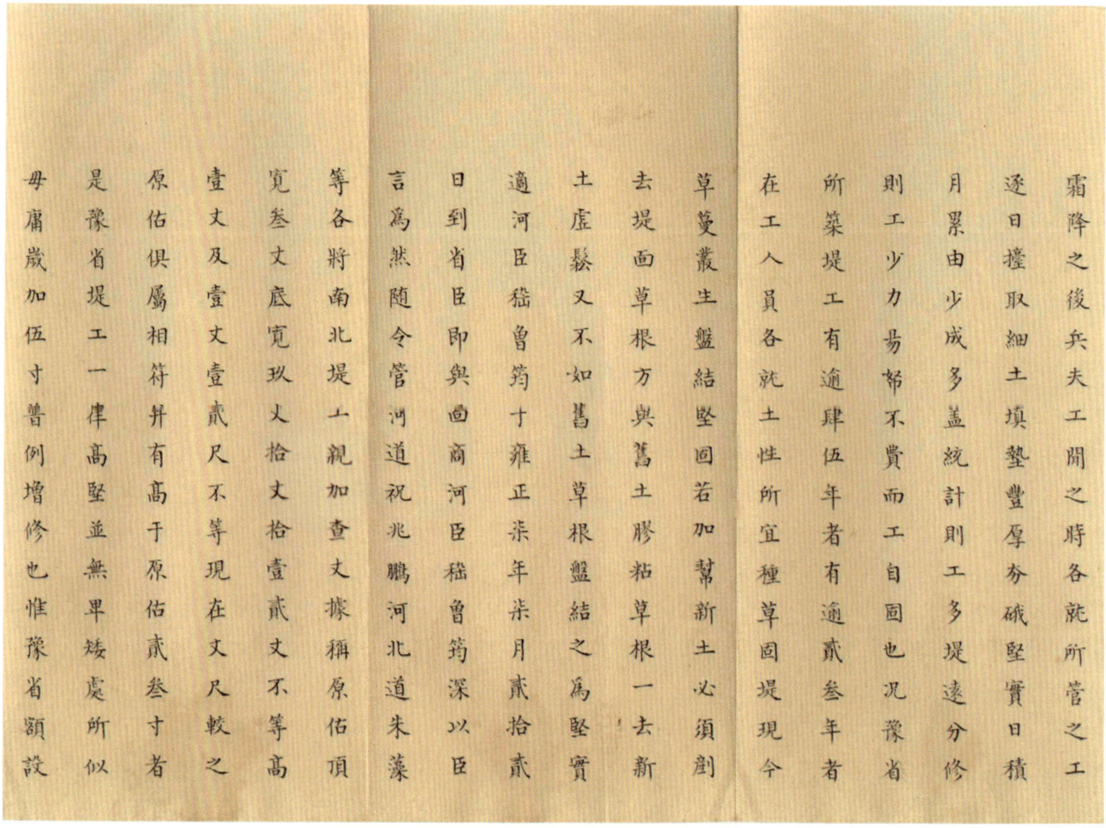
霜降之後兵夫工閒之時各就所管之工
逐日擡取細土填墊豐厚夯硪堅實日積
月累由少成多蓋統計則工多堤遠分修
則工少力易帑不費而工自固也況豫省
所築堤工有通肆伍年者有通貳叁年者
在工人員各就土性所宜種草固堤現今
草蔓叢生盤結堅固若加幫新土必須剷
去堤面草根方與舊土膠粘草根一去新
土虛鬆又不如舊土草根盤結之為堅實
適河臣嵇曾筠于雍正柒年柒月貳拾貳
日到省臣即與面商河臣嵇曾筠深以臣
言為然隨令管河道祝兆鵬河北道朱藻
等各將南北堤工親加查丈據稱原估頂
寬叁丈底寬玖丈拾丈拾壹貳丈不等高
壹丈及壹丈壹貳尺不等現在丈尺較之
原估俱屬相符并有高于原估貳叁寸者
是豫省堤工一律高堅並無卑矮處所似
毋庸歲加伍寸普例增修也惟豫省額設

河兵壹千名緣上年添造淺柳船隻即于
河兵内挑選叁百肆拾名現在河兵止有
陸百陸拾名稍有不敷力作且河兵簽樁
下埽往來調遣未能專守堤岸今查豫省
現在堡夫壹千伍拾捌名專以守堡修堤
爲事臣擬添設堡夫叁百肆拾名分派兩
岸力作修防以補河兵之數河兵每名月
支餉銀壹兩堡夫每名月支工食銀伍錢
添堡夫叁百肆拾名每年共應給工食銀
貳千零肆拾兩應請于藩庫正項錢糧内
發給造冊
奏銷臣亦與河臣嵇曾筠面商所見相同臣
伏思黄河兩岸堤工關係運道民生最爲
緊要我
皇上不惜
國帑爲未雨綢繆之計
命河臣酌議歲加伍寸原恐風雨淋漓車馬踐
踏漸致侵蝕額設兵役不能修補之故今

豫省堤工既無車馬踐踏損傷而雨淋殘
缺又隨時修補現今一律崇固即歲費帑
項徒爲官役中飽且使在工官役恃有此
加修之例平日玩視工程不爲隨時修補
臣擬請停加修添設堡夫則力作多人即
偶有雨淋殘缺修補更易而堤工日益鞏
回
國帑不致虛糜臣蒙
皇上天恩何等信任此事雖非
皇上命臣查議而臣于豫省堤工既知之深而
信之確不敢不直陳于
君父之前其江南堤工臣未深知不敢懸擬除
聽河臣嵇曾筠具
題外因此議出自臣之愚見而
上諭内未
命臣會議臣不便列銜是以繕摺恭
奏伏候
聖裁爲此謹

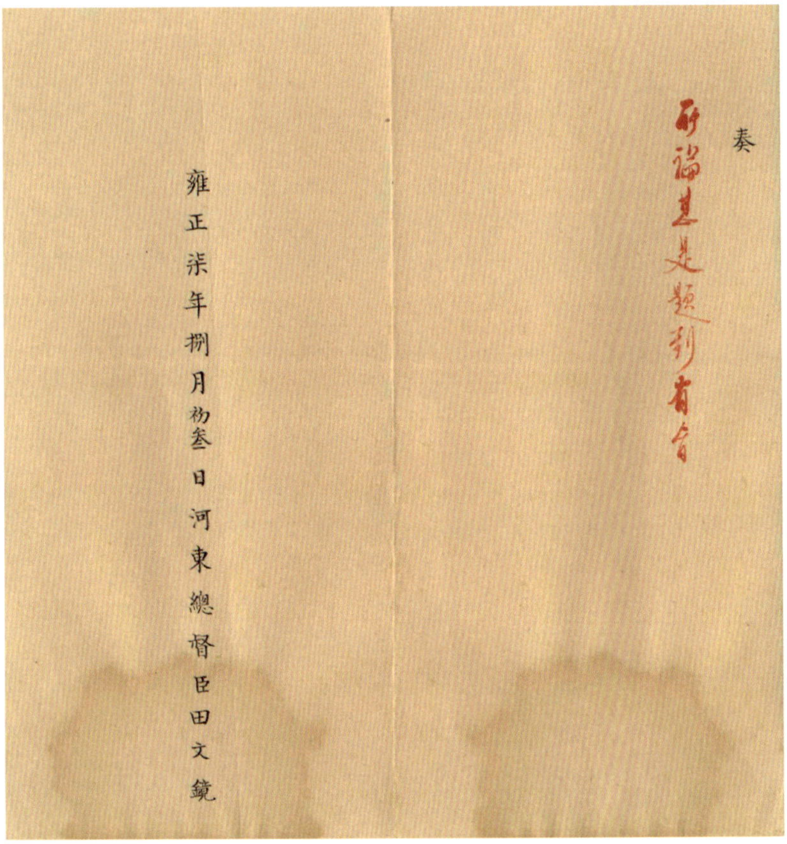

奏

所論甚是題到有旨

雍正柒年捌月初叁日河東總督臣田文鏡

一一六

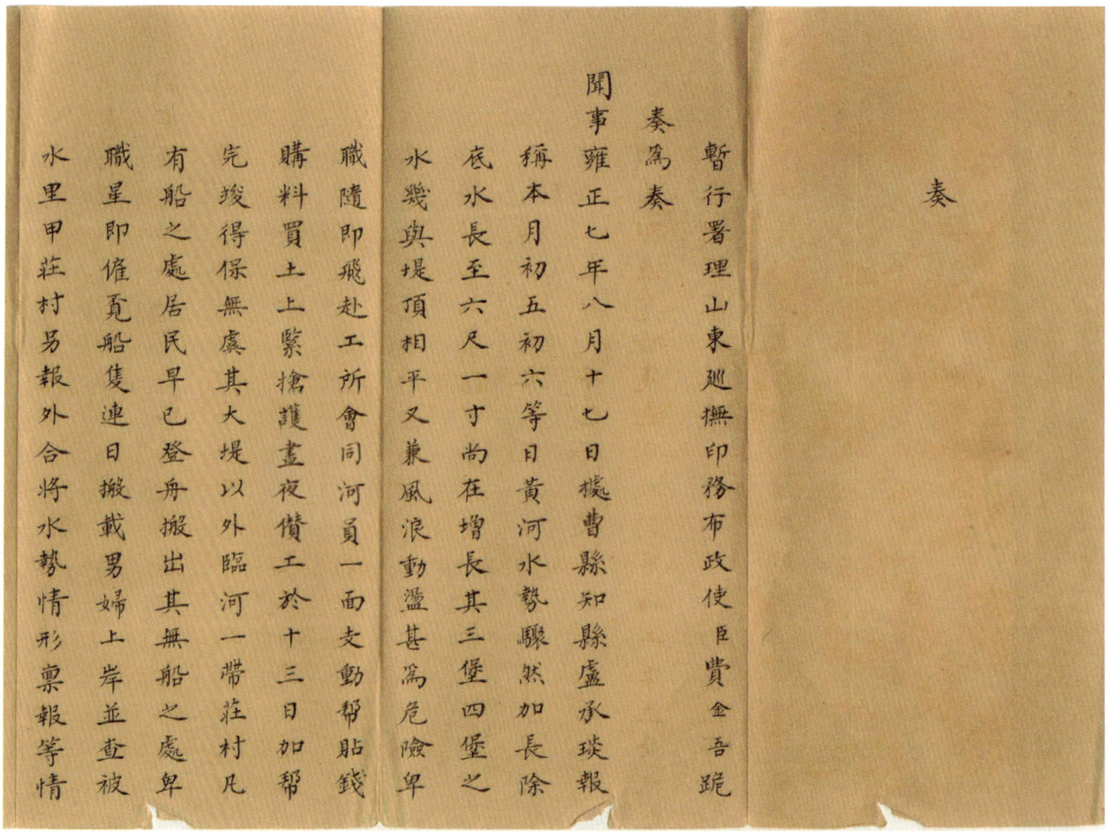

奏

暫行署理山東巡撫印務布政使臣費金吾跪

奏為奏

聞事雍正七年八月十七日據曹縣知縣盧承琰報
稱本月初五初六等日黃河水勢驟然加長除
底水長至六尺一寸尚在增長其三堡四堡之
水幾與堤頂相平又兼風浪動盪甚為危險卑
職隨即飛赴工所會同河員一面支動幫貼錢
糧購料買土上緊搶護晝夜儧工於十三日加幫
完竣得保無虞其大堤以外臨河一帶莊村凡
有船之處居民早已登舟搬出其無船之處卑
職星即僱覓船隻連日搬載男婦上岸並查被
水里甲莊村另報外合將水勢情形稟報等情

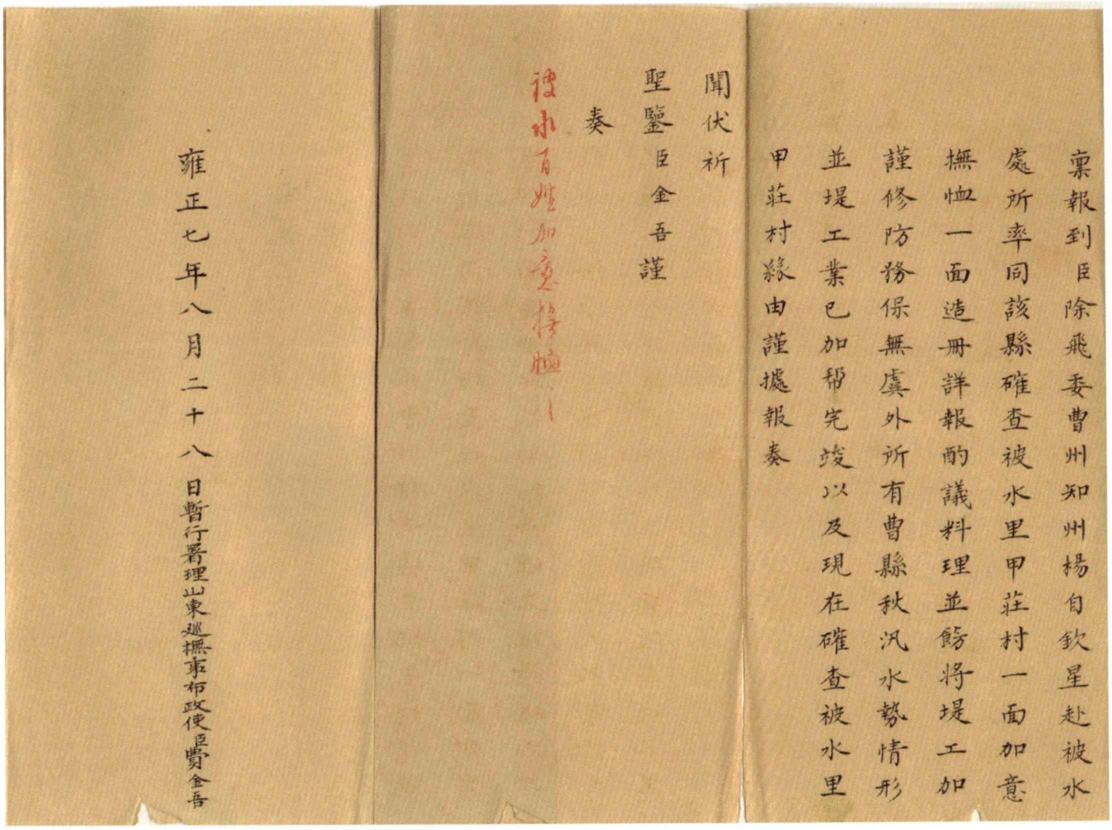

稟報到臣除飛委曹州知州楊自欽星赴被水
處所率同該縣確查被水里甲莊村一面加意
撫恤一面造冊詳報酌議料理並飭將堤工加
謹修防務保無虞外所有曹縣秋汛水勢情形
並堤工業已加幫完竣以及現在確查被水里
甲莊村緣由謹據報奏
聞伏祈
聖鑒臣金吾謹
奏

被水百姓加意撫恤

雍正七年八月二十八日暫行署理山東巡撫事布政使臣費金吾

一一七

奏

原任山東巡撫今革職臣陳世倌謹

奏爲奏

聞事竊臣奉

命赴曲阜督工日夕催儧所有木植已陸續到

工惟五運六運之木未到臣查催去後據

押運同知張文瑞禀稱大木於閏七月十

九日至清口入黄之處即被淤沙阻擱不

能運動臣隨復委員協催知於八月十七

日方渡黄河竊思黄河歷年以來南北經

由不絶並未淺阻目下何以忽淤細思其

故黄河之所以淤者因清口之淮水弱也

清口之淮水所以弱者由洪澤湖之水從

高堰以下各壩洩入下河以致清口水小
不能敵黄也查清口爲黄運兩河關鍵全
淮之水若盡出清口則淮之力强可以刷
黄之沙使黄河日深海口日闢若淮水之
勢分則淮之力不足敵黄而河身日飽海
口日淤明臣潘季馴所以增修高堰以障
全淮之水不令東注而使并力北出清口
以滌黄淤載在河防一覽甚明康熙四十
二年十月初一日
聖祖仁皇帝諭吏工二部云康熙三十七年黄淮
並漲總河董安國不堅築堤堰疏通海口因而
河身墊高溢出河岸以致倒灌洪澤湖口湖水
從六壩旁洩由運河入下河淹没民田及張鵬
翮爲河道總督面諭云須已發帑數百萬令大
臣官員往高堰築堤閉六壩使逼洪澤湖水暢
出清口而清口築挑水壩更爲緊要張鵬翮遵
朕言壩工築成黄溜遂直趨陶莊清水直出疊
經伏秋大漲並無倒灌之事欽此詳繹

聖諭則知洪澤湖水若一旁淺則上不足以敵黃
下即淹浸下河各州縣民田尤大彰明較
著者臣今年在揚州會同原任撫臣陳時
夏等查閱下河見高寶興鹽各州縣田地
二三月間尚沈水底詢之土人據云洪澤
湖之水每年由滚水壩放下散入下河民
田所以被淹等語臣目擊情形隨於四月
間具摺奏
聞今又聞清口淤淺淤雖不久而河身之高墊
與淮水之力弱已昭然可覩非由滚水壩
改低淺水太多何以致此雖河員之議拆
低滚水壩並於蓄水無碍然臣素聞洪澤
湖之出清口汪洋充暢其勢甚大今清口
現在淤淺則洪澤湖之水勢分力薄固不
待言誠恐日復一日淮水之力日弱則清
口之淤日高清口以下之河身日飽則海
口之淤墊不免且黃水日強勢必倒灌洪
澤湖口并灌運口則清江浦以下之運河

亦漸墊高所關綦重不得不鰓鰓過慮新
任河臣孔毓珣將次到京伏祈
皇上面諭孔毓珣將現在清口較之從前寬狹
若何黃河之身有無墊高滚水石壩改低
有無妨碍如果不應改低原拆石塊應尚
存湖濱照舊增砌爲力甚易逐細確勘酌
議奏請
訓旨遵行再滚水壩之設祇以洩洪澤湖漫漲
之水並非以洩平槽之水嗣後非遇異常
大漲每年不得輕放使淮水全力并出清
口以刷黃沙則不獨黃河清通海口寬暢
即下河高寶興鹽各州縣小民亦並得安
居粒食永戴
洪恩無既矣臣未親履河干並非敢妄議河務
因聞清口淤淺有關黃運兩河匪細冒昧
奏
聞伏祈
皇上聖鑒施行臣謹

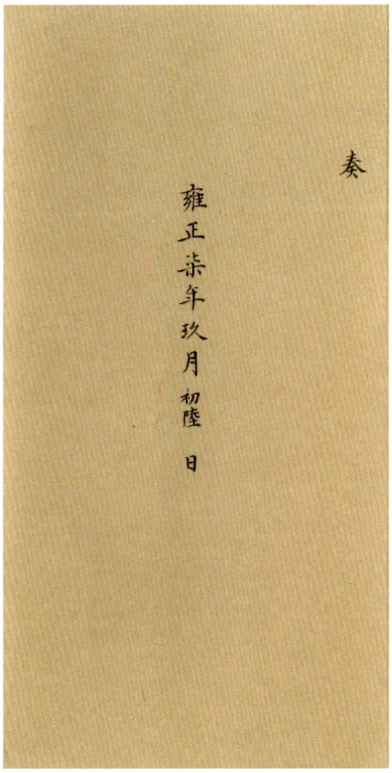
奏
雍正柒年玖月初陸日

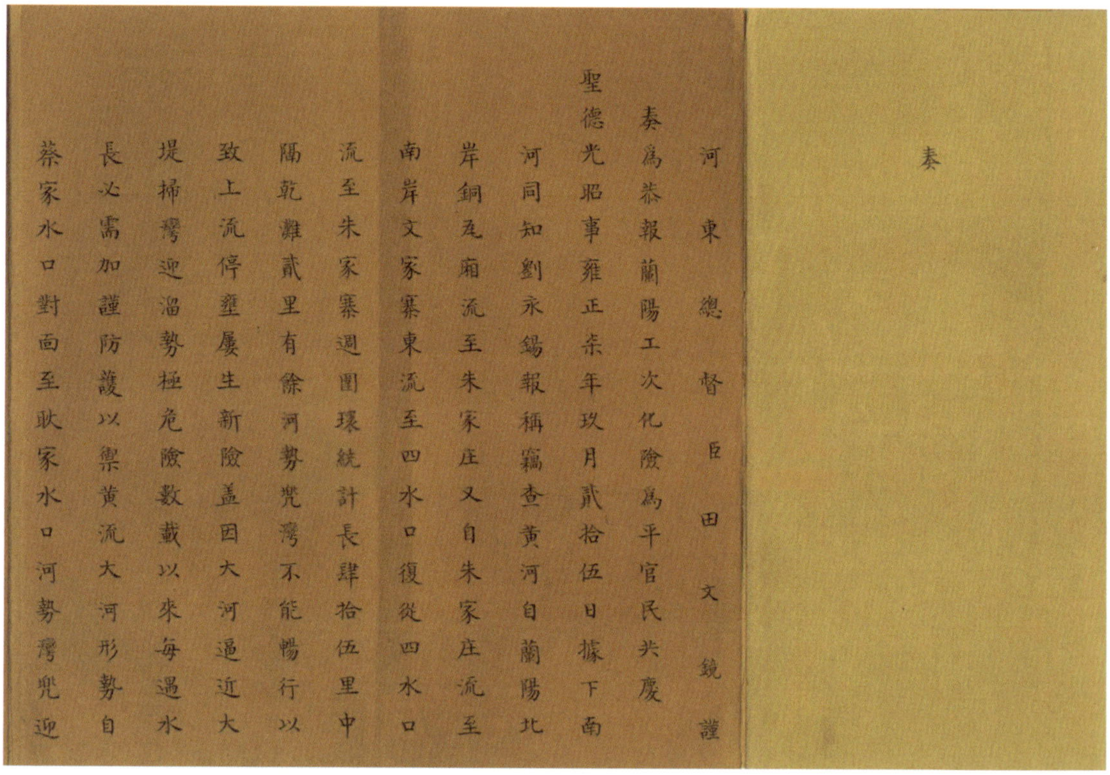

奏

河東總督臣田文鏡謹

奏為恭報蘭陽工次化險為平官民共慶

聖德光昭事雍正柒年玖月貳拾伍日據下南

河同知劉永錫報稱竊查黃河自蘭陽北

岸銅瓦廂流至朱家庄又自朱家庄流至

南岸文家寨東流至四水口復從四水口

流至朱家寨迴圍環繞計長肆拾伍里中

隔乾灘貳里有餘河勢兜灣不能暢行以

致上流停塹屢生新險蓋因大河逼近大

堤掃灣迎溜勢極危險數載以來每遇水

長必需加謹防護以禦黃流大河形勢自

蔡家水口對面至耿家水口河勢灣兜迎

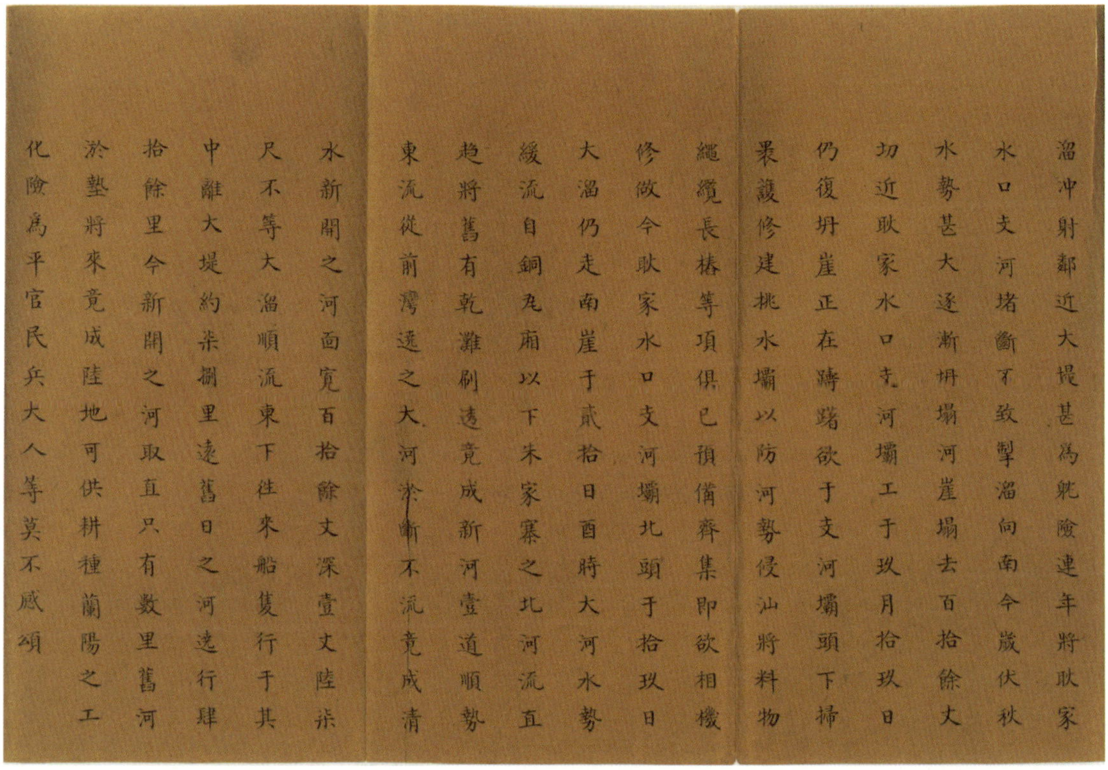

溜冲射鄰近大堤甚爲艱險連年將耿家
水口支河堵斷了致掣溜向南今歲伏秋
水勢甚大逐漸坍塌河崖塌去百拾餘丈
切近耿家水口支河壩工于玖月拾玖日
仍復坍崖正在躊躇欲于支河壩頭下埽
裹護修建挑水壩以防河勢侵汕將料物
繩纜長樁等項俱已預備齊集即欲相機
修做今耿家水口支河壩北頭于拾玖日
大溜仍走南崖于貳拾日酉時大河水勢
緩流自銅瓦廂以下朱家寨之北河流直
趋將舊有乾灘刷透竟成新河壹道順勢
東流從前灣遶之大河淤斷不流竟成清
水新開之河面寬百拾餘丈深壹丈陸柒
尺不等大溜順流東下往來船隻行于其
中離大堤約柒捌里遠舊日之河遶行肆
拾餘里今新開之河取直只有数里舊河
淤墊將來竟成陸地可供耕種蘭陽之工
化險爲平官民兵大人等莫不感頌

聖德歡呼載道等情具報前來復據管河河北
兩道具報無異臣查蘭陽銅瓦廂至朱家
寨從前河勢兜灣遶行肆拾餘里以致河
流壅滯易于生險每年汛漲之時極力防
護幸保無虞今不勞人力不費帑金天然
新開引河壹道一旦成功實出
神助在工官民兵夫人等無不傳爲罕見踴
躍稱奇歡呼動地此皆仰賴我
皇上廑念河防
至誠至敬感格
天
祖是以
神靈默佑化險爲平河流循軌萬年底定并
舊河淤墊成地將來可供耕種則樂利攸
資安瀾永慶而豫省官民共祝
聖天子萬壽無疆之福矣臣不勝懽忭慶賀之
至理合繪圖進
呈

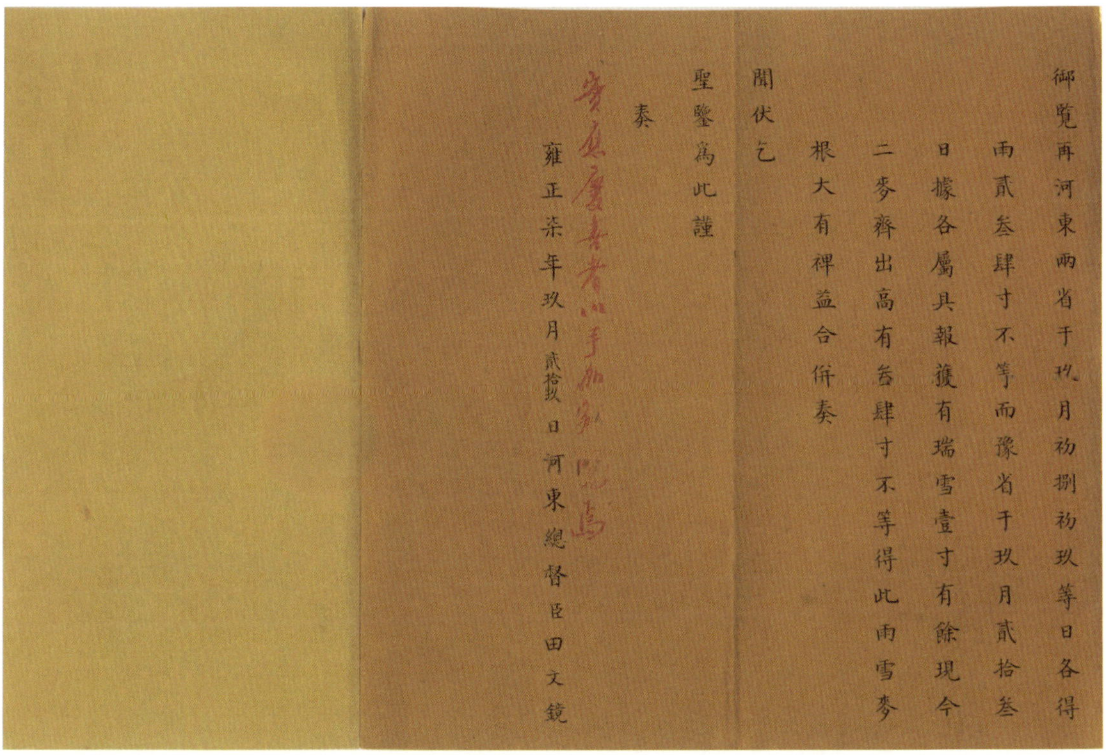

御覽再河東兩省于玖月初捌初玖等日各得
雨貳叁肆寸不等而豫省于玖月貳拾叁
日據各屬具報獲有瑞雪壹寸有餘現今
二麥齊出高有叁肆寸不等得此雨雪麥
根大有裨益合併奏
聞伏乞
聖鑒爲此謹
奏

實在慶喜者以手加額覽焉

雍正柒年玖月貳拾玖日河東總督臣田文鏡

一一九

奏

江南河道總督臣孔毓珣謹

奏爲奏

聞事竊臣於本年九月二十八日自京起程至十月
初八日即抵清河縣於十一日到任已經
題報在案臣到任後查河湖之水俱屬順軌黃河
水勢比上年此時較大一尺二寸清口水勢比
上年此時較大一尺四寸清水足資敵黃其運
河水勢上下深通回南糧艘啣尾而下已經全
過清江浦至於黃運湖河一應堤埽工程臣現
在次第親歷查勘相度修防今年歲修錢糧例
於十月內
題估署河臣尹繼善已經駁核定數發道造冊俟

到齊之日臣繕疏具
題搶修工程例於次年四月奏銷俟臣親歷查勘
確核務期不致浮冒至於來年各工需用料物
例應令歲給發錢糧預為備辦署河臣尹繼善
已撥發過道庫廳庫銀共六萬一千五百兩令
臣又酌發銀四萬五百兩飭令各廳早為購辦
及時運貯各工以備應用臣又恐各廳那新掩
舊不行照數實辦以及挨延貽誤臣又飭令各
營守備將各廳領去銀兩監同查明入庫眼同
給發辦料仍令催儹速辦運工報臣查考如有
狥私一并嚴叅以杜廳官侵那遲誤之弊內有
題補桃源同知高越本人引
見現在係効力候選通判黎耀署事又有徐屬同知
張鐸錢糧尚未盤清臣俱遴委殷實之効力官
協同備辦務期工料實在錢糧節省以收工程
實效所有臣到任後水勢情形及發帑辦料緣
由擬合具摺奏
聞謹

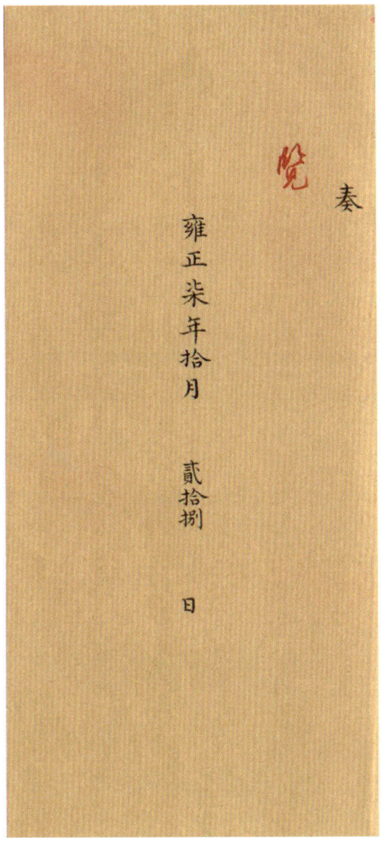
奏
覽
雍正柒年拾月 貳拾捌 日

一二〇

奏

吏部尚書總督河南山東河道提督軍務臣嵇曾筠謹

奏為修治黄河上游工不繁而全河受益事

竊照黄河水勢惟在修治上游清其入門
之路則下流之保障無虞查豫省黄河自
三門七津建瓴而下南岸有北邙廣武一
帶山岡高阜足資捍禦北岸則為温孟二
縣地形平坦土性虚鬆容易衝刷似未便
置之膜外我
皇上愛養黎元慎重河防不惜百萬帑金加幇
兩岸堤工邇年以来工程鞏固共慶安瀾
沿河億萬蒼生盖藏豊稔儲蓄盈寧久已
出之水火而登諸衽席矣但武陟以上有

温孟二縣接壤覃懷為古黄河之舊道今
武陟以下已經大加修築温孟又居武陟
之上游當此平成奏績之時亟須正本清
源為一勞永逸之舉臣愚無識鰓鰓過慮
請將温孟二縣沿河地方舊有民堤險要
之處嚴飭印河各官循照民堤民修之例
勸諭居民勤加修護以圖永固務期善為
奉行勿致滋擾再查孟縣有管河主簿壹
員向由部選但人非熟練未諳修防恐致
貽悞似應照例揀選由河臣
題補仍令該員駐劄孟縣兼理温縣河務其
武汛事宜并交懷河營千總管理仍飭懷
河同知守備不時巡查修守庶上游之門
户修理周密則下流之去路循軌安行全
河水勢振衣挈領工不繁而效更速運道
民生均有裨益矣臣謹繕摺奏
聞伏祈
皇上睿鑒訓示遵行謹

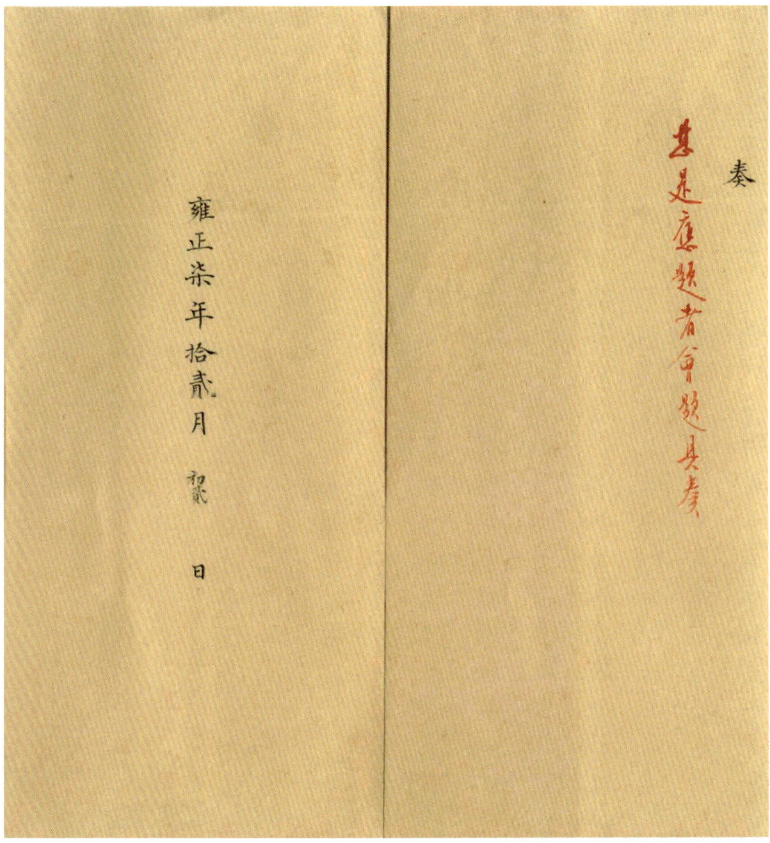

奏

是應題者會題具奏

雍正柒年拾貳月 初貳 日

一二一

奏

署理陝西總督臣查郎阿謹

奏爲奏

聞事竊照平涼府屬製造糧車二千三百輛從鞏昌
府屬之靖遠衛紅嘴子地方過渡黃河前據鞏
昌布政司孔毓璞詳據平涼府知府李桐詳請
於渡口多備船隻委員料理糧車過河期於無
悞等情臣隨檄委署靖遠協副將丁廣會同靖
遠同知趙銓等刻速預備船隻加謹辦理務使
糧車隨到隨渡不致擁擠擔擱併批行孔毓璞
等轉飭承辦去後臣又思甘省黃河每於冬天
凝凍結成冰橋以資行走及至春天正二月間
東風解凍天氣漸暖河冰漸薄冰橋既難行走
渡船又難撐駕每多阻滯歲以爲常今查平涼
府屬頭運糧車於正月十三日起程計算解送

至紅嘴子河口正遇河凍將開難施船渡之時
倘有阻碍實非人力所能料理臣日夜籌畫殊
無良法再查臨洮鞏昌二府喂養軍需騾馬俱
由蘭州過河橋解送甘凉輓駕車輛而蘭州氷
橋往年俱於驚蟄前後氷融裂縫難以行走亘
至凍解氷開而上流氷凌順水而下浮橋既難
搭造渡船未便往來雖有智巧俱無所施兹於
正月初六日准甘撫臣許容咨據靖遠同知趙
銓稟稱紅嘴子河口天氣轉和氷漸消釋現今
船隻已可往來查蘭州氷橋尚在凝凍獨於紅
嘴子一處凍而忽融一若特爲糧車渡河而開
者誠從來未有之奇遇等因移咨前來又於正
月二十九日據署理鞏昌布政司事西安驛傳
道趙挺元詳稱本月十七日正值驚蟄之時有
金縣知縣王錫綬押解二起騾馬八百二十頭
到蘭隨率同文武各官親詣河干將氷橋裂縫
處所俱棚木板飭令夫役緩緩撁送方慮三起
騾馬到日必致停留後起必致擁擠甘凉糧車
勢必等候不期即於十七日酉時河氷大開氷
凌盡化前此之騾馬業已過完後運之騾馬即
可穩渡毫無阻碍等情臣伏念糧車騾馬計日

而行按期而到關係最爲重大但歷來黄河氷
凍須至二月初旬遲則二月望後方能渙解糧
車到彼既不便履薄氷而涉險又無從繞他道
以前征必致守候日久挨擠不前今紅嘴子黄
河於各處氷橋未開之前先期融釋使船隻可
以利涉糧車隨到隨渡而蘭州氷橋恰於十七
日二運騾馬過渡甫畢即行通開使後運騾馬
前行無滞此皆我
聖主德協清寧功參造化至誠感格上應
天心是以
上天錫佑頓使寒氷堅結化成大地陽和直與醴泉慶
雲並呈上瑞幾同和風甘雨共效奇祥一時競
爲美談千古傳爲盛事臣曷勝懽忭慶忭之至
所有黄河開凍糧車騾馬過渡無悞各緣由臣
謹恭摺奏
聞伏祈
皇上睿鑒爲此謹
奏

覽

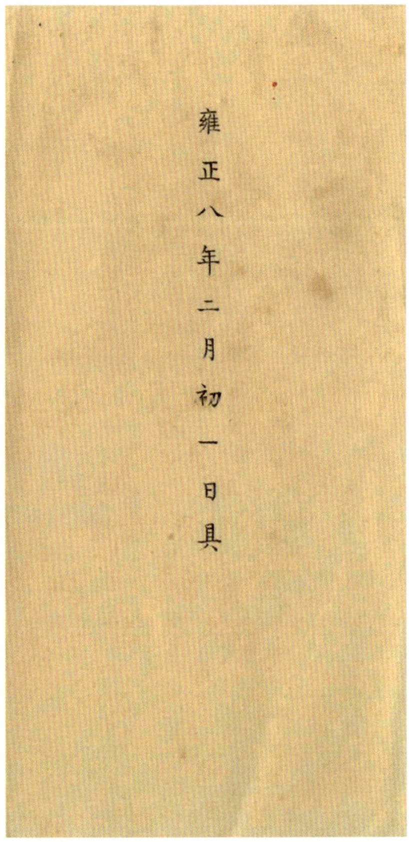
雍正八年二月初一日具

一二二

奏

江南河道總督臣孔毓珣謹

奏爲請墾版荒柳地以裕工料事竊照黄河南北兩岸遥縷各堤内外向有官地栽植柳株編定仁義禮智信字號五年輪伐一次以濟工需迨年歲久遠採取日多補栽日少以致官柳稀踈不敷工用經前河臣齊蘇勒請立勸懲之法

奏明兵丁額栽之外并令官民捐栽年終造册報部分别議叙在案臣到任以來沿河查看工程見兩岸柳株菁葱茂盛者因其地年年上淤地土肥饒之故其有舊本衰殘而新栽亦難暢茂者詢之土人稱係版荒之地總因土性本属瘠薄兼之栽柳年久枯息之後並未一施犁鋤其

老根盤結地内以致長成之柳不能日盛新栽
之柳難以長大雖經年年補栽終難滋茂甚至
有十數年柳株尚不堪以採取者即其所産之
草亦僅出地數寸及尺許不等徒有栽柳蓄草
之名究之所得柳草寥寥無幾且未經栽柳之
地現在甚多必須逐漸開墾成熟庶柳草易于
滋生惟是河營目兵每當水汛之時通力合作
尚不足用霜降以後又須採運柳草堆積土牛
以及巡查堤岸栽植新柳種種事務毫無寧刻
雖責令開墾亦止虚應故事究屬有名無實臣
再四思維惟有勸民開墾一法可以轉荒成熟
查柳地之外即係民田就近領墾亦甚便易但
此版荒地土若欲開墾非四五年後不能遽望
成熟必使小民有利可趨方肯踴躍從事臣之
愚見請將此版荒柳地暫停栽柳畫清地界招
募附近有田殷實之民令其順帶牛種器具承
領開墾每年所獲籽粒聽其收取以償工本其
稭草悉令堆貯堤上留充公用秫稭可作埽料

豆稭麥稭并茅草等項俱可填塞埽眼且草束
又資繂縷之需于錢糧既積有節省而在小民
又利其就近墾種且止輸納稭草並無租課之
徵察之輿情亦無偏累臣復詢問淮揚淮徐二
道并文武各員僉云公私兩益民咸樂從如
能實力奉行大約四五年後盤結柳根悉行鋤
浄以荒蕪之柳地變爲腴潤之田疇成熟之後
仍責令守備千把率領河兵照舊栽柳蓄草從
此沿堤官柳盡皆茂密草亦蓄生有裨工需良
非淺鮮矣除飭行淮徐道康弘勳淮揚道白鍾
山現在委員確勘俟造册到日另疏具
題外合先具摺奏
聞伏乞
皇上睿鑒施行謹
奏

題到有旨

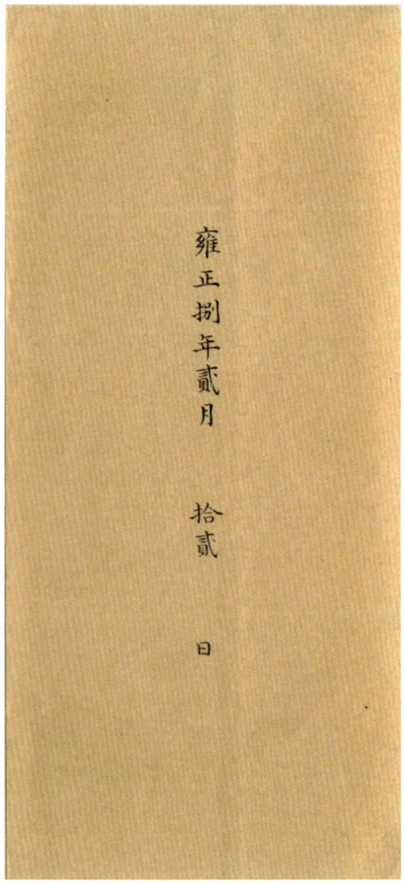

雍正捌年貳月　拾貳　日

一二三

奏

河東總督臣田文鏡謹

奏爲恭報桃汛平穩工程鞏固仰祈

睿鑒事竊查豫省黄河南北兩岸堤工頻年以

來仰賴我

皇上誠敬格

天

河神默佑是以黄流循軌汛水安瀾中泓刷

深工程堅固前因桃汛將届臣隨檄飭管

河道劉永錫河北道孔傳煥督率廳汛員

弁帶領兵夫住守河干加意修防巡查料

理茲據河道廳汛等報稱自雍正玖年貳

月貳拾玖日清明起至叁月拾捌日止黄

河水長貳尺陸寸至叁尺肆寸不等今已
消落貳尺肆寸並未出漕又沁河自工年
霜降後存底水陸尺貳寸今又消去壹尺
柒寸南北兩岸一切堤埽工程俱各保固
平穩兩河官民莫不踴躍懽忻感頌
聖德惟是轉瞬入夏伏汛即至臣仍嚴飭管河
各官敬謹修防外所有桃汛已過工程平
穩緣由理合繕摺恭
奏仰慰
聖懷爲此謹
奏

深慰朕念

雍正玖年叁月貳拾日河東總督臣田文鏡

一二四

奏

吏部尚書總督江南河道提督軍務臣嵇曾筠謹

奏為謹陳查勘各工修築事宜仰祈

睿鑒事竊照黃運河堤增修善後伏荷

聖恩發帑興修仰見我

皇上宵旰勤求無時不以河定民安為念

大德鴻功平成永賴臣祇遵辦理竭蹶奔馳兢

惕彌深矣圖報効謹遍歷查勘黃河上自

徐州下至海口運河上自邳州下至江口

兩岸堤工縱橫綿亘幾及貳千餘里誠恐

該道廳勘估未當臣親身履堤復加查核

權其緩急先後審其高矮分寸勘估一定

趁此青黃不接之時即為發帑乘時修築

并嚴飭承修印河各員令於附近地方招
集貧民力作每日散給現錢以廣
皇仁而收實效到處懽呼踴躍現在上緊儹修
其山東禹王臺壩工實為江南下游之保
障緣上年咨商修築未免隔屬耽延仰賴
聖明
俞旨星馳臣即前詣該工看得沭水源長性猛
令於現存竹絡石壩貳拾柒丈之外依其
頂衝形勢統建石工陸百餘丈盖以竹絡
盛石厚重堅凝隨沙坐實且於上秋水力
猛峻若此而石壩屹然不動已有明驗其
餘接連崗阜仍築土堤沭河口門大為挑
浚以順其入海之路所有竹絡需用茅竹
臣隨一面遣員購辦齊全業由山河陸續
起運到工一面發帑即交郯城廳縣官購
買石料據報已有伍千餘方惟是壩工需
石貳萬餘方庶可足用臣歷經遣員守催
復經移會北河臣沈廷正遴員住工嚴儹

并將承辦遲玩之廳員吴象賢會叅在案
總之一應濬築事宜務期壩高而堅堤實
而厚河浚而深堵截沭水俾其循由故道
直趨入海以除上秋浮溢致病之根以為
運道民生永遠之計現在土石工程齊舉
臣週回往返苐見沿途百姓紛紛領賑既
有糧以資耕作復給費以助回鄉且黄運
兩河俱有工程以安其力役而遂其生計
凡此林林總總之蒸黎悉荷
聖主一心之再造慱施濟衆遠邁唐虞
萬壽無疆普天同祝再江工引河業已挑竣夾
江鐵心壩亦已築成從前夾江之水逼注
瓜洲今創築壩工攔截俾夾江之水全歸
南岸依山東下而瓜洲水勢頓減壹丈有
餘將來伏汛届臨開放引河之後大溜自
必更加分減瓜城可保無虞現在居民目
擊情形額手慶幸咸稱
聖德昭孚

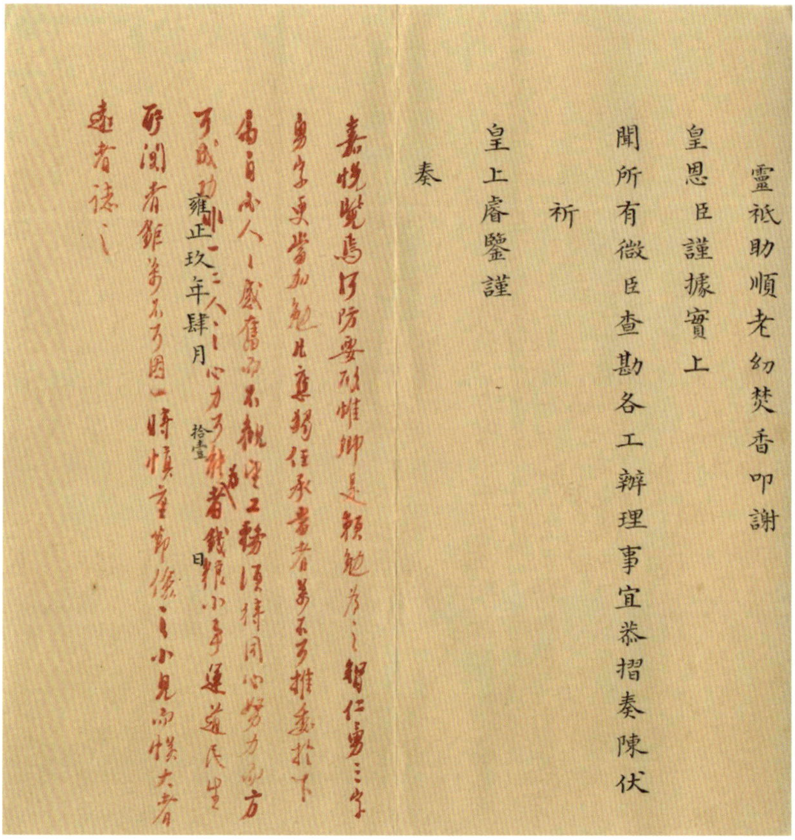

靈祇助順老幼焚香叩謝

皇恩臣謹據實上

聞所有徵臣查勘各工辦理事宜恭摺奏陳伏

祈

皇上睿鑒謹

奏

雍正玖年肆月拾壹日

嘉悅覽焉河防要務雖卿是賴勉之勉之智仁勇三字勇字更當加勉凡應躬任承當者萬不可推委於下而自以人人感奮而不親歷工務須持同心努力而方可成功此二人人心力不能為者錢糧小事遲速民生所關者鉅萬不可因一時慎重節儉之小見而誤大者遠者諒之

一二五

奏

山西巡撫臣覺羅石麟謹

奏爲奏

聞事雍正玖年正月初玖日山西巡察臣厲宗萬親
至臣署向臣言河津縣近黄河之地方自雍正
貳年至雍正捌年共坍地壹百伍拾餘頃拆房
壹千餘間雖隨坍隨漲房亦隨修但非久計宜
於各灘地内疏濬溝道使水不致直逼此岸即
可免房地侵損已經繕摺具

奏奉

旨言知巡撫欽此特來言知等語臣欽奉

諭旨隨檄行河津縣細加確勘議詳旋據該縣知縣
張渡查勘水勢情形備陳難以疏濬防禦緣由

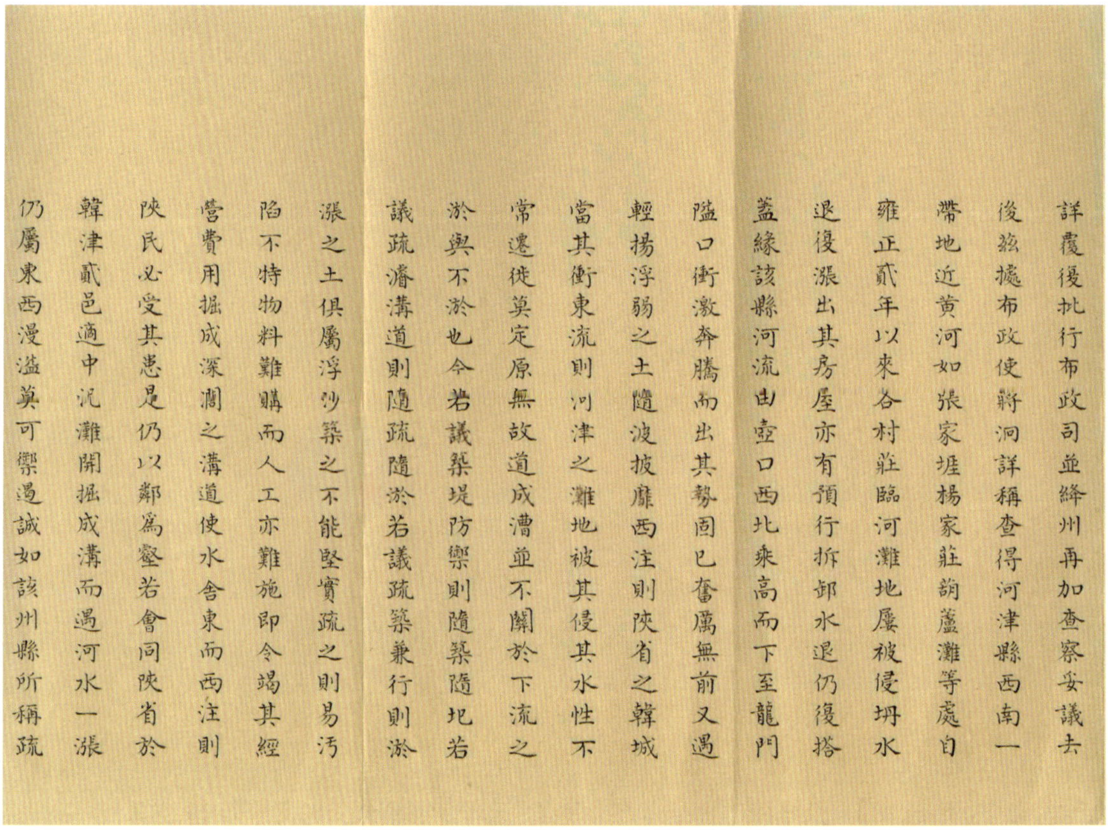

詳覆後批行布政司並絳州再加查察妥議去
後茲據布政使縳洞詳稱查得河津縣西南一
帶地近黃河如張家堐楊家莊葫蘆灘等處自
雍正貳年以來各村莊臨河灘地屢被侵坍水
退復漲出其房屋亦有預行拆卸水退仍復搭
蓋緣該縣河流由壺口西北來高而下至龍門
隘口衝激奔騰而出其勢固已奮厲無前又遇
輕揚浮弱之土隨波披靡西注則陝省之韓城
當其衝東流則河津之灘地被其侵其水性不
常遷徙莫定原無故道成漕並不關於下流之
淤與不淤也今若議築堤防禦則隨築隨圮若
議疏濬溝道則隨疏隨淤若議疏築兼行則淤
漲之土俱屬浮沙築之不能堅實疏之則易汚
陷不特物料難購而人工亦難施即令竭其經
營費用掘成深濶之溝道使水舍東而西注則
陝民必受其患是仍以鄰為壑若會同陝省於
韓津貳邑適中汎灘開掘成溝而過河水一漲
仍屬東西漫溢莫可禦遏誠如該州縣所稱疏

之而未能有益也至沿河灘地原屬河之道路
每遇水發坍於此者必漲於彼小民仍資其利
其廬舍雖有遷移之勞旋即平復安居並無流
離失所民相習於固然亦已久矣似可無庸議
修治者也等情呈詳到臣臣查河津縣西南濱
河地畝每年坍漲不常民居遷移無定臣每於
春初即申飭該州縣留心查察預爲隄防節據
該縣將坍漲遷復各情形數目報明其小民有
艱於拆蓋者亦即捐資給助不致失所在案又
屢籌畫修治之法據該州縣俱以難於施工有
效兹就巡察臣勵宗萬所言即復飭細加查勘
妥議今據各詳覆前來臣復訪查難於疏濬情
形無異理合恭摺
奏
聞爲此謹
奏

知道了

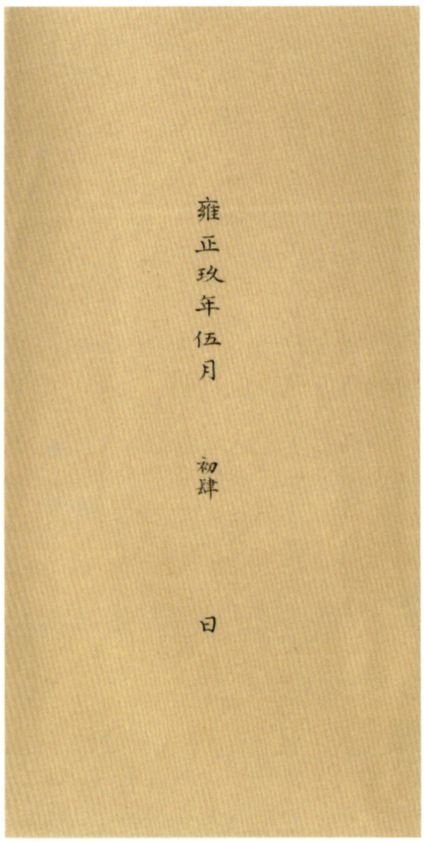

雍正玖年伍月　初肆　日

一二六

奏

山東河南河道總督臣沈廷正謹

奏爲奏

聞事竊照東省上年偶爾被水蒙

皇上念切痌瘝截漕發粟逾格賑恤嗣又荷

聖恩加賑兩月口糧億萬生靈咸獲再生之慶臣於貳月

內查勘豫省黃河工程事竣隨於叁月初貳日抵濟

寧駐劄衙署催儹漕運伏覩百姓歡呼載道咸謂如

此

浩蕩殊恩實小民意想所不到者感頌之聲遍於遠邇且

仰賴

聖主弘慈廣被上格

天心故今歲東省二麥甚是暢茂前於叁月初捌日濟寧得雨

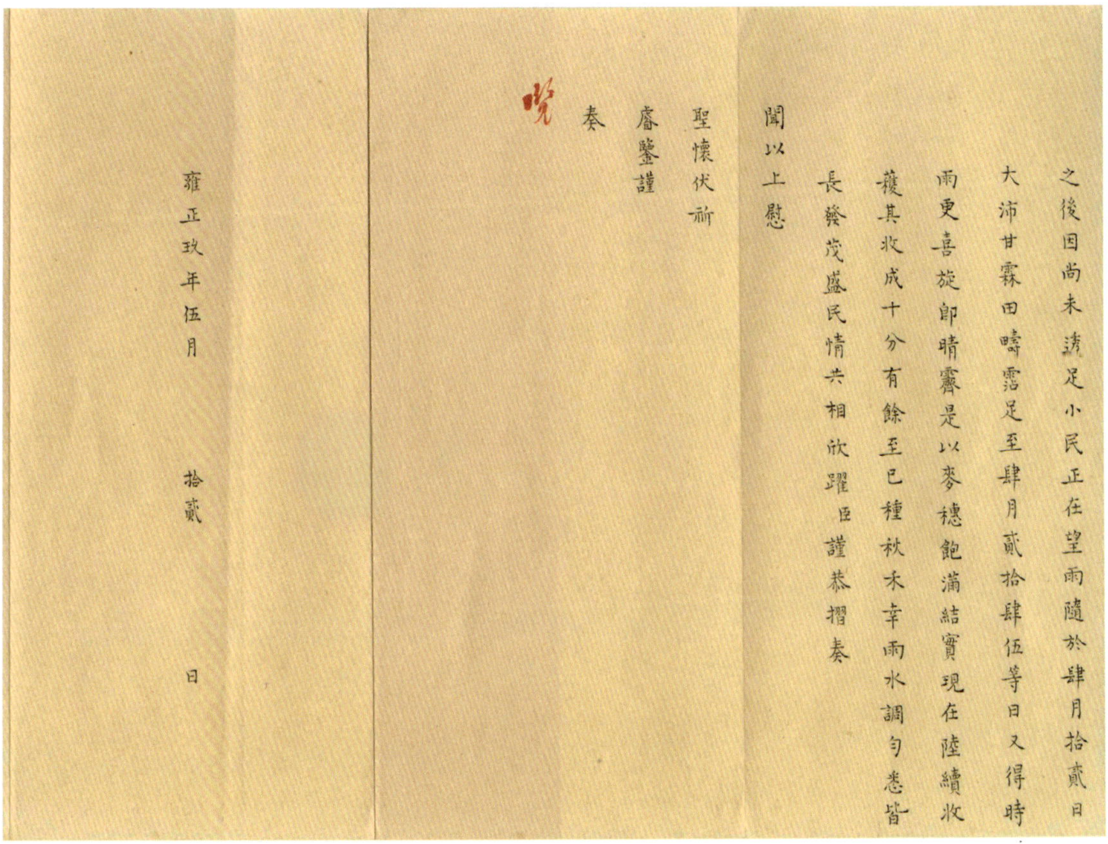
之後因尚未滂足小民正在望雨隨於肆月拾貳日
大沛甘霖田疇霑足至肆月貳拾肆伍等日又得時
雨更喜旋即晴霽是以麥穗飽滿結實現在陸續收
穫其收成十分有餘至已種秋禾幸雨水調匀悉皆
長發茂盛民情共相欣躍臣謹恭摺奏
聞以上慰
聖懷伏祈
睿鑒謹
奏
覽
雍正玖年伍月　　拾貳　　日

一二七

奏

浙江總督管巡撫事駐劄杭州在任守制臣李衛謹

奏爲奏

聞事竊照浙省往販東洋商人從前貪得倭照貿易所帶

人物混雜違例漸次偷越勾通營私經臣查出根究

追拿并設立商總連環保結稽察盤驗頒發規條嚴

禁防範俱經先後繕摺

奏明在案其前次聘往日本教習逗遛未歸之武舉張

恒暐并隨同之劉經先又另船出洋之生員孫太源

沈登偉勒令原商設法於東洋索取本人去後續據

商總回棹稟稱倭彝聞知内地訪拿發覺分别處治

已將張恒暐等盡行交出土庫同衆商居住不敢私

留因别船識恐擅自帶回人數不符赴臣請示給照

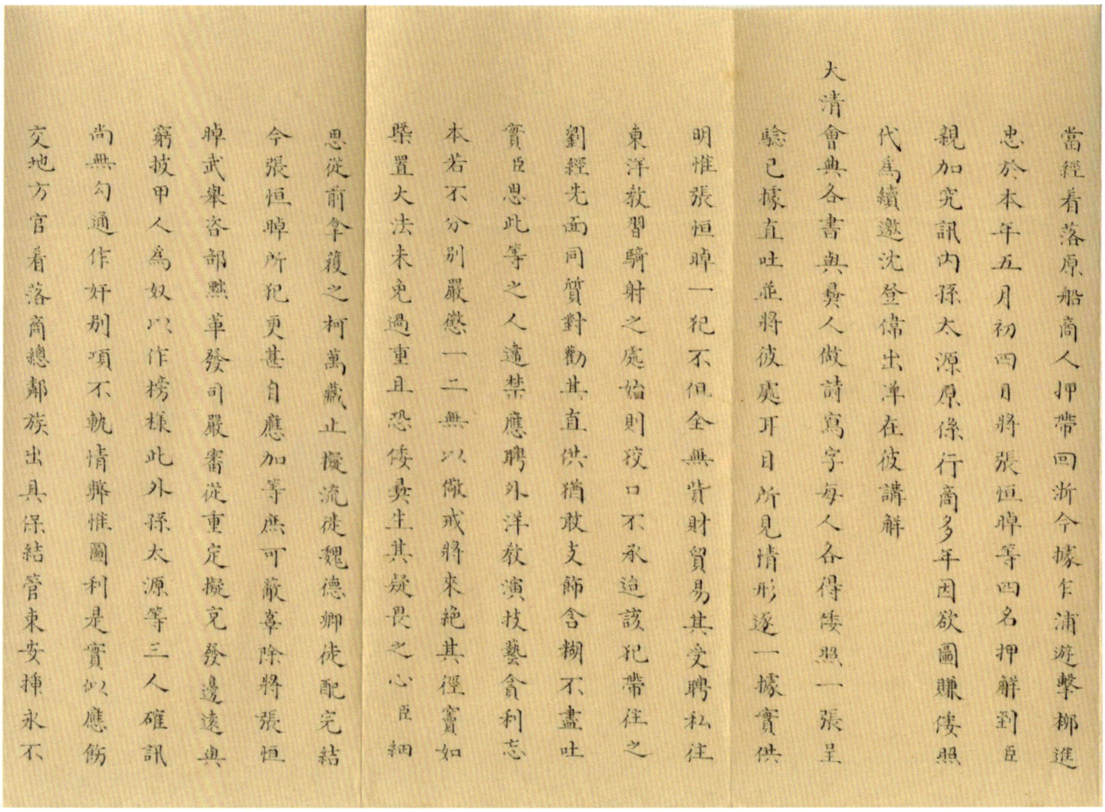
當經看落原船商人押帶回浙今據乍浦遊擊鄉進
忠於本年五月初四日將張恒暐等四名押解到臣
親加究訊内孫太源原係行商多年因欲圖賺倭照
代爲續邀沈登偉出洋在彼講解
大清會典各書與彝人做詩寫字每人各得倭照一張呈
驗已據直吐並將彼處耳目所見情形逐一據實供
明惟張恒暐一犯不但全無貲財貿易其受聘私往
東洋教習騎射之處始則狡口不承迨該犯帶往之
劉經先面同質對勸其直供猶敢支飾含糊不盡吐
實臣思此等之人違禁應聘外洋教演技藝貪利忘
本若不分別嚴懲一二無以儆戒將來絶其徑竇如
照置大法未免過重且恐倭彝生其疑畏之心臣細
思從前拿獲之柯萬藏止擬流徙魏德卿徒配完結
今張恒暐所犯更甚自應加等庶可蔽辜除將張恒
暐武舉咨部黜革發司嚴審從重定擬充發邊遠與
窮披甲人爲奴以作榜樣此外孫太源等三人確訊
尚無勾通作奸别項不軌情弊惟圖利是實似應飭
交地方官看落商總鄰族出具保結管束安插永不

許再行出洋以杜其弊所有張恒焯等業從東洋要
回分别究治情由相應具摺
奏覆再臣奉
命督捕下江邇年以來遣員分頭巡拿稽查督緝不遺餘
力先經訪獲黄河大盜韓五等究出各案夥黨擒捕
多人連歲黄運兩河商旅稍得安寧又於浙江拿獲
匪僧供出遊方馬流夥盜百餘人歷年江浙二省行
刦數十案俱係菴觀寺院僧人從前畏懼伊等人多
勢衆放火暗害不敢具報者現在逐案查參疏防并
將夥犯緝獲大半地方劇盜方在漸稀偶因上年淮
北被水附近窮民彼時多有扒搶糧食者緊難盡以
盜論遂有鄰省巨賊乘機竄入江境肆刦如沛縣知
縣張登焯報稱本年四月初八夜被盜五人踰牆直
入縣署刦去銀九百六十八兩捏稱係家中取來日
用之項臣訪得此案不但失去錢糧又將知縣架住
所有平糶錢文換易郭姓之銀共三千餘兩搜刦一
空而該縣減報銀數隱諱失帑實情正在察核會参
近據報獲山東曹縣大盜張二得祁討二犯供出共

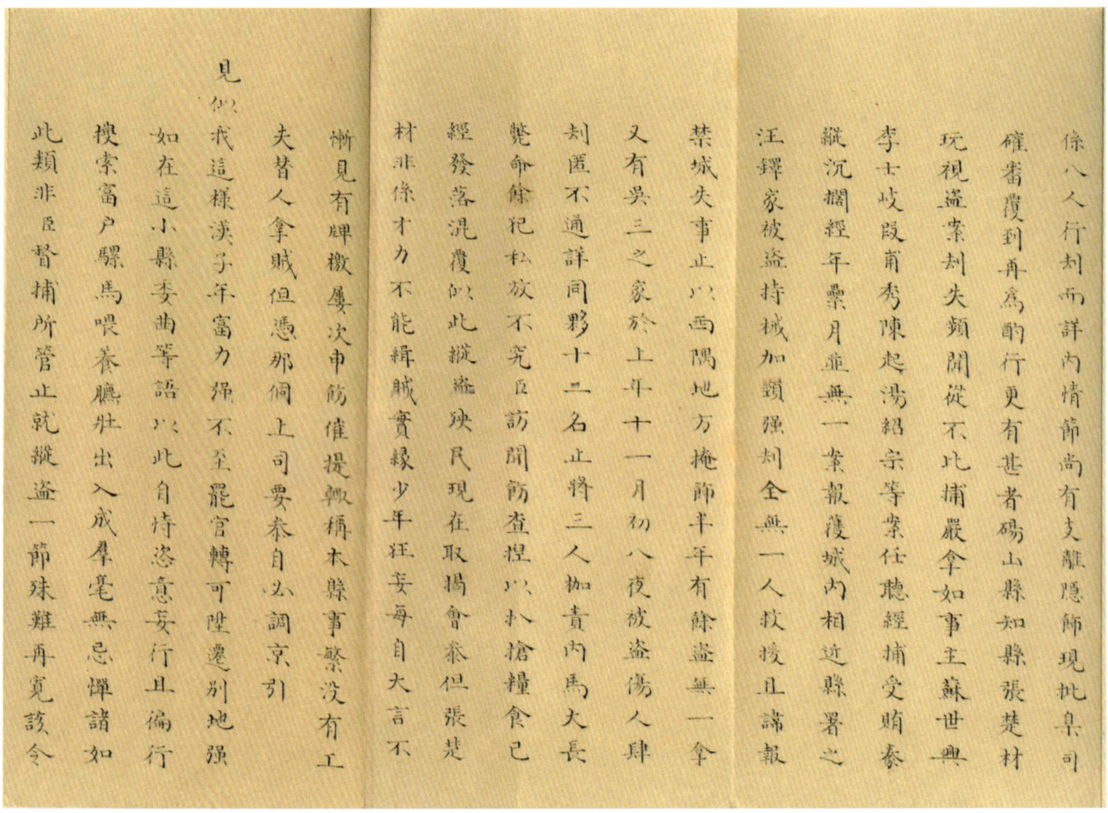

係八人行刦而詳內情節尚有支離隱飾現批臬司
確審覆到再爲酌行更有甚者碭山縣知縣張楚材
玩視盜案刦失頻聞從不比捕嚴拿如事主蘇世興
李士岐段甫秀陳起湯紹宗等案任聽經捕受賄奏
縱沉擱經年累月並無一案報獲城內相近縣署之
汪鐸家被盜持械加頸强刦全無一人救援且諱報
禁城失事止以西隅地方掩飾半年有餘盜無一拿
又有吳三之家於上年十一月初八夜被盜傷人肆
刦匿不通詳同夥十二名止將三人枷責內馬大長
斃命餘犯私放不究臣訪聞飭查捏以扒搶糧食已
經發落混覆似此縱盜殃民現在取揭會參但張楚
材非係才力不能緝賊實緣少年狂妄每自大言不
慚見有牌檄屢次申飭催提輒稱本縣事繁沒有工
夫替人拿賊但憑那個上司要參自必調京引
見似我這樣漢子年富力强不至罷官轉可陞遷別地强
如在這小縣委曲等語以此自恃恣意妄行且徧行
搜索富户騾馬喂養膘壯出入成羣毫無忌憚諸如
此類非臣督捕所管止就縱盜一節殊難再寬該令

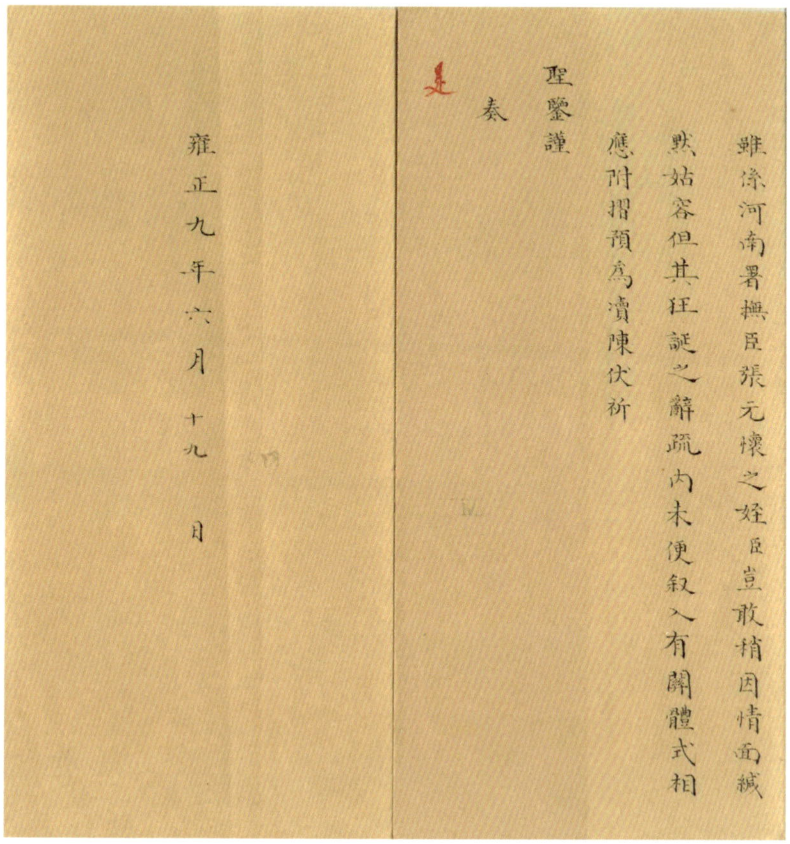

雖係河南署撫臣張元懷之姪臣豈敢稍因情面緘
默姑容但其狂誕之辭疏內未便敘入有關體式相
應附摺預為瀆陳伏祈
聖鑒謹
奏
是
雍正九年六月十九日

一二八

奏

山東河南河道總督臣沈廷正謹

奏爲奏

聞事竊照豫省黃河南岸考城縣顏家支河歷年每遇汛水
長發漫灘進水以致田畝屢被淹浸臣臨工相度特委
濬縣縣丞柯祖壽並効力人員協同該管廳汛分別搶
修建埽壩以塞支河築月堤以資重障其顏家莊迤上
陳家莊等處堤工通身幫築寬厚復又擇緊加鑲保護
周密本年肆月拾肆拾伍陸等日河水長至五尺支河
並不進水口門漸次受淤不但大堤得免浸汕而向日
淹漫之區盡成膏腴之産二麥豐登倍加收穫現在秋
禾又復茂盛查顏家莊迤東約長八十餘里約地三千
餘頃每畝收麥多至一石五六斗一石七八斗不等約

計收麥數十萬石沿河數十村莊鄉民人等僉稱從此
可以辦納錢糧養育家口莫不感戴
皇恩而考城一邑亦皆比户盈寧臣目擊豐登氣象實切欣
慶謹特恭摺奏
聞伏祈
皇上睿鑒謹
奏

以手加額覽之

雍正玖年柒月　　初柒　　日

一二九

奏

山東河南河道總督臣沈廷正謹

奏爲奏

聞事竊查豫省考城一縣坐落黃河南岸河勢環遶縣北相距不遠其河流上源自西北對岸山東曹縣芝蔴莊埽工頂冲掃灣而來至考城之陳家莊復向西流再折而南始從東北下注中間紆廻曲折形同轉環計有四十餘里每值大汛水發奔騰搏激直向南趨不惟淹浸灘田甚至嚙潰崖岸比年以來力圖保護每費經營今歲秋汛水長臣思該處緊要正在籌畫防禦間於柒月拾玖日河灘適中之處忽然自開天然引河一道引水直行臣查勘虞城并山東曹縣各工於貳拾伍日行至考城之天然引河初見河頭大

溜尚遠水流甚平少頃大溜劃然中分水入引河甚
旺其大河已無急溜臣復由引河之尾溯流而上探
丈引河中泓水深一丈八九尺不等河流循軌不假
人力在考城地方既有化險爲平之慶即曹縣堤岸
亦獲安瀾順注之休
天闢一河利周兩省此皆由我
皇上敬
天勤民至誠昭格故
神明顯佑著此奇徵也凡屬遠邇居民莫不歡騰欣慶臣
惟有仰遵
聖訓敬誠對
神愈凛小心益加勤慎以圖上報
高厚隆恩於萬一耳所有天然自闢引河緣由除另疏
題報外擬合繪圖註説恭摺奏
聞伏祈
睿鑒謹
奏

覽

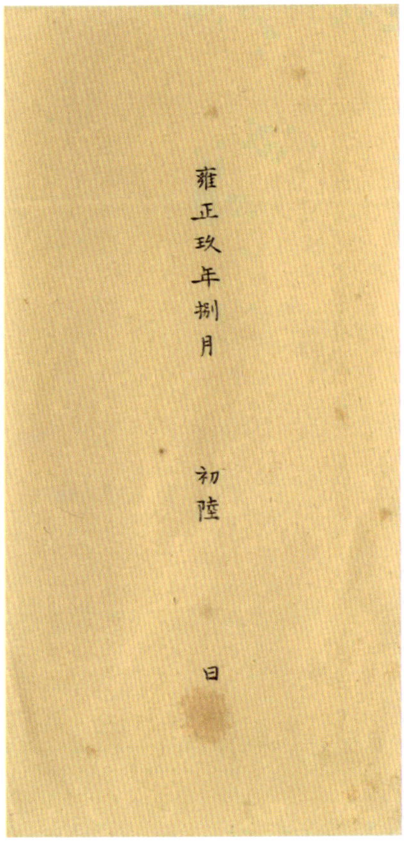

雍正玖年捌月　初陸　日

一三〇

奏

山東河南河道總督臣沈廷正謹

奏爲恭報黄河秋汛安瀾工程平穩情形仰慰

聖懷事竊照本年秋汛水勢叠增豫省各工緊要臣親歷南

北兩岸逐細履勘敬謹修防務期保護平穩前經恭摺

奏

聞在案伏念黄河險工多在下游臣復往豫省之歸河及東

省之黄河各汛細加巡查適值水勢叠漲東省之戴家

樓沈家店黄奶奶廟等處豫省之河夫營蒙牆寺韓家

樓等處積水倒漾浩瀚汪洋臣往來相度督率道廳等

官或搶築子堰或加鑲防風并差効力多員晝夜監催

俱經一律完竣其上游各汛險工臣復嚴飭該管廳汛

貯備料物加謹修防亦俱保固平穩臣仍前往逐加查

驗務使帑不虚糜工収實效臣查本年入秋以來霖雨
時霈自柒月貳拾叁日至捌月拾柒日黄河水勢日漸
增長據官弁兵夫咸稱比上年秋汛水勢較大又據寧
夏府知府鈕廷彩連次飛報捌月初陸日寧夏水長一
尺六寸初捌日水長二尺臣隨飛檄該管各官上緊巡
邏預為防範仰賴
聖主至誠感格
神明顯應昭然以今秋之大水而儀考兩縣地方連開天然
引河俾最險要工得以保固東豫二省俱獲安流且自
寧夏報水之後豫省水勢不過微增並無大漲今霜降
在邇汛水日消各工在在鞏固河流永慶安瀾至山東
運河水勢現在深通暢流回空糧艘遄行無阻統俟霜
降後照例恭疏
題報外理合具摺恭
奏仰慰
聖懷伏祈
睿鑒謹
奏

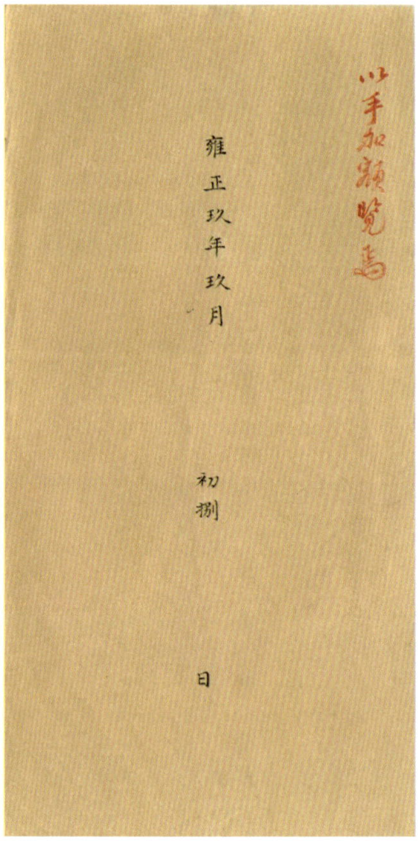

以手加額覽焉

雍正玖年玖月　初捌　日

一三一

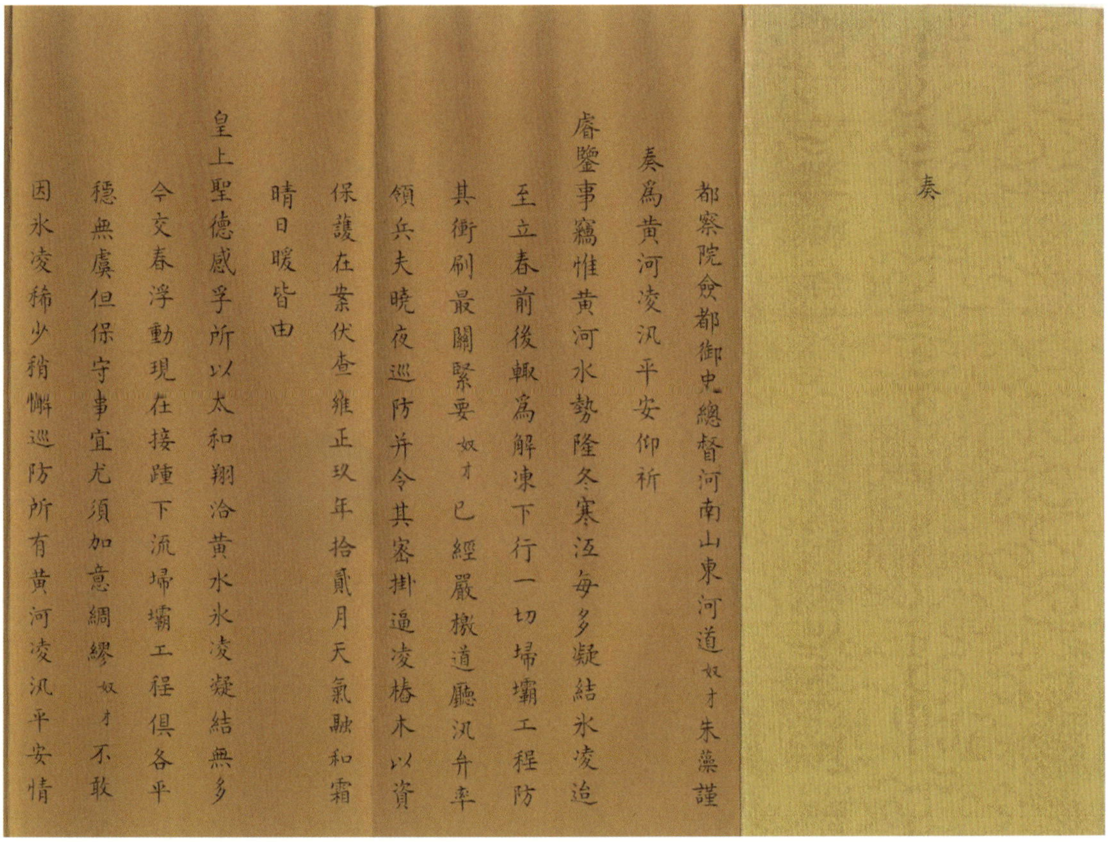

奏

都察院僉都御史總督河南山東河道奴才朱藻謹
奏爲黃河凌汛平安仰祈
睿鑒事竊惟黃河水勢隆冬寒沍每多凝結氷凌迨
至立春前後輒爲解凍下行一切埽壩工程防
其衝刷最關緊要奴才已經嚴檄道廳汛弁率
領兵夫曉夜巡防并令其密掛逼凌樁木以資
保護在案伏查雍正玖年拾貳月天氣融和霜
晴日暖皆由
皇上聖德感孚所以太和翔洽黃水氷凌凝結無多
今交春浮動現在接踵下流埽壩工程俱各平
穩無虞但保守事宜尤須加意綢繆奴才不敢
因氷凌稀少稍懈巡防所有黃河凌汛平安情

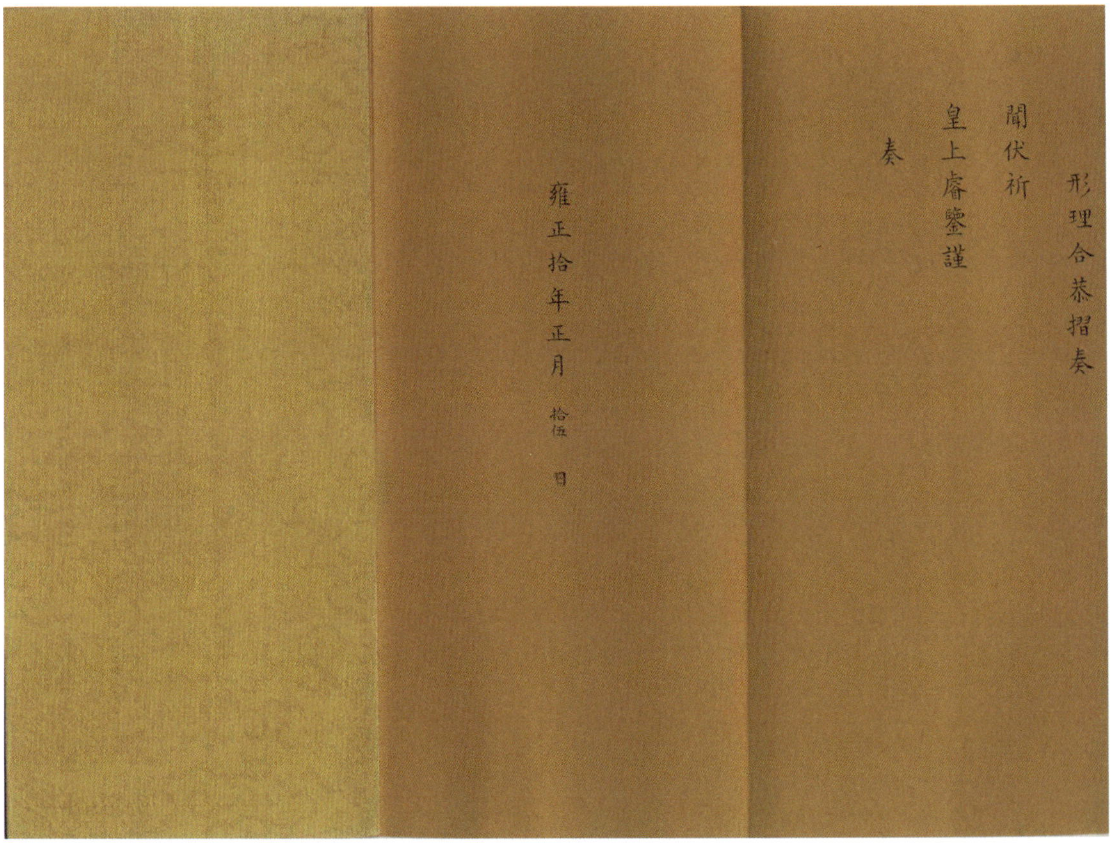

形理合恭摺奏
聞伏祈
皇上睿鑒謹
奏

雍正拾年正月拾伍日

一三二

奏

都察院僉都御史總督河南山東河道奴才朱藻謹

奏爲黄河桃汛平安仰祈

睿鑒事竊照黄河水勢應節候爲盈縮每歲清明以後汛水日漸長發溜急湍廻奔騰直下全賴兩岸堤工埽壩高寛堅實以資捍禦奴才不時嚴飭道廳員弁督率河兵堡夫凡有險要工程上緊加鑲帮築增高培厚毋得草率從事致滋貽悮仰賴

皇上至誠昭格河水安瀾順流循軌堤埽各工均皆保固無虞但轉瞬伏汛將届黄河兩岸埽灣迎溜之處在在俱關緊要奴才不敢恃工程已固稍有玩忽查東省運道已經挑挖深通漕艘現

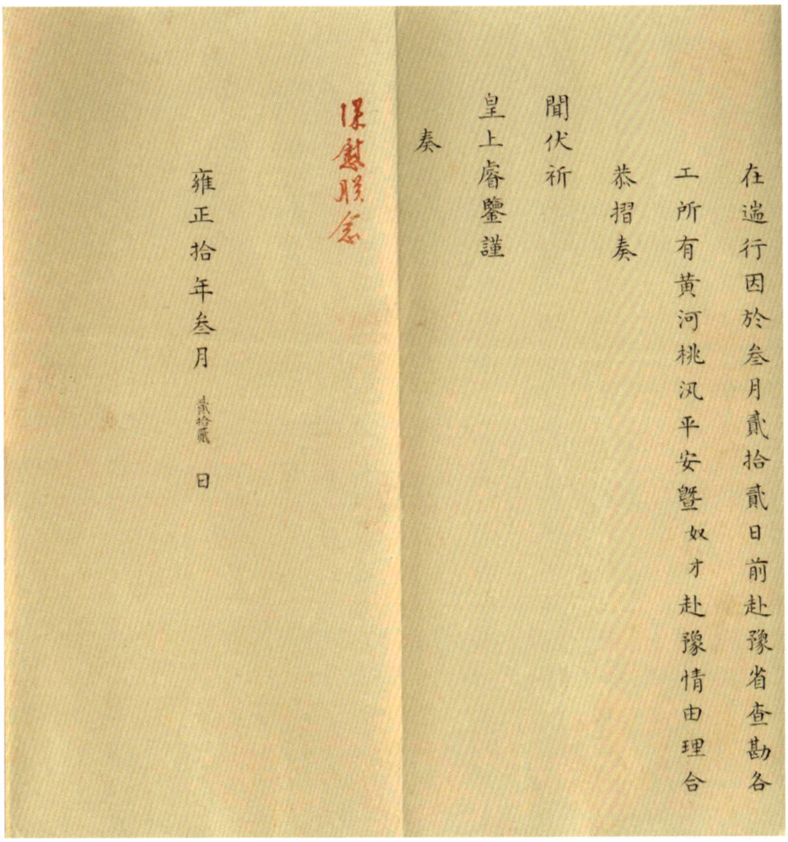
在途行因於叁月貳拾貳日前赴豫省查勘各
工所有黄河桃汛平安暨奴才赴豫情由理合
恭摺奏
聞伏祈
皇上睿鑒謹
奏
深慰朕懷
雍正拾年叁月貳拾貳日

一三三

奏

吏部尚書總督江南河道提督軍務臣嵇曾筠謹

奏為請築越堤收束水勢以資捍禦事竊照
山安廳屬黄河北岸四套五套一帶地方
坐當黄河尾閭諸水滙歸入海之區地形
最窪前於雍正捌年秋汛水勢驟長人力
難於保護致將四套舊埽冲塌經臣
題請着落承修之員分賠在案今因該工南
岸長出沙灘溜勢日漸北徙四套上下甚
屬危險若再搶築埽工則臨河地脉虚鬆
不特難於保護且錢糧需費亦屬浩繁經
臣親赴確勘必於高阜之處三套以下接
連新善後工尾起至五套止建築越堤一

道長壹千捌百丈約估土方銀玖千餘兩
庶上下色護兜灣俾水勢順其自然之性
自必循軌直注海口不致有出漕旁洩之
患況四套一帶自雍正捌年水漫淤高凡
從前長蓄蘆葦之所今已逐漸耕種越堤
築成不但水有歸束可免漫灘而堤內新
淤地畝亦得耕種收成永慶豐登咸沐
皇恩於不朽矣緣係緊要工程除一面飭淮揚
道確估造册會
題外謹將臣勘過情形繪圖貼說恭摺
奏明伏乞
皇上訓示遵行謹
奏

好題到有旨

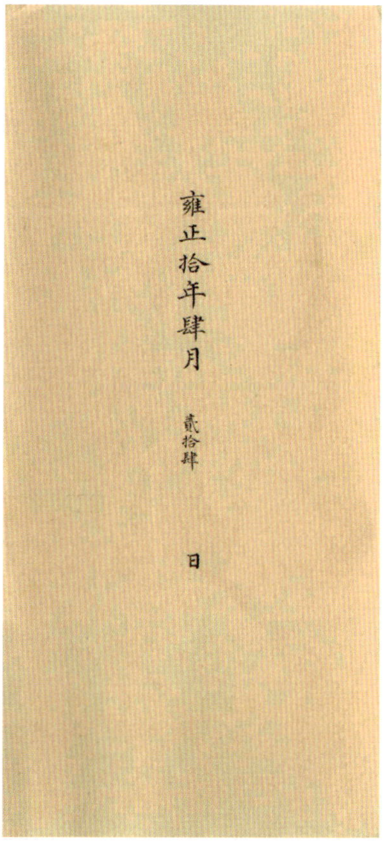

雍正拾年肆月貳拾肆日

一三四

奏

都察院僉都御史總督河南山東河道奴才朱藻謹

奏為黄河伏汛平安工程保固仰祈

睿鑒事竊查黄河水勢長發不時每當三伏之期汛水建瓴而下一切修守防禦尤為喫緊關頭奴才遍歷豫東貳省查勘黄河兩岸土埽各工逐一丈量簽試俱為如式又嚴飭道廳營汛各員晝夜住宿河干視水勢大小相機料理仍令多貯料物以備臨時緩急之用今節據寧夏府知府鈕廷彩報稱閏伍月初柒日黄河長水壹尺伍寸又於閏伍月拾捌日長水叁尺等情查今年伏汛較之每年水勢更為迅急仰賴

皇上至誠昭格安瀾循軌堤埽工程均皆保固無虞

惟是伏汛雖過秋汛踵至其間修守事宜刻不

容懈奴才現在董率各員凡係險要處所俱詳加

籌畫先事圖維務使金堤鞏固捍禦有資以期

仰副

皇上慎重河防軫念民生之至意所有黄河伏汛平

安工程保固情由理合恭摺奏

聞仰慰

聖懷伏祈

皇上睿鑒謹

奏

覽

雍正拾年陸月　拾壹　日

一三五

奏

都察院僉都御史總督河南山東河道奴才朱藻謹

奏爲秋汛黄運安瀾工程平穩仰慰

聖懷事竊照黄河水勢每當秋汛之期漲發奔騰一

切堤埽工程最關緊要今歲交秋以後黄水疊

漲極爲迅急奴才遍歷豫東貳省督率道廳營

汛各員將歲搶等工逐加指示相機料理均皆

如式修築一律高厚得保平安至河南封邱汛

黄河北岸拾肆堡大工荷蒙

皇上天恩俞允修築業經儹做堅實從前壩根水深

貳叁肆伍丈者今探量止有壹丈柒捌尺及伍

陸尺不等該工對岸刷去淤灘百拾餘丈大溜

南趨工程甚屬穩固虞城汛黄河南岸王家樓

新生險工奴才恭疏
題估搶築因該工坐灣頂衝逼近堤根搶護刻不
容緩現在督理築堤下埽如式儹做亦得保固
無虞此皆仰賴
皇上誠敬昭格
河神默佑是以秋汛疊漲之水均各循軌安瀾堤
埽險要等工俱皆保護平穩但霜降瞬逾其明
歲修防事宜今在今冬預爲辦理奴才惟有益
加敬謹殫竭精誠務使今歲諸事辦妥足資明
年伏秋之用以冀仰副
皇上慎重河防軫念民生之至意至運河堤岸上下
鞏固尤荷
皇上隆恩允准修築戴村叁壩啟閉以時蓄洩有方
今歲伏秋山水滙漲酌啟函洞閘板俾有餘之
水瀉入鹽河足用之水即時蓄閘以濟運行奴才
更嚴飭道廳營汛晝夜催儹並無停留等弊回
空船隻已於捌月初柒日全數催出東境矣所
有秋汛黃運安瀾工程平穩緣由奴才敬謹繕

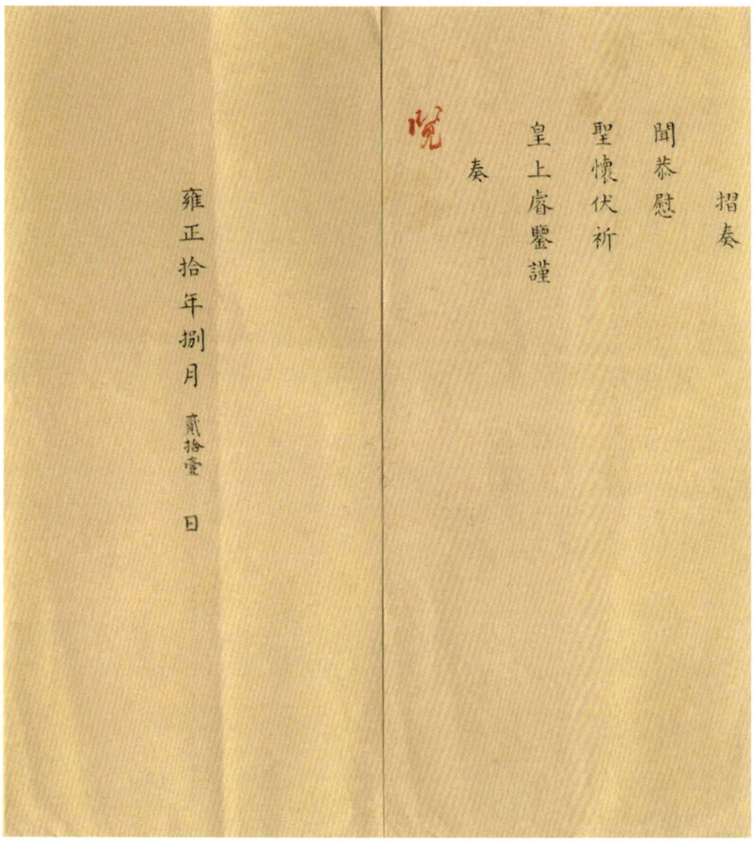

摺奏
聞恭慰
聖懷伏祈
皇上睿鑒謹
奏
覽
雍正拾年捌月貳拾壹日

一二六

奏

太子太保吏部尚書管理江南河道總督提督軍務臣嵇曾筠謹

奏為覆

奏事竊臣於敬陳歷勘黄運兩河工程緣由

摺内謹將下河范堤奏明前往查丈修葺

等因奏

硃批

旨嘉是覽之欽此臣跪誦之下敬尚

恩綸彌深悚惕仰見我

皇上堯仁禹智普惠黎元而於海壖河防尤廑

愛民之至意伏查淮揚下河范堤形勢西

控漕堤南枕江岸北接廟灣東連大海綿

延亘衍其間田疇繡錯阡陌比鄰草蕩鹽

場星羅碁布百萬田糧鹺課胥由此貢端賴范堤一道并設有閘座收束淡水不致浸鹽捍隔鹹潮不致侵稼誠為瀕海之屏藩現今興工修葺分別緩急相形勢而審機宜誠為要務也臣前詣范堤謹看得迤北堤頭自阜寧縣廟灣起由草堰至鹽城縣離海一百七八十里不等由白駒場至興化縣一帶離海一百四五十里不等迤邐往南由如皋縣至通州堤工吕四場止離海漸近有相隔二三十里以至八九十里不等臣相度古今形勢之不同平險機宜之各異以上各州縣范堤內除離海甚遠地形高亢以及村庄場集已成民居街市之地無庸修復舊址以節工帑其各州縣沿堤一帶如有離海不甚遠港汊寬濶潮汐往来亦應擇其緊要間段量加修補以資衛禦至泰州范堤地居東南河海交滙所有十場産鹽甲於他處糧賦亦倍於

他邑今該州拼茶場角斜場離海止有三
四里以及七八里不等計該工長二十七
里被潮衝漫並無完整即使修復舊基亦
屬逼臨海水徒費無益且泰州拼茶場堤
頭緊接如皋縣豐利場堤尾中有黄沙洋
口為界海水兜灣貫注關係田廬場竈甚
屬喫緊臣再四籌維遍諮父老亟應移進
五六里自黄沙洋口起至角斜老堤頭止
五千餘丈創築越堤一道約估土方銀貳
萬餘千兩相地審基令其蜿蜒環遠勿使
堤勢挺直以避海水撞擊而修做頂衝險
工之法堤根嵌入地底坦坡分外加長臣
一面將修做法則并將築堤碎土層硪以
及拉運鹽草車道埠口做照豫省修築大
堤條例親向各員指授務期堅固而錢糧
雖有商捐成例臣仰體
皇上惜商愛民亦務必樽節慎重不敢多費臣
請將現估之工會飭承修各員加謹趕做

行令淮揚道等綜理督催工完之後交與
貼近場員經管督率附近民户竈丁察看
浪窩水溝以時修補務期垂諸永久再臣
往來瀕海仰見我
皇上德威遐布封圻寧謐居民安堵惟是海邊
寫遠屢被風潮所有木樓墩臺營房未能
一律修補完好臣查勘事竣回署遵臣標
中軍副將許仕盛叨蒙
恩命署理狼山鎮總兵前來謁見查通泰如興
等處沿海沿江屬伊管轄臣面諭以海疆
形勢勉其竭力整頓將海濱營房及早詳
請修葺嚴飭汛兵加謹巡防以報
聖恩而盡職守至竈户煎丁現在感戴
皇仁緩徵折價領食賑穀鍋遂渟蕩煎淋業經
復業總之下河沿海一帶地方仰沐
聖主厚德深仁加意撫綏串場河已經挑濬及
令修理范堤各工永資樂利將見海晏河
清億萬兵民胥戴

聖澤於億萬斯年矣除會商督撫鹽各臣覆核
范堤各工造具估冊恭疏具
題外所有微臣查勘工程并一切情形理合
繕摺據實奏
聞伏乞
皇上睿鑒謹
奏
好

雍正拾年拾貳月 貳拾壹 日

一三七

奏

都察院僉都御史總督河南山東河道奴才朱藻謹
奏爲黃河凌汛平安仰祈
睿鑒事竊照上年冬月黃河水勢氷凍積凌頗爲堅
厚今自交春以來風和日暖漸次融解氷凌順
下勢若排山一切埽壩工程防其衝刷奴才業
經嚴飭道廳汛弁密掛逼凌樁木多繫柳牛派
撥兵夫晝夜巡防以資保護在案仰荷
皇上誠敬感孚
河神默佑氷凌隨流順灣並無劖削堤埽之虞豫
東兩省工程俱皆保固平穩奴才叩沐
聖主恩施福庇曷勝踴躍懽忭但轉瞬桃汛伏秋踵
至修守事宜尤須加意綢繆奴才倍深寅畏分

外小心督率各屬上緊料理務期堤埽鞏固大
汛安瀾以冀仰慰
聖懷於萬一耳所有黃河凌汛平安情形理合敬謹
繕摺奏
聞伏祈
皇上睿鑒謹
奏
覽
雍正拾壹年正月拾陸日

一三八

奏

都察院僉都御史總督河南山東河道奴才朱藻謹

奏爲恭報黄河桃汛平安仰慰

聖懷事竊照豫東貳省黄河每交清明節候水勢漸長大溜奔射全賴兩岸堤工埽壩高寬堅實以資捍禦奴才仰體

皇上慎重河防至意先事預籌於正月貳拾陸日周歷兩省黄河堤岸逐一查勘指示嚴飭道廳汛弁督率兵夫將一切險要工程上緊加鑲增卑培薄道廳等員亦各小心保護晝夜巡防仰荷

聖主誠敬昭格黄水安瀾河流循軌各工均皆平穩但伏汛將屆尤關緊要奴才更加謹慎益勤修守不敢稍有疎懈所有桃汛平安緣由理合恭

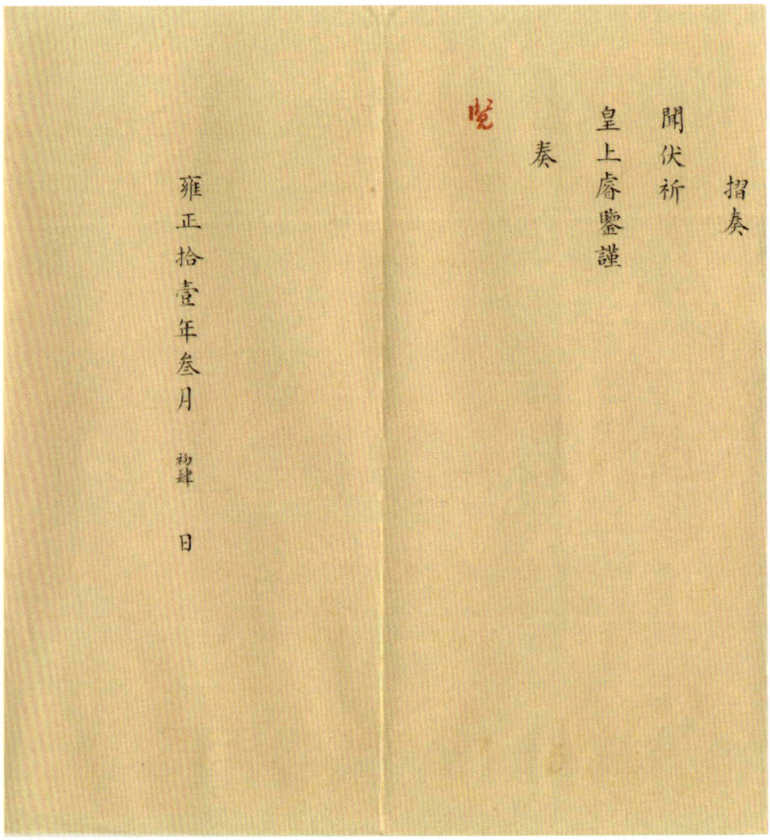

摺奏

聞伏祈

皇上睿鑒謹

奏

覽

雍正拾壹年叁月初肆日

一三九

奏

都察院僉都御史總督河南山東河道奴才朱藻謹

奏爲運河長水漕艘遄行仰慰

聖懷事竊查運河水勢自肆月拾陸柒兩日臨清

一帶得雨衛河口長水陸寸業經奴才具

奏在案今於肆月貳拾柒貳拾捌兩日甘霖大沛

遠近均霑據山東運河同知白嶸署上河通判

柳庭筠濟寧州知州張綸臨清州知州陳留武

等各報稱連期得雨入土尺餘山水漲發汶河

長水伍尺叁寸衛河口長水貳尺均注運河連

原有底水各共深有捌玖尺丈餘不等水勢通

暢重運足資浮送無庸蓄水灌塘始可啟板打

閘等語奴才復差員弁分馳查勘無異一面嚴

飭廳汛各官加謹巡防保固堤壩查汶河有餘
之水已從玲瓏亂石滚水叁壩流入鹽河以分
水勢兼之貳拾捌日當晚晴霽水性已定各處
工程平穩可保無虞一面催儹重運北上毋許
片刻逗遛查漕白尾幫全進臺莊汛閘今已過
濟寧天井閘者共船叁千陸百餘隻已出臨清
閘者共船壹千貳百餘隻約計伍月中旬可以
全數過濟再查豫省黄河現今伏汛已届水勢
安瀾循軌東注南北兩岸堤埽工程據各道廳
具報俱各平穩但恐員弁兵夫懈於防守奴才
擬於本月拾貳日前赴豫省上下巡查相機保
護所有運河水長情形理合恭摺奏

聞仰慰
聖懷伏祈
皇上睿鑒謹
奏

今年業已遲慢矣

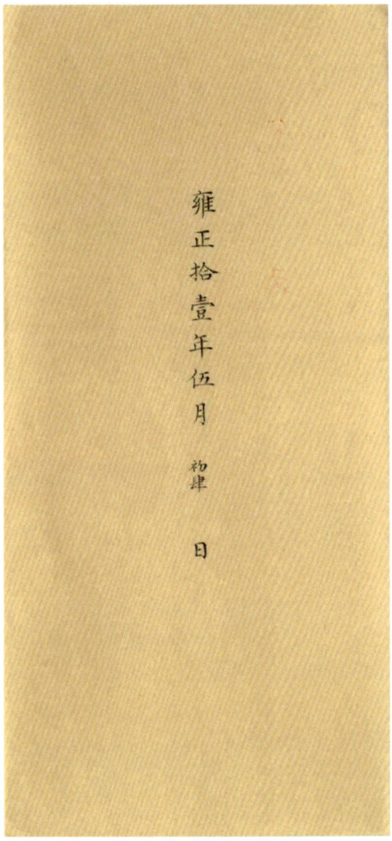

雍正拾壹年伍月初肆日

一四〇

奏

都察院僉都御史總督河南山東河道奴才朱藻謹

奏爲恭報伏汛平安仰慰

聖懷事竊照黃河水勢長發莫過於伏汛而圖所以防禦汛水者又莫過於平時奴才責令道廳汛弁預將各處堤工增培高厚各處埽壩防風加鑲完固再爲之多貯料物客積土牛以備急需本年伍月貳拾叁日據陝西寧夏府呈報伍月初拾日長水貳尺伍寸又於陸月初叁日據寧夏府呈報伍月拾玖日長水壹尺伍寸又於陸月拾捌日據寧夏府呈報陸月初柒日長水叁尺壹寸兼之小暑以後大雨時行晨夕無間上流之丹沁伊洛等河以及山泉坡水竝漲入河

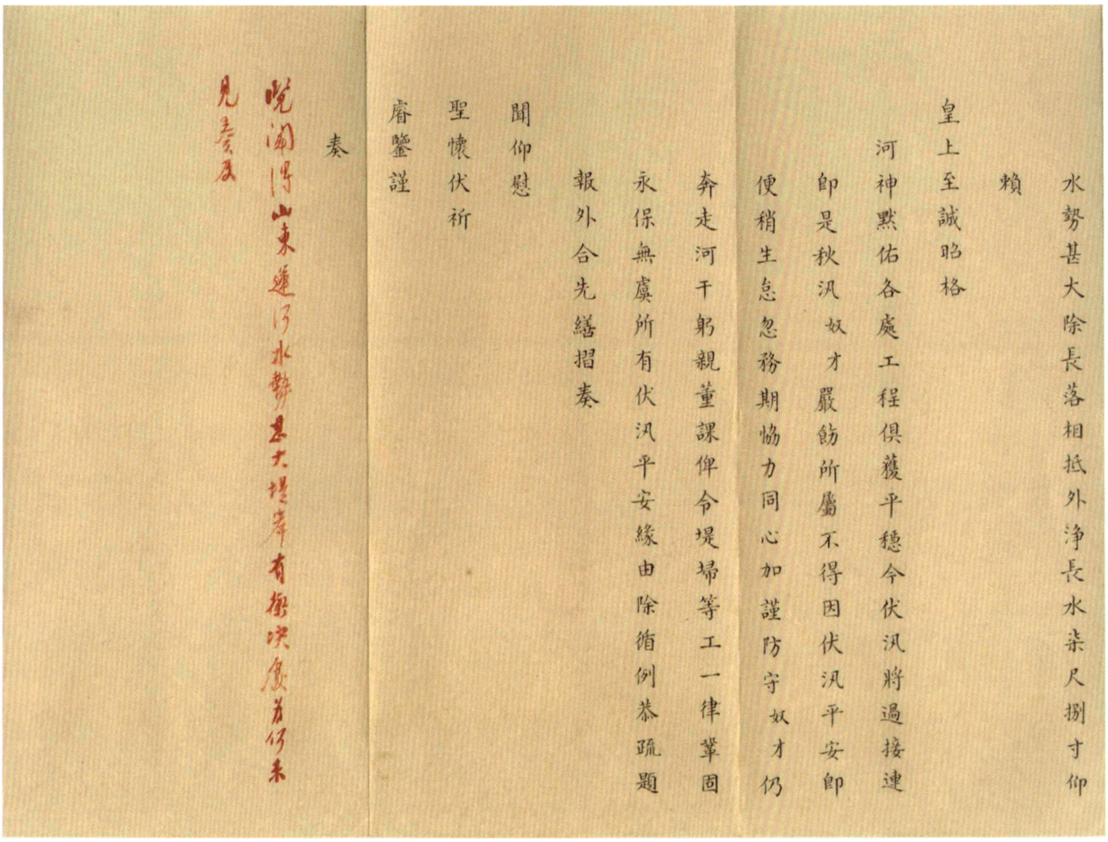
水勢甚大除長落相抵外淨長水柒尺捌寸仰
賴
皇上至誠昭格
河神默佑各處工程俱獲平穩今伏汛將過接連
卽是秋汛奴才嚴飭所屬不得因伏汛平安卽
便稍生怠忽務期恊力同心加謹防守奴才仍
奔走河干躬親董課俾令堤埽等工一律鞏固
永保無虞所有伏汛平安緣由除循例恭疏題
報外合先繕摺奏
聞仰慰
聖懷伏祈
睿鑒謹
奏
覽閱得山東運河水勢甚大堤岸有搶險處否仍未
見奏及

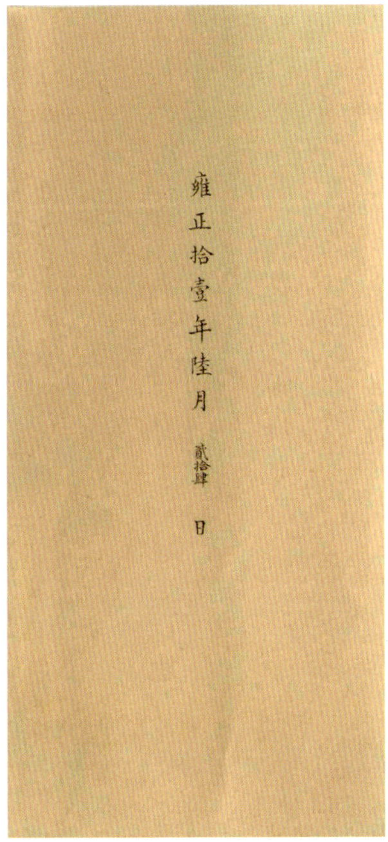

雍正拾壹年陸月貳拾肆日

一四一

奏

都察院僉都御史總督河南山東河道奴才朱藻謹

奏爲據實奏

聞事竊照山東黄河曹縣汛内之趙家集工程於伏
汛内河水漫灘衝刷大堤奴才住宿堤頂晝夜
搶救捆紮埽牛加築子堰甫得平穩惟因河南
祥符汛拾叁堡等工險急只得將趙家集委交
曹東道王鴻勳督同黄河同知蔣祈年加謹防
護奴才飛渡南岸相機指示料理不期柒月拾
柒日風浪大作將該工埽牛子堰衝刷壹千餘
丈處處塌卸奴才在南岸聞報隨又飛渡河北
於貳拾壹日到趙家集據曹東道王鴻勳稟稱
工程雖險然西風不大尚可保救今早同知蔣

祈年稟説今日如再作西風惟有跳入河内而
已已屬可駭乃奴才初到工時適值西風大作
波浪兼天奴才正與該道王鴻勳商議搶救而
該同知蔣祈年當此險急目擊心慌果即躍入
河灘幸而隨時撈救尚未吃水奴才詢其跳河
之故據該同知自稱膽小情急所致似此膽怯
之員本應糸處但該同知晨夕風雨未離工所
搶救尚勤且值此水長工險之時另易生手錢
糧夫料更費周章反恐貽悮要工是以暫緩題
糸今該同知自知罪戾在工竭力辦理以圖補
救前愆奴才不敢隱匿理合據實奏
聞伏祈
皇上睿鑒謹
奏
此投水之策似有巧詐

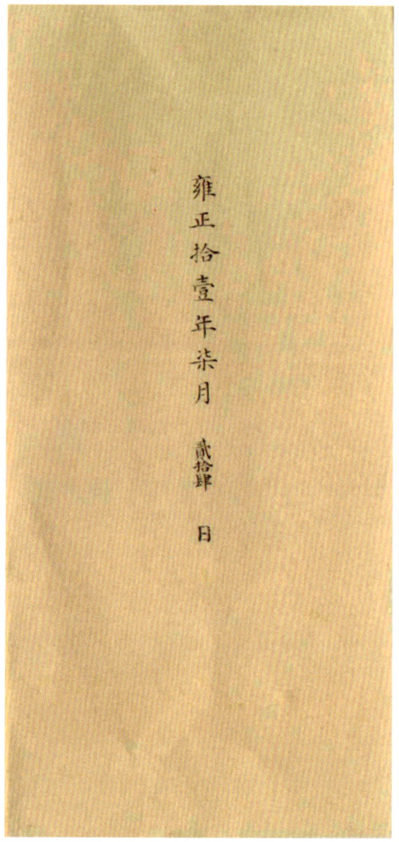
雍正拾壹年柒月貳拾肆日

一四二

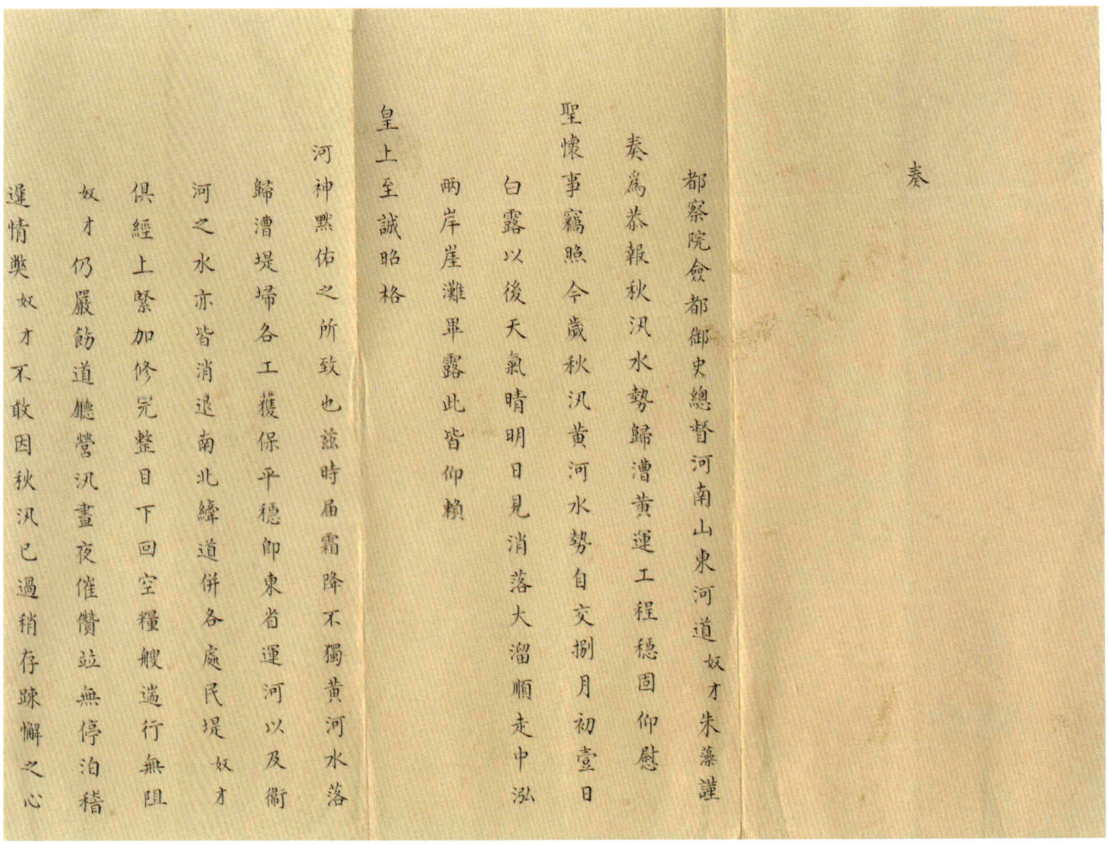

奏

都察院僉都御史總督河南山東河道奴才朱藻謹

奏為恭報秋汛水勢歸漕黃運工程穩固仰慰

聖懷事竊照今歲秋汛黃河水勢自交捌月初壹日

白露以後天氣晴明日見消落大溜順走中泓

兩岸崖灘畢露此皆仰賴

皇上至誠昭格

河神默佑之所致也茲時届霜降不獨黃河水落

歸漕堤埽各工獲保平穩即東省運河以及衛

河之水亦皆消退南北縴道併各處民堤奴才

俱經上緊加修完整目下回空糧艘遄行無阻

奴才仍嚴飭道廳營汛晝夜催趲竝無停泊稽

遲情弊奴才不敢因秋汛已過稍存踈懈之心

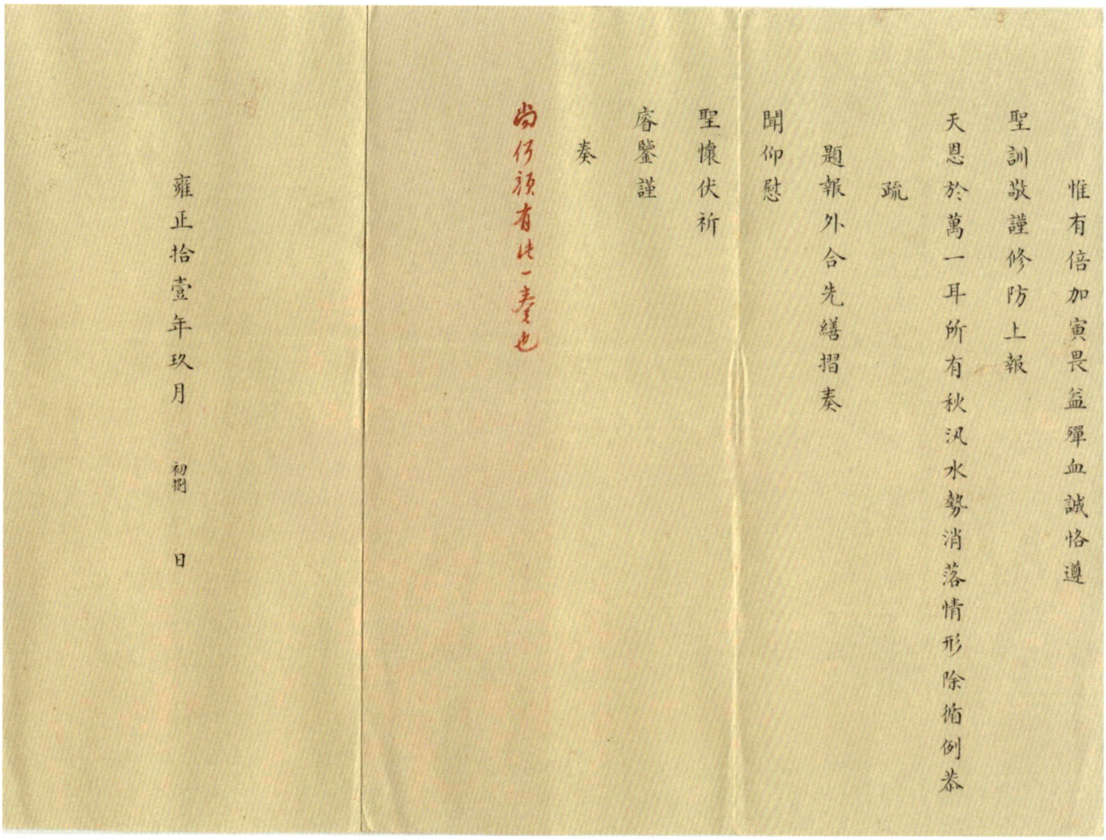

惟有倍加寅畏益殫血誠恪遵
聖訓敬謹修防上報
天恩於萬一耳所有秋汛水勢消落情形除循例恭
疏
題報外合先繕摺奏
聞仰慰
聖懷伏祈
睿鑒謹
奏

尚何須有此一奏也

雍正拾壹年玖月　初捌　日

一四三

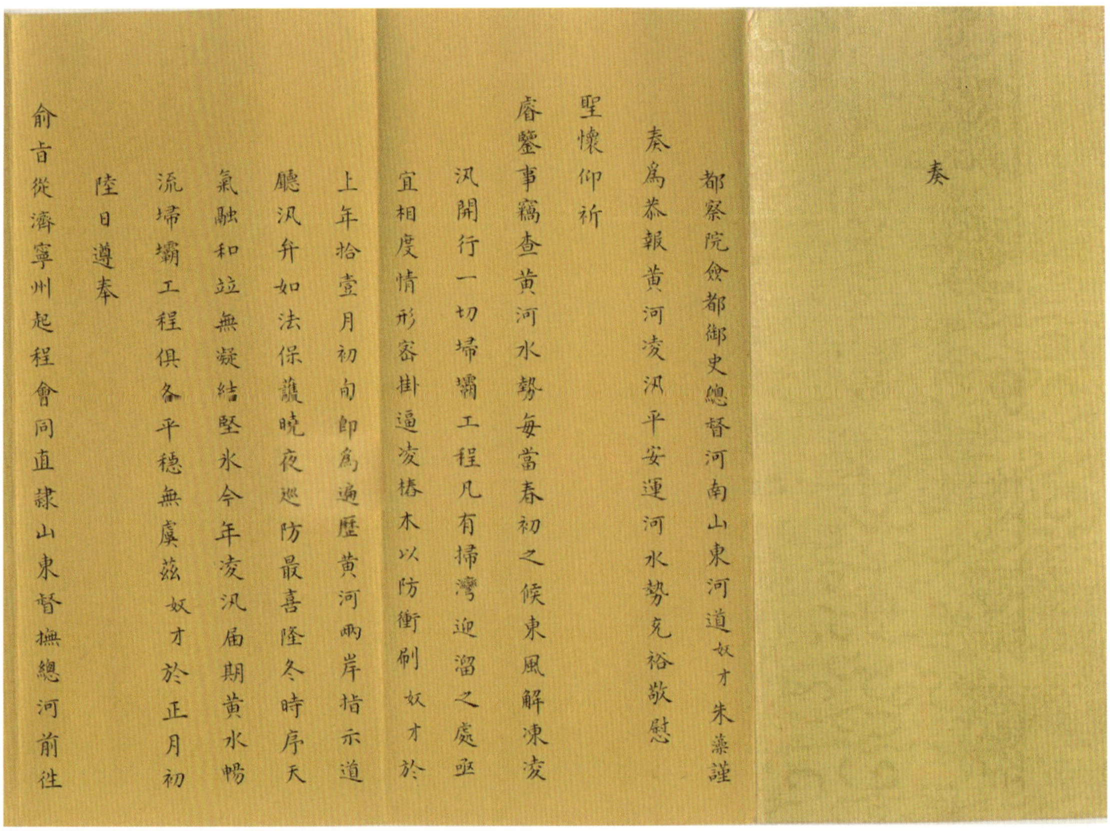

奏

都察院僉都御史總督河南山東河道奴才朱藻謹

奏爲恭報黄河凌汛平安運河水勢充裕敬慰

聖懷仰祈

睿鑒事竊查黄河水勢每當春初之候東風解凍凌

汛開行一切埽壩工程凡有埽灣迎溜之處亟

宜相度情形客掛逼凌樁木以防衝刷奴才於

上年拾壹月初旬卽爲遍歷黄河兩岸指示道

廳汛弁如法保護曉夜巡防最喜隆冬時序天

氣融和竝無凝結堅氷今年凌汛屆期黄水暢

流埽壩工程俱各平穩無虞兹奴才於正月初

陸日遵奉

俞旨從濟寧州起程會同直隸山東督撫總河前往

德州確勘妥議撫臣岳濬摺奏德州當衛河之
衛請
旨勘道開渠以洩溢水壹案奴才卽循運道北行兼
核大挑諸事現在遵照原估丈尺上緊挑挖深
通而馬場馬踏蜀山等湖水勢容蓄亦極充裕
且各處山泉渙發流注運河儘可接濟新漕皆
由我
皇上聖德感孚太和翔洽之所致也奴才謹恭摺奏
聞敬慰
聖懷伏祈
皇上睿鑒謹
奏
覧
雍正拾貳年正月 拾柒 日

奏

太子太保文華殿大學士兼吏部尚書仍管理江南總河事務今守制臣嵇曾筠等謹

奏為請築月堤移建閘座以禦汛水以固河
防事竊查海防廳屬黃河南岸辛家蕩縷
堤坐當全黃尾閭年來北岸長有沙灘逼
溜南趨掃灣汕刷河崖塌卸致成迎溜險
工將來汛水長發衝射堤根危險堪虞臣
等親往查勘悉心籌畫若就堤身下埽悉
屬頂衝築壩挑溜工段綿長需料繁多且
全黃之水建瓴而下埽刷堤崖更難保護
今相度情形縷堤南首版荒地內應圈築
月堤一道避其激湍之勢順其就下之性
庶幾未雨綢繆有備無患再辛家蕩縷堤

舊有減水石壩一座係康熙肆拾年間經
前河臣張鵬翮
題建以備宣洩黄河異漲之水嗣因黄流順
軌海口深通堤内村莊聯絡居民稠密自
始迄今此壩從未開放蟄陷泥淤廢棄已
久現今大溜南趨逼近壩臺將來勢必塌
卸自應相機將舊石議拆移運別工應用
令查揚河廳汛内寶應縣西堤向有竹絡
壩一座原備宣洩運河之水前於雍正玖
年因壩底年久虛鬆經臣曾筠於亟請下
埽等事案内
題請另建新壩一座照例蓄洩在案但水長
即挑開埽壩放水以保堤工水落即下埽
堵閉蓄水以資漕運既非一勞永逸之計
且有遞年修築之煩臣等愚見不若將平
家蕩舊石拆移於寶應西堤審擇堅實地
基改建減水石閘因時啟閉蓄洩咸宜且
建閘之後即可將舊時埽壩永遠堵閉一

轉移間不特將無用舊石皆成有用可以
節省錢糧而揚屬運河一帶堤工益資鞏
固漕運民生均有裨益矣至辛家蕩月堤
計長柒百丈估費肆千肆百餘兩現在照
例發帑飭令淮揚道監工上緊贊築堅固
以禦汛水并將移建閘座工程悉心確估
造冊具
題請
旨外所有臣等公同勘估辛家蕩工程情形謹
先繪圖貼說繕摺恭呈
御覽伏乞
皇上訓示遵行謹
奏

好卿之措施自然合宜也

雍正拾貳年肆月拾伍日 大學士仍管理江南總河事務今守制臣嵇曾筠
署理江南河道總督印務臣高斌

一四五

奏

太子太保文華殿大學士兼吏部尚書仍管理江南總河事務今守制臣嵇曾筠等謹

奏為查勘工程水勢平穩情形仰祈
睿鑒事竊念河防關係重大一歲之中惟伏秋
二汛更為喫緊一應修守事宜必須預為
料理方能有備無患臣等遍歷各工查得
淮徐道屬勢處上游其桃源宿虹邳睢徐
州各廳黄河工程凡有頂衝掃灣迎溜之
處逐工詳勘一一指授廳營汛弁相度水
勢及早加謹修防内有宿虹廳北岸夏家
馬路新生險工衹因河勢掃灣兼之黄運
兩河相隔不遠攸關緊要已盤築魚鱗礣
嘴埽壩壹百捌拾餘丈又桃源廳屬北岸

陳家樓地方黃溜衝刷逼近堤根現在新
下樓崖順埽貳百餘丈其淮揚道屬勢處
下游所有桃清山安海防一帶黃河工程
亦經逐工查勘督率修防今兩岸堤埽單
薄者培補高厚蟄陷者加鑲堅實均各一
律整齊至稽查各廳料物除動用外貯工
堆積甚多一望崇墉鱗次櫛比雖伏秋二
汛時日綿長而所備料物足敷濟用再查
黃河水勢自桃汛迄今日漸加長仰賴
皇上誠敬感格
河神默佑水勢安和工程平穩伏汛將屆臣
等惟有上緊巡查親加督率務使黃運河
湖各工鞏固以仰副
皇上慎重河防之至意再臣曾筠於叁月間祭
掃祖塋曾至江寧見署督臣趙弘恩以宿
靈虹泗等州縣水利事宜愷切諮詢囑臣
前往查勘臣自徐州勘工後即就近由毛
城鋪親往各州縣勘驗地勢高窪應行挑

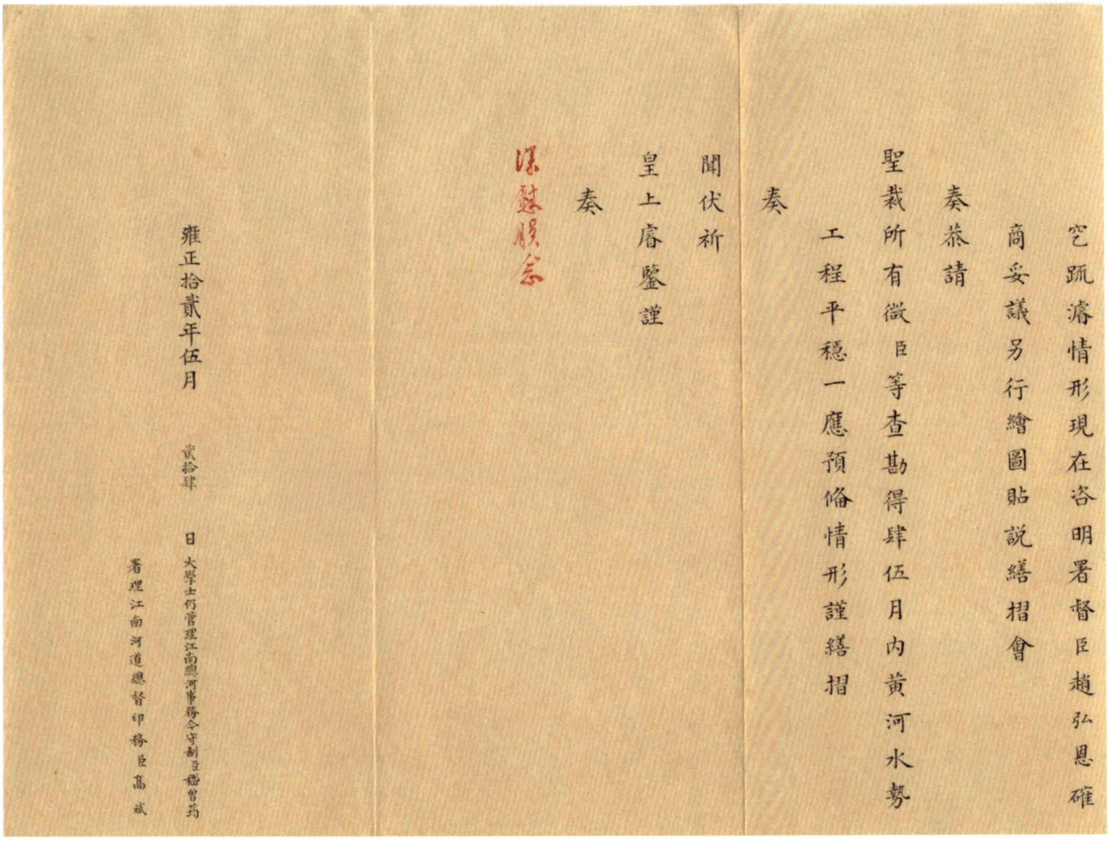
穵䟽濬情形現在咨明署督臣趙弘恩確
商妥議另行繪圖貼説繕摺會
奏恭請
聖裁所有微臣等查勘得肆伍月内黄河水勢
工程平穩一應預備情形謹繕摺
奏
奏
皇上睿鑒謹
聞伏祈
深慰朕念
雍正拾貳年伍月　　貳拾肆　　日　大學士仍管理江南總河事務今守制臣嵇曾筠
署理江南河道總督印務臣高斌

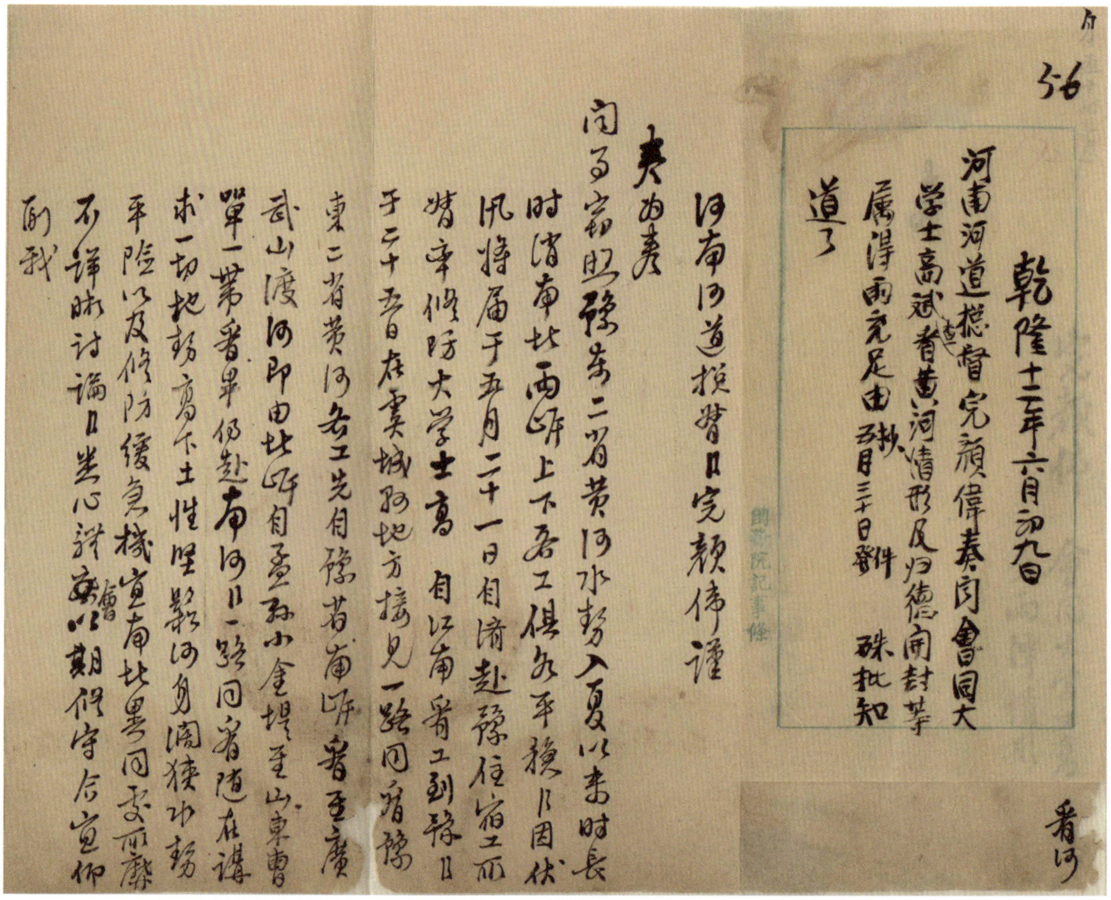
5-6

乾隆十二年六月初九日

河南河道總督完顏偉奏同會同大學士高斌查勘黃河情形及歸德開封等屬得雨充足由 五月三十日

硃批知道了

河南河道總督臣完顏偉謹

奏為奏

聞事。竊照豫東二省黃河水勢入夏以來時長時消，南北兩岸上下各工俱各平穩。臣因伏汛將屆，于五月二十一日自濟赴豫，往宿工所蹔率修防。大學士臣高　自江南督工到豫，臣于二十五日在襄城縣地方接見，一路同看豫東二省黃河各工。先自豫省南岸看至廣武山渡河，即由北岸自孟縣小金堤至山東曹單一帶，看畢仍赴南河，臣一路同看，隨在講求一切地勢高下、土性堅鬆、河身闊狹、水勢平險，以及修防緩急機宜、南北異同，靡不詳晰討論，臣無不悉心酌議，以期仰守合宜，仰副我

看河

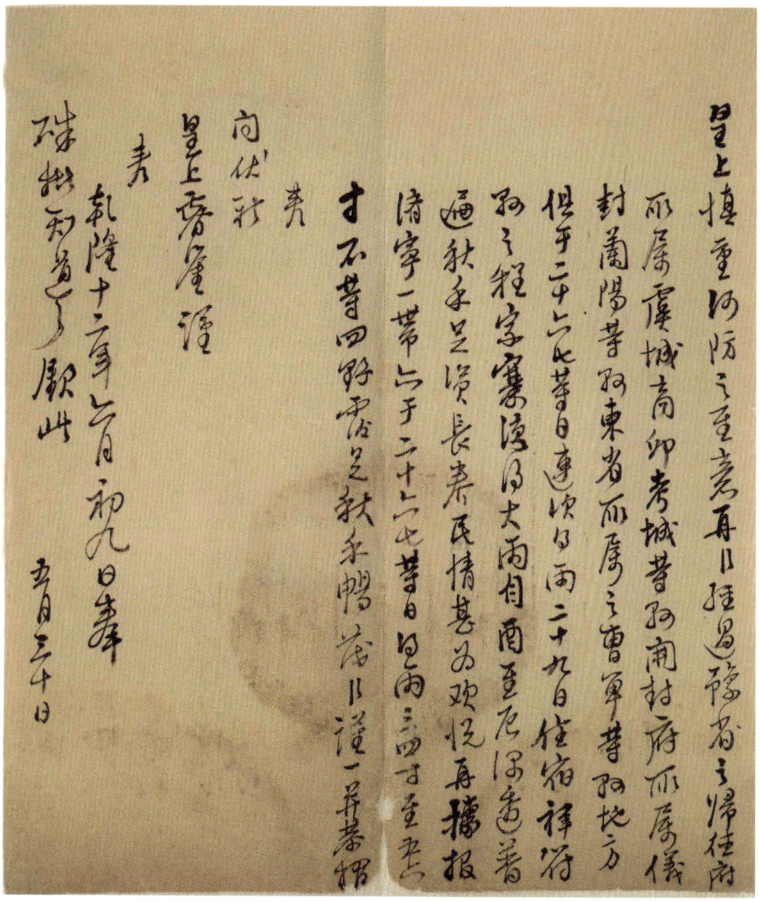

皇上慎重河防之至意再〻拄過豫省之歸德府
所屬虞城商邱考城等縣開封府所屬儀
封蘭陽等縣東省所屬之曹單等縣地方
俱于二十六七等日連次得雨二十九日值宿祥符
縣之程家寨復得大雨自酉至辰深透普
遍秋禾足資長養民情甚為歡悅再據報
清字一帶亦于二十六七等日得雨三四寸至五六
寸不等四野霑足秋禾暢茂〻謹一並恭摺
奏
聞伏祈
皇上睿鑒謹
奏
乾隆十二年六月初九日奉
硃批知道了欽此
五月三十日

一四七

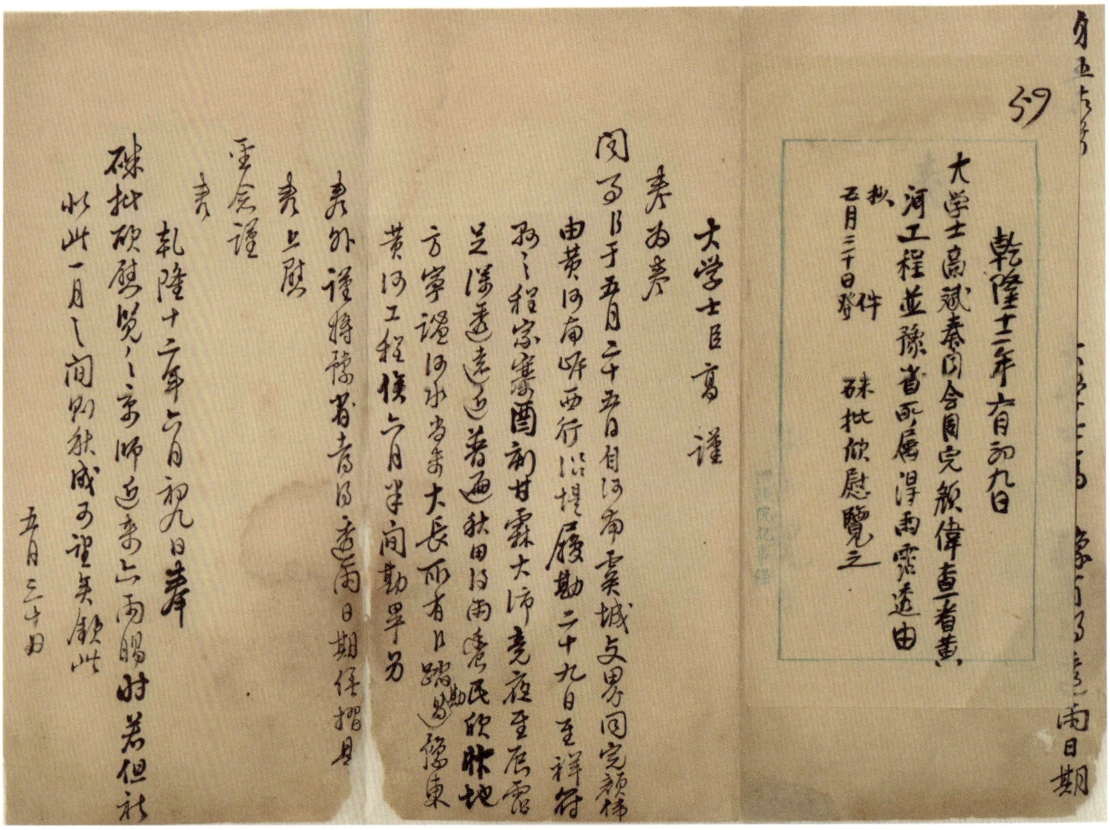

乾隆十三年六月初九日
大學士高斌奏同今同完顏偉查看黃河工程並豫省所屬得雨霑透由摺
五月三十日發 件
硃批 欣慰覽之

大學士臣高（斌）謹
奏為奏
聞事。臣于五月二十五日自河南虞城與臣完顏偉由黃河南岸西行，沿堤履勘，二十九日至祥符，初一日程家寨酉刻甘霖大沛，竟夜至辰，雷雨足，洋溢透遍，著遍秋田，河南豫民欣快，地方寧謐。河水晝夜大長，而有臣躬勘。豫東黃河工程，俟六月半間勘畢另
奏外，謹將豫省得透雨日期，恭摺具
奏。伏乞
皇上睿鑒。謹
奏。
乾隆十三年六月初九日奉
硃批：欣慰覽之。京師近來亦雨暘時若，但秋收此一月之間，如秋成可望矣。欽此。
五月三十日

一四八

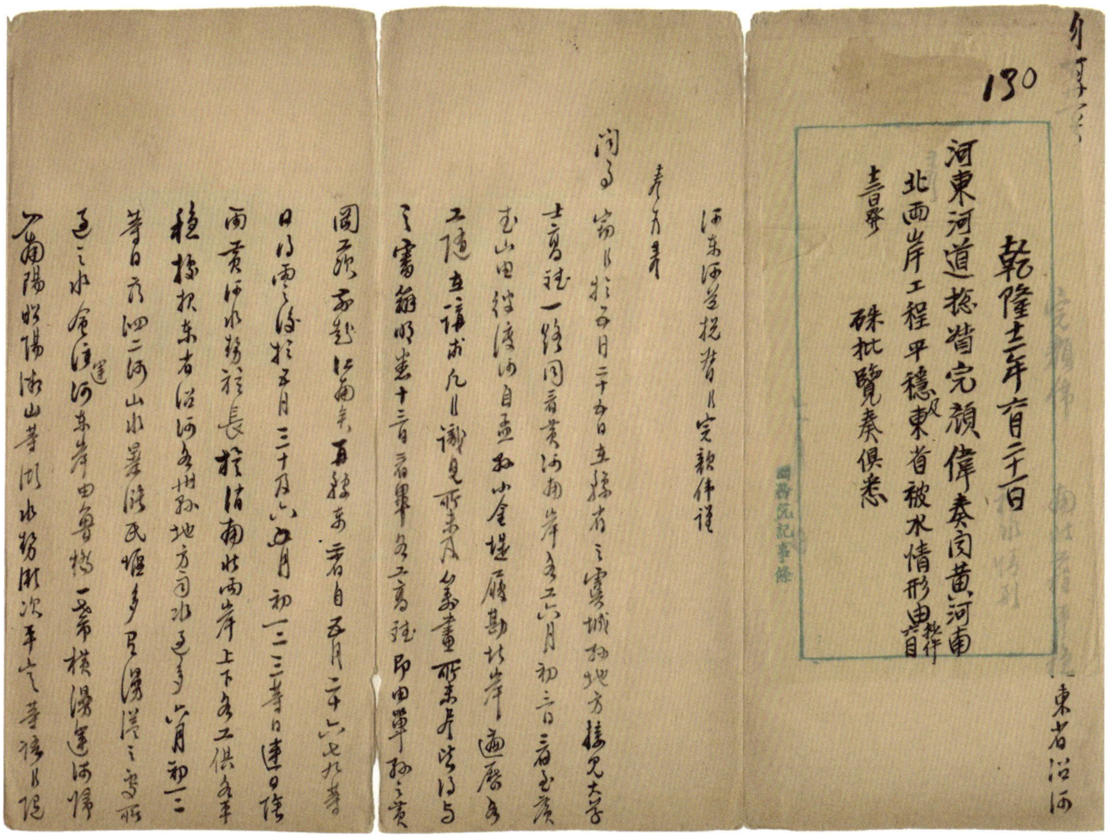
乾隆十二年六月二十日

河東河道總督完顔偉奏爲黃河南北兩岸工程平穩東省被水情形由

奏摺

硃批覽奏俱悉

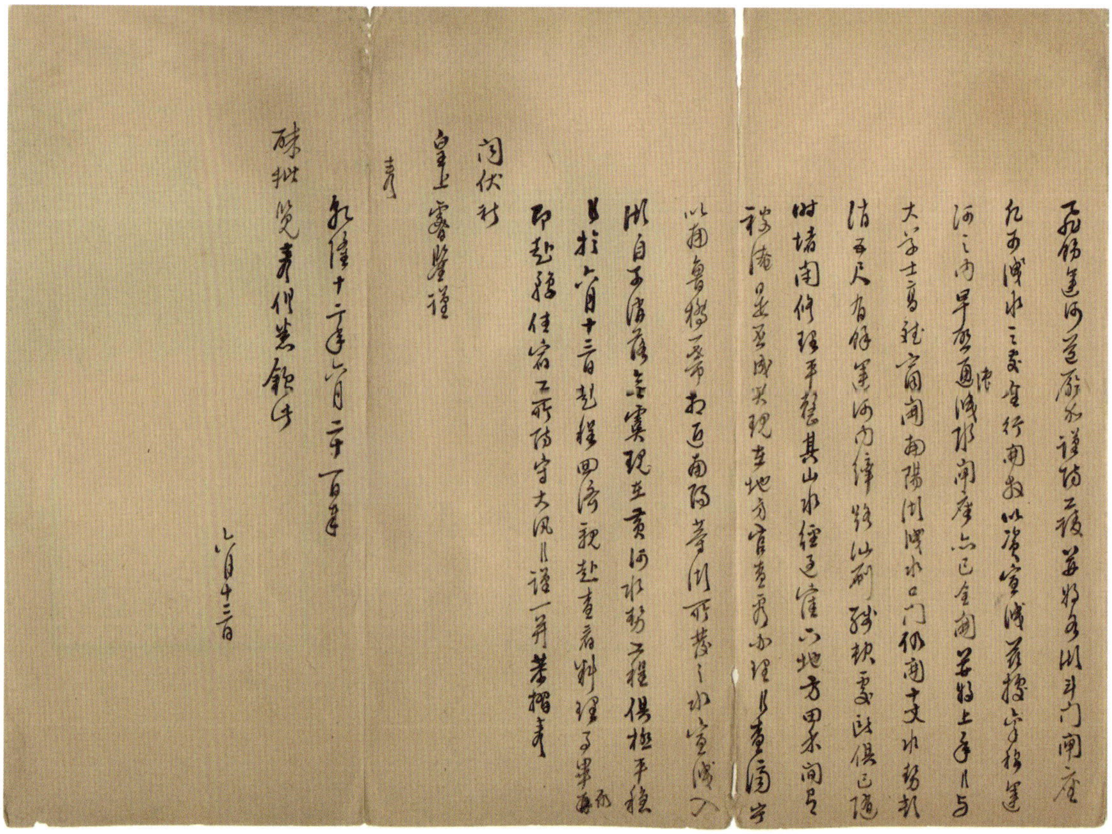

一四九

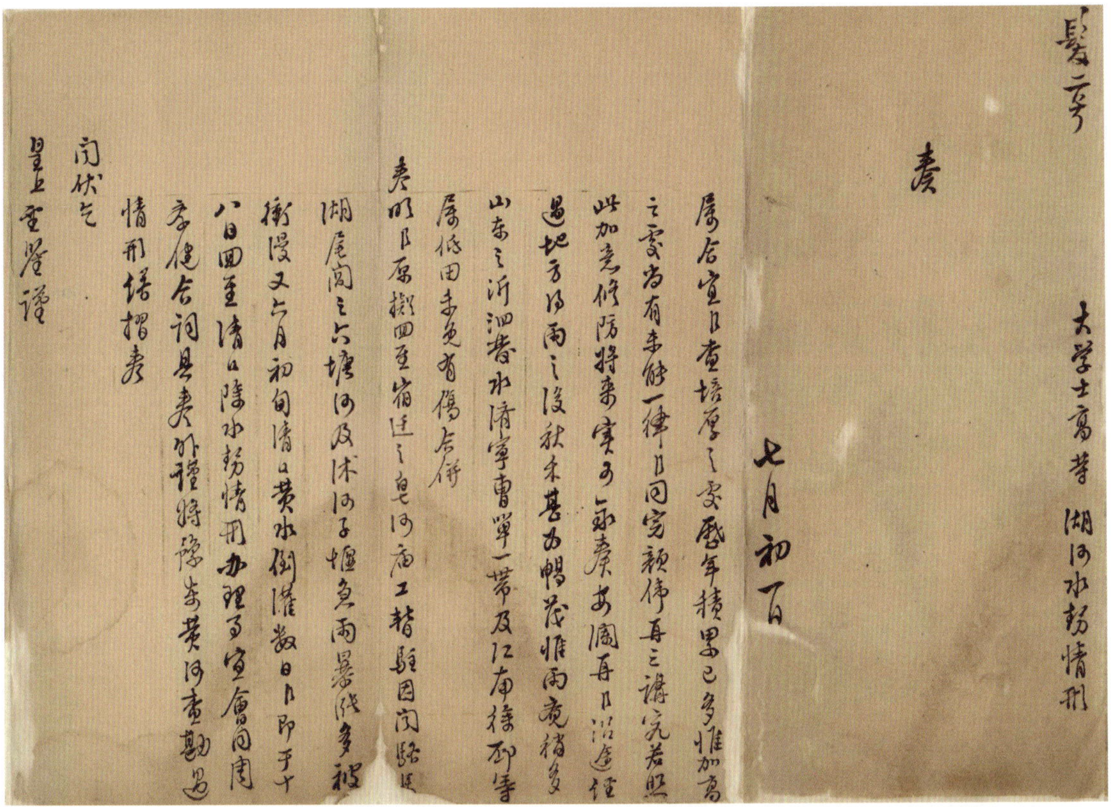

髮二旁

奏

大學士高等 湖河水勢情形

七月初百

屬合宜臣查堤壓之處歷年積累已多惟加高
之處尚有未能一律臣同窃顧偉再三講究若照
此加高修防將來實可永慶安瀾再臣沿途經
過地方得雨之後秋禾甚為暢茂惟雨水稍多
山東之沂泗諸水濟寧曹單一帶及江南徐邳等
屬低田未免有傷合併
奏明臣原擬回至宿遷之皂河廟工稽驗因閱驗[illegible]
湖尾閘之六塘河及沭河子堰急雨暴漲多被
衝漫又六月初旬清口黃水倒灌數日臣即于十
八日回至清口除水勢情形辦理事宜會同周
學健合詞具奏外謹將豫東黃河查勘過
情形繕摺奏
聞伏乞
皇上聖鑒謹

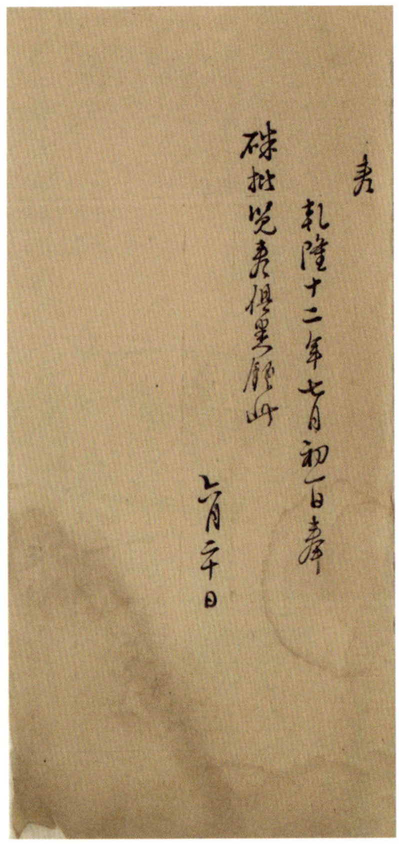
奏
乾隆十二年七月初一日奉
硃批覽奏俱悉欽此
六月二十日

一五〇

奏

都察院僉都御史總督河南山東河道奴才朱藻謹

奏爲據實奏

聞仰祈

睿鑒事竊查黃河自入秋以來水勢無甚長落各處
工程保護穩固雖儀封汎之蔡家樓拾陸堡两
處埽壩因大溜頂衝陡蟄險要當經奴才飛赴
該工督率文武員弁指示機宜晝夜搶護仰賴

皇上聖德感孚

河神默佑俱獲平穩現在密釘長樁多拴騎馬追
壓重土一律加鑲高厚足資抵禦兹於本年柒
月貳拾叁日據山東曹東道王鴻勲報稱德州
衛白鹽地方於柒月初玖日衛水驟長一時不

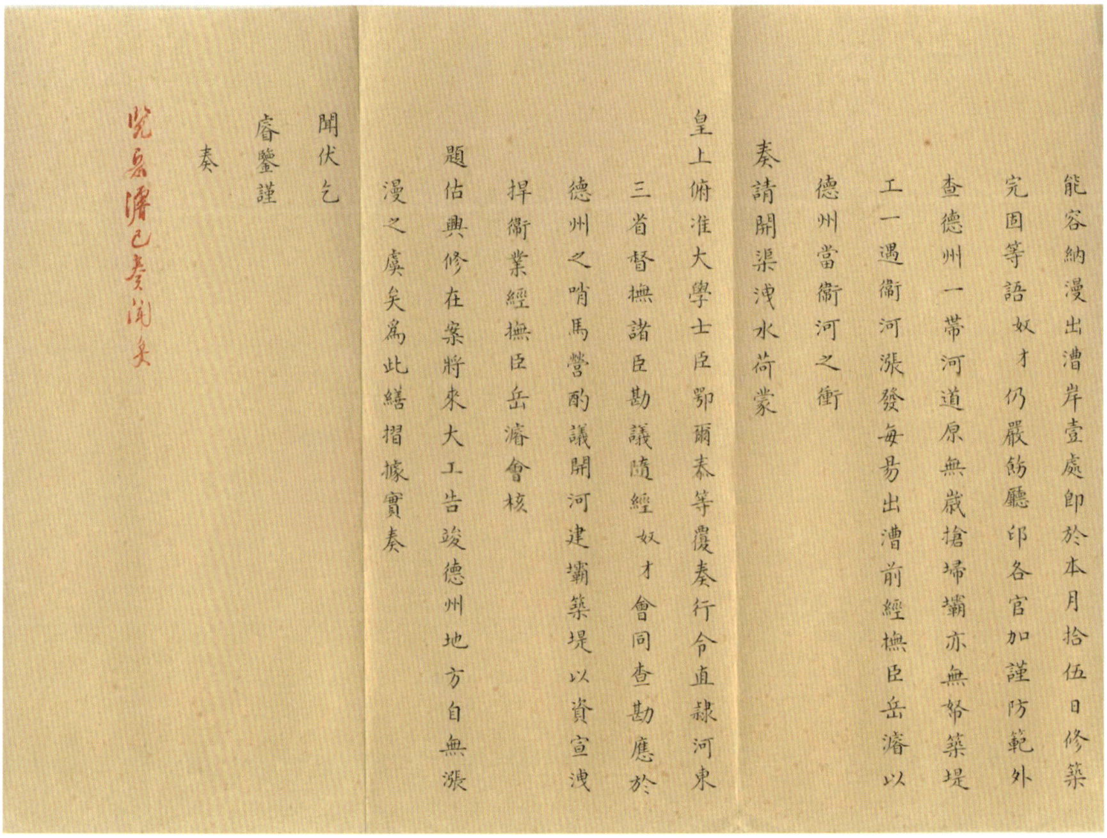

能容納漫出漕岸壹處卽於本月拾伍日修築
完固等語 奴才仍嚴飭廳印各官加謹防範外
查德州一帶河道原無歲搶埽壩亦無修築堤
工一遇衛河漲發每易出漕前經撫臣岳濬以
德州當衛河之衝
奏請開渠洩水荷蒙
皇上俯准大學士臣鄂爾泰等覆奏行令直隸河東
三省督撫諸臣勘議隨經 奴才會同查勘應於
德州之哨馬營酌議開河建壩築堤以資宣洩
捍衛業經撫臣岳濬會核
題估興修在案將來大工告竣德州地方自無漲
漫之虞矣爲此繕摺據實奏
聞伏乞
睿鑒謹
奏

覽。岳濬已奏聞矣

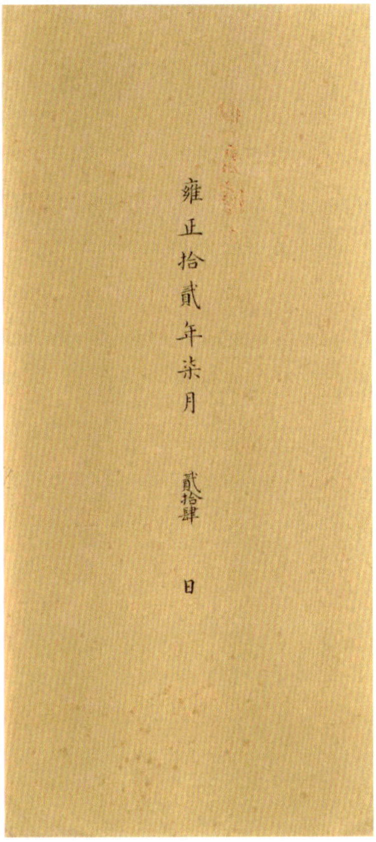
雍正拾貳年柒月貳拾肆日

奏

河東河道總督奴才白鍾山跪

奏爲備陳填塞支河保護堤工仰祈

睿鑒事竊查山東黄河同知所管曹縣汛内大堤以外黄河嫩灘有流成支河數道汕刷堤根該同知蔣祈年在前河臣朱藻任内請做埽壩以斷其流共估需銀壹萬玖千捌百柒拾肆兩零經前河臣行令山東管河道并委員張師灝等查勘確估奴才到任後復據蔣祈年同張師灝等覆估實需銀壹萬捌千柒拾叁兩零請

題動帑興工奴才相度形勢細加籌酌支河汕刷堤根固應及早堵築但據請做埽壩係橫擔於嫩灘河形之上且無依靠接尾之處三面環水冲激埽頭汕刷

一五一

後錢埽壩斷難穩固無益工程反恐阻遏水勢激成
大患細查漫灘之水因有河形引溜通流是以漸刷
漸深若將河形填平高出灘面壹貳尺即可斷流設
遇水長之時亦不過平漫平落不致走溜注射而水
落沙停愈淤愈高大堤可保無虞當即面同道廳詳
細指示皆以爲然奴才隨委員張廣居宋鋐將填築
河形夫工銀兩從實確估據覆止需土方銀捌百壹
拾壹兩零較做埽壩需銀壹萬捌千餘兩不但節省
多金且填平河形塞其來源可以保護堤工實於工
程有益現在飭令募夫星夜儹築高寬堅實務於汛
水未發之前完竣至需用土方銀兩爲數無多自可
於該廳額需歲搶修銀內動用毋庸另請帑銀所有
填塞支河河形較比埽壩節省錢糧裨益工程緣由
謹繕摺奏
聞伏祈
皇上睿鑒謹
奏

如此方是，勉爲之。能效法嵇曾筠心行，即作嵇曾筠一例人

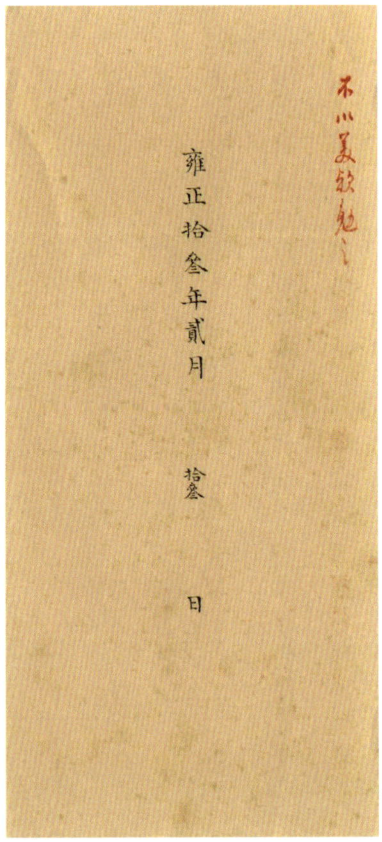

不必羡欽勉之

雍正拾叁年貳月　拾叁　日

一五二

奏

河東河道總督奴才白鍾山跪

奏爲恭報微臣查勘黄河并回濟日期仰祈

睿鑒事竊奴才蒙

皇上高厚天恩

特簡河東河道總督自念知識短淺夙夜徬徨惟有仰體

聖心竭誠報効奴才到任之日正值東省運河小挑奴才

就近督令廳汛各官實力督挑一律深通以待重運

奴才即於二月初六日由濟寧州起程查勘豫東二

省黄河南北兩岸工程至本月二十六日回至濟署

伏念黄河要務首重修防搶護急需全資料物奴才

於到任後即查覈前河臣朱藻去年所發帑銀數目

檄行道廳速將承辦各料辦足運工以備查驗並於

謁見時面加諄囑務期無誤令奴才巡歷兩崖桉工
細數已經運到者竟有十之八九其未到工者奴才
嚴檄行催勒限運交定於桃汛前全數到齊將來緊
要工程均可有備無患矣再查黄河兩岸堤根經去
年伏秋二汛水勢汕刷以後多有殘缺目前汛水踵
至坍卸堪虞奴才思沿河官柳到處皆有不費帑金
正堪採用隨諭令廳汛文武員弁督率兵夫細紮柳
防風内用軟草鑲墊簽以木樁壓以堅土不但水有
捍禦可無汕刷之憂而堤工漸次加幫更得藉以寬
厚也至黄河水性湍悍靡常時多屈曲或傾徙而南
則北崖陡長淤灘更多逼注或傾徙而北則南崖水
勢亦復如之但性本就下一遇灘嘴抵觸湍洄溜轉
又多一番撞擊迨至水長工險勢必多用料物急速
搶護不但夫役奔忙而帑項亦不免倍費如少濡遲
又滋貽誤奴才逐一查勘凡河内長有新淤灘嘴注
溜之處即令廳汛趁此兵夫稍暇之時票行切去務
俾河泓一氣順行暢流無碍不致有逼注之虞至黄
河兩崖舊有之老灘内支河最與堤工有碍蓋黄河

水面寬處居多故來水遥堤相去有四五里至一二
十里不等者素常漫灘之水任其紆廻蕩漾加以沙
隨水湧通塞不常遂致水路分岐往往刷成支河形
勢從來河不兩行最忌旁流分洩奴才前將曹縣汛
内支河指示廳汛填塞較比埽壩節省錢糧有益工
程
奏明在案因將凡有支流之處俱嚴飭廳汛員弁乘此
天氣晴明土乾灘老之時急爲填塞夯硪堅實旁流
既過分洩無虞即或大汛經臨亦不過平漫平落不
致走溜注射而水落沙停支河自淤此後大堤亦得
藉以保護矣其各處埽壩工程儘有歷年已久根底
椿草朽腐如止在上面加鑲雖層砌可觀而根脚虚
鬆上重下輕一遇汛水汕刷難免塌卸奴才乘駕小
船沿工循視此時水落工現易於查看凡有此等根
底朽腐之處俱責令趁汛水未發之前著底加鑲上
下一律堅整更爲鞏固河防之急務伏念我
皇上保惠黎元奠安河岳凡有益於河防即上廑
睿慮奴才備員河務受

恩深重惟有欽遵
訓旨倍凛慎勤矢誠矢敬竭蹶奔馳以奠黄流循軌運道
深通恭慰
聖懷於萬一耳除東省運河一應土石工程奴才擬於三
月初旬親詣確查再爲詳細具陳外所有奴才勘過
黄河并田濟日期理合繕摺奏
聞伏祈
皇上睿鑒謹
奏

覧勉之

雍正拾叁年叁月　初壹　日

一五三

奏

河東河道總督奴才白鍾山跪

奏爲恭報肆月黄河水勢工程平穩仰慰

聖懷事竊照桃汛豫東河道各工穩固情形前經奴才奏

聞在案伏查桃汛一過伏汛踵臨奴才凛遵

聖訓未雨綢繆隨於肆月貳拾壹日復往河南將黄河南

北兩岸工程逐加查勘其有蟄窪單薄之處即令加

鑲幫築一律高寬平整查點各廳料物均已辦齊歷

年險要處所酌量多貯料物以期有備無患其添築

子堰有未行硪者即督兵夫夯硪堅實新淤灘嘴有

未挑切完竣者即督上緊挑竣至土堤内獾洞鼠穴

人易忽畧不知遠年老獾屈曲穿穴遠至百拾丈率

其種類盤踞在内出入靡常此等穴洞往往水長之

時引水穿堤釀成大險猝不及防奴才到任後即嚴
飭各廳汛員弁搜捕填築並於恭報桃汛平穩摺内
陳明在案前次查工時奴才查有填築穴洞拿獲獾
鼠者將兵夫給賞汛官奬勵又恐伊等不搜巢穴止
將在外遊獾捕獲邀賞今次臨工又明白詳細指示
兵夫弁親爲挖填壹貳處令其照行復派委多員分
段巡查務期挖掘净盡填築堅固蓋得一獾洞則闔
洞大小獾隻盡獲無遺是拿一遊獾不如搜一獾洞
猶之獲一盜賊不如獲一窩家也再如黄河兩崖老
灘内支河注射堤根旁溢灘地不惟損傷堤工抑且
有害田禾奴才今次查勘已俱遵照堵築如式黄水
未入支河兩灘二麥極其茂盛青黄遍地陸續豐收
濱河百姓咸頌
皇仁廣被歡呼載道奴才仰體
聖心雖現在水勢工程平穩不敢絲毫疎忽惟益加寅畏
勤慎修防務期汛水安瀾以上副
聖主奠寧河道之至意奴才因在豫省河北查得衛水稍
弱恐與臨清運河交接之處水小糧船未能遄行即

一面飛飭道廳將衛河泉源疏濬渠堰開放勿任豪

強阻截一面馳回赴臨查勘料理適

欽差御史臣蘇昌科臣黄祐禮部尚書臣魏廷珍督儹重

運行抵濟寧隨會同催儹於閏肆月拾壹日全數過

濟復據臨清各委員禀稱本月初伍陸等日甘霖大

沛運河水勢充盈衛河亦長水貳尺有餘重運漕船

揚帆北上今奴才於拾捌日自濟起程由臨清一帶

前往德州哨馬營驗收挑河工程所有夏至將屆黄

河水勢工程平穩情形謹繕摺奏

聞仰慰

聖懷伏祈

皇上睿鑒謹

奏

欽此覽焉

雍正拾叁年閏肆月　拾捌　日

一五四

奏

河東河道總督臣白鍾山跪

奏爲恭報五月黄河水勢工程平穩仰慰

聖懷事竊照豫東兩省黄河前經臣兩次上下往來履勘凡有應行修築各工俱詳細指示該管廳營相機修防其舊險處所應多備料物者即催儹運貯備用將夏至已届各工穩固情形奏

聞在案臣因德州哨馬營挑河建壩大工係關直隸山東兩省緊要工程隨即親往會同山東撫臣岳濬查勘催儹一面派委多員前赴豫東黄河兩岸堤工分段防守並又委熟悉河務之員查看水勢工程情形不時稟報以便策應臣於五月初一日由德州回濟節據廳營汛弁及委員各稟報汛水隨長隨消工程平

穩隨即趕辦一切緊要

欽部事件並河標四營兵丁前止操過弓箭籐牌等項技藝其鳥鎗尚未演放又經逐一考驗完畢即於十八日赴豫駐劄防守仰賴

皇上聖德昭孚兩岸堤工在在平穩臣恪遵

聖訓倍凜慎勤不敢絲毫疎忽復令廳營將應加鑲者即加鑲高厚應儹築者即儹築完固以資捍禦現在埽壩各工出水柒捌尺至壹丈貳叁尺不等一律平整臣仍往宿河千上下策應來往巡視敬謹修守以期仰副

聖主慎重河防之至意所有五月內黃河大汛水勢長落工程平穩情形謹繕摺奏

聞上慰

聖懷再臣經過沿河地方穀子高粱俱已秀穗晚禾豆子亦俱長發秋禾甚爲茂盛合并陳明伏乞

皇上睿鑒謹

奏

覽

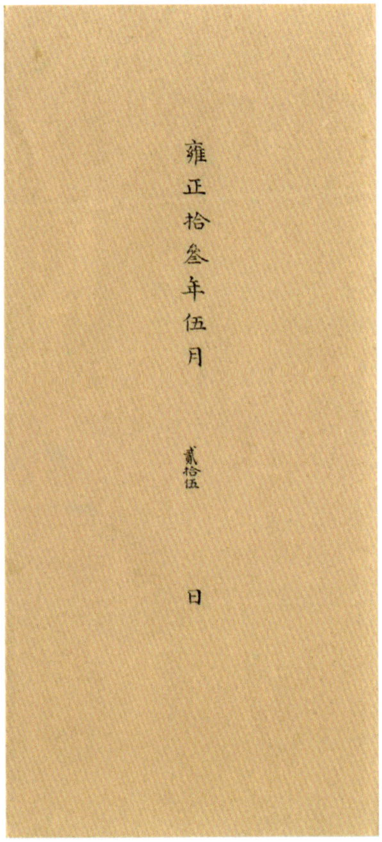

雍正拾叁年伍月貳拾伍日

一五五

奏

河東河道總督臣白鍾山跪

奏爲恭報七月黄河水勢工程平穩仰慰

聖懷事竊照六月内豫東兩省黄河堤埽各工均屬穩固

惟祥符南岸程家寨舊工復險當即晝夜搶護幫戧

下埽旋獲平穩經臣會同副河臣劉勷恭摺

奏明在案臣欽遵

硃批

諭旨倍加凛惕時時敬畏處處隄防不敢稍爲疎忽臣仍

住宿堤上督率文武員弁兵夫將該工新做埽壩上

緊簽樁加鑲高厚追壓著底現今埽外水勢雖深三

丈八九尺至四丈一二尺不等埽高出水面俱有八

九尺至一丈一二尺不等一律高寬厚實所幫戧堤

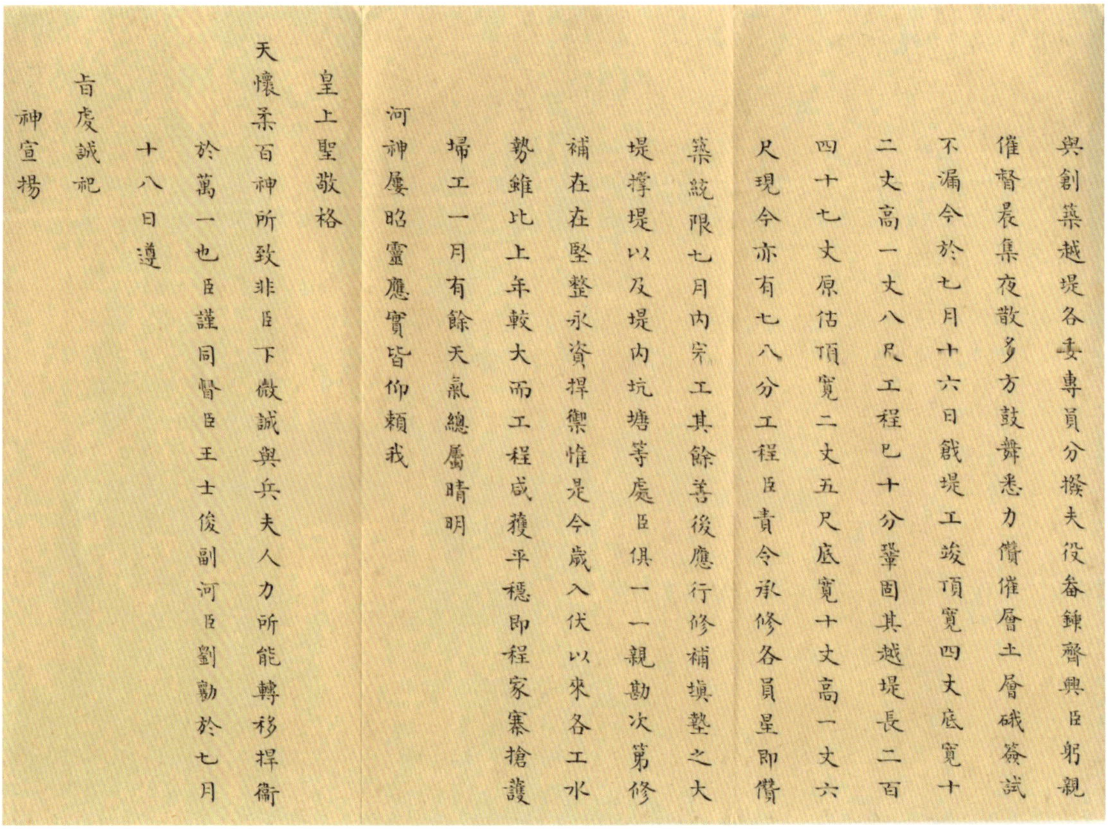

與創築越堤各委專員分撥夫役畚鍤齊興臣躬親催督晨集夜散多方鼓舞悉力儹催層土層硪簽試不漏今於七月十六日戧堤工竣頂寬四丈底寬十二丈高一丈八尺工程已十分鞏固其越堤長二百四十七丈原估頂寬二丈五尺底寬十丈高一丈六尺現今亦有七八分工程臣責令承修各員星即儹築統限七月内完工其餘善後應行修補填墊之大堤撑堤以及堤内坑塘等處臣俱一一親勘次第修補在在堅整永資捍禦惟是今歲入伏以來各工水勢雖比上年較大而工程咸獲平穩即程家寨搶護埽工一月有餘天氣總屬晴明

河神屢昭靈應實皆仰賴我

皇上聖敬格

天懷柔百神所致非臣下微誠與兵夫人力所能轉移捍衛於萬一也臣謹同督臣王士俊副河臣劉勷於七月十八日遵

旨虔誠祀

神宣揚

恩諭用答
神庥今節氣已屆白露水勢日漸平定程家寨新工與
豫東二省南北兩岸一切堤埽工程悉皆穩固核計
各工現存及添辦料物尚多可以有備無患臣仍上
下往來查勘督率修防刻刻以勤慎敬謹四字鏤腑
銘心以期無負
聖主任使訓誨之至意謹將程家寨工程並黄河兩岸各
工平穩情形恭摺奏
聞仰慰
聖懷伏乞
皇上睿鑒謹
奏

以手加額覽焉

雍正拾叁年柒月　拾玖　日

一五六

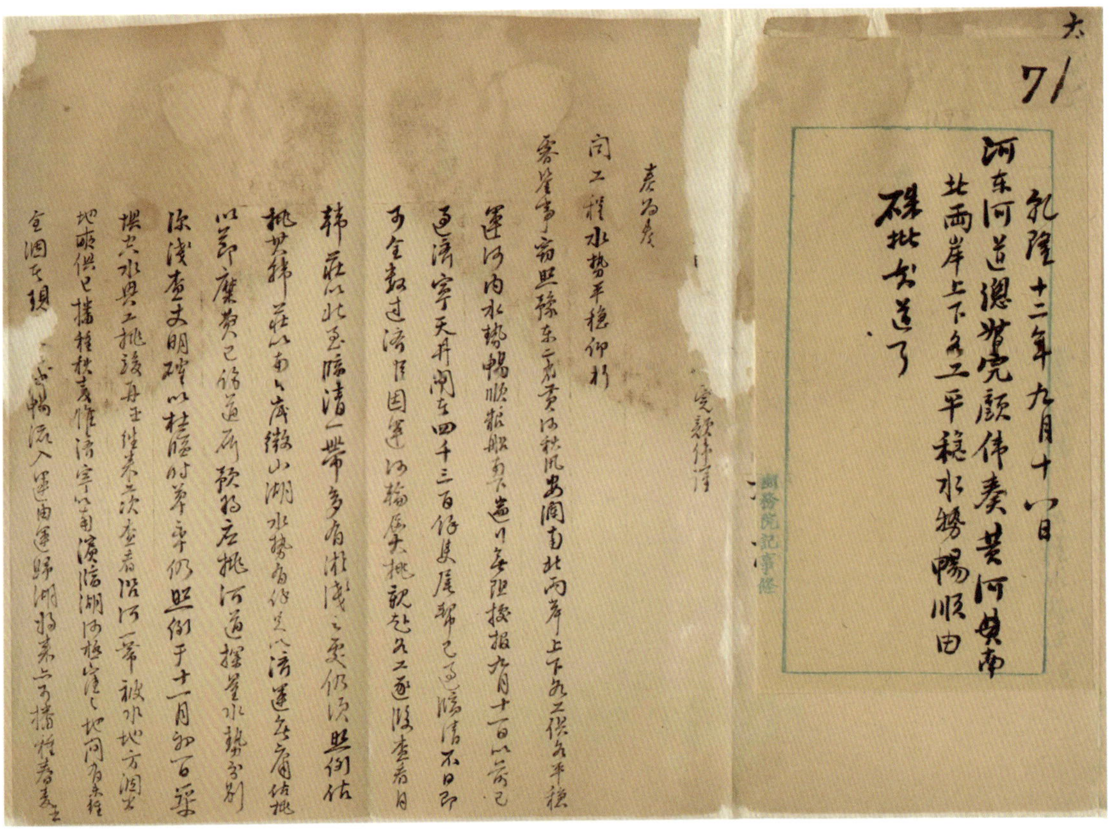

乾隆十二年九月十四日

河东河道总督完颜伟奏黄河南北两岸上下各工平稳水势畅顺由

硃批知道了

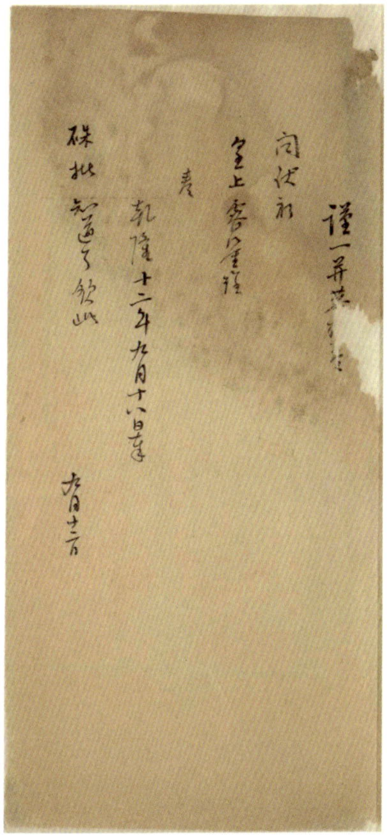
謹一并恭摺奏
聞伏祈
皇上睿鑒謹
奏
乾隆十二年九月十八日奏
硃批知道了欽此
九月廿日

一五七

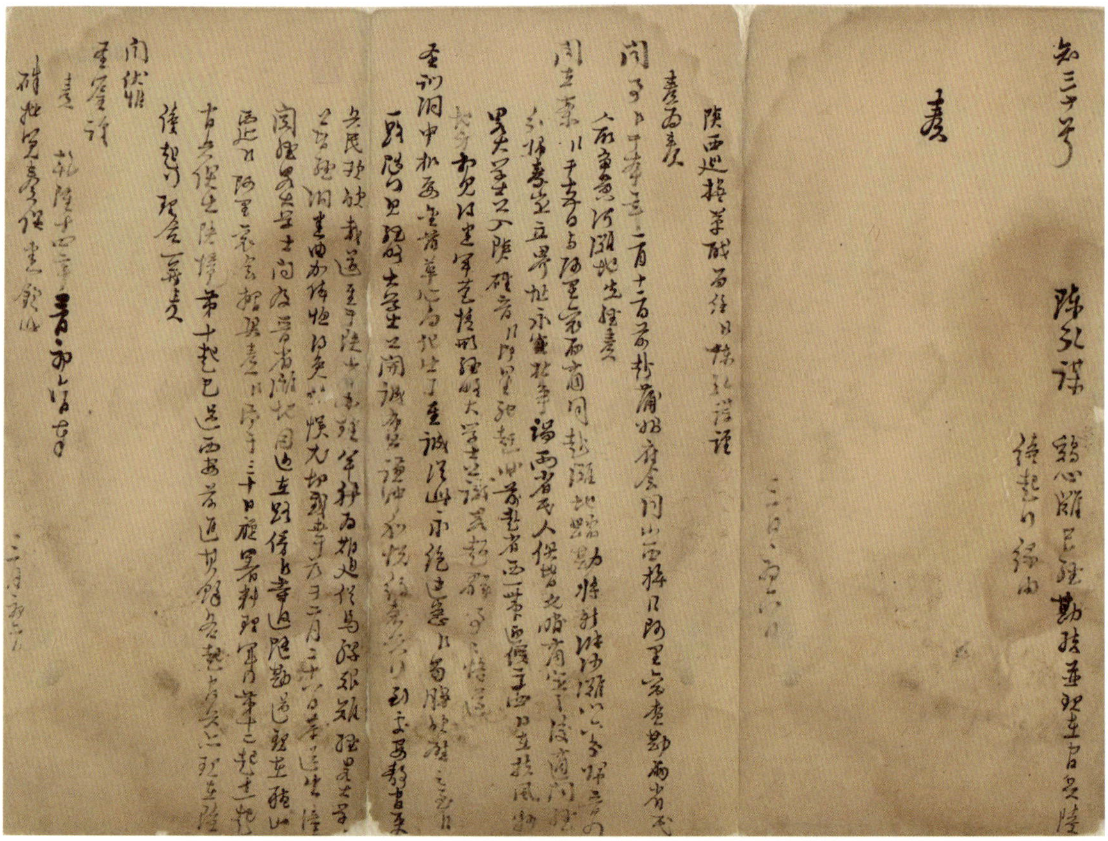

一五八

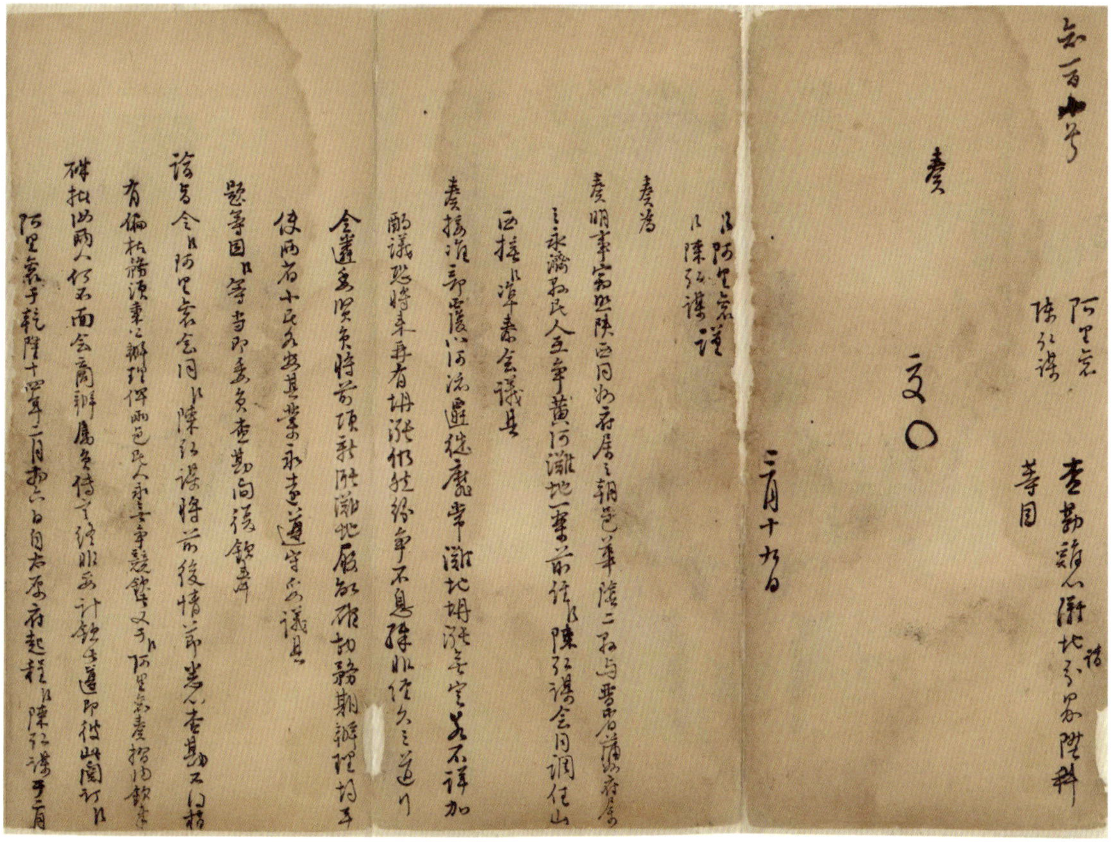
六百卅號

李勤穎人灘地之爭陳科

阿里袞
陳弘謀　等同

奏

文〇

二月十九日

臣阿里袞
臣陳弘謀　謹

奏為

奏明事：竊照陝西同州府屬之朝邑、華陰二縣與山西蒲州府屬之永濟縣民人互爭黃河灘地一案，前經臣陳弘謀會同調任山西撫臣準泰會議具

奏，據稱河流遷徙靡常，灘地坍漲無定，若不詳加

酌議，恐將來再有坍漲，仍然紛爭不息，[illegible]久之道，[illegible]

會遴委賢員，將前項新漲灘地履勘確勘，務期辦理妥協，

使兩省小民各安其業，永遠守之議具

題，等因。臣等當即委員查勘，向後欽奉

諭旨，令臣阿里袞會同臣陳弘謀將前後情節，悉心查勘，不可稍有偏枯，務須秉公辦理，俾兩邑民人永無爭競。欽此。又于臣阿里袞奏摺內欽奉

硃批：此兩人何不面會商辦，庶免往來文移之煩。欽此。遵即從此商訂，臣

阿里袞于乾隆十四年二月初六日自太原府起程，臣陳弘謀于二月

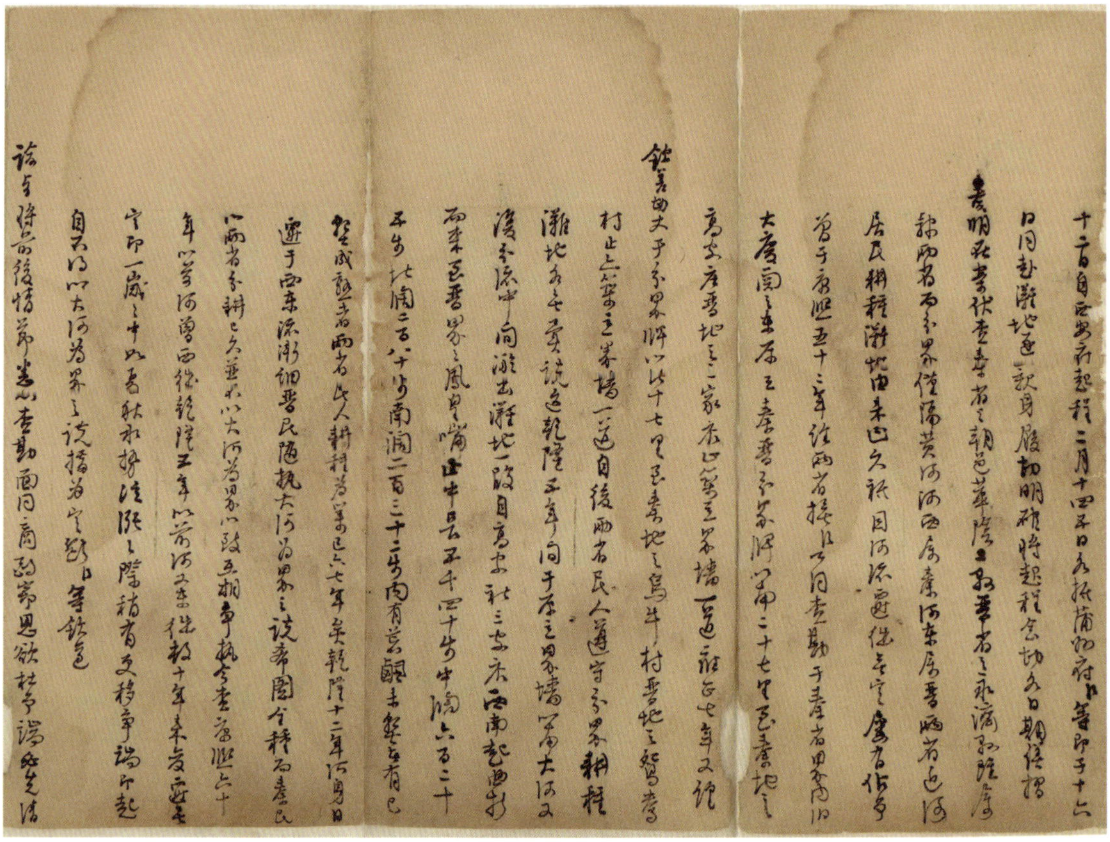

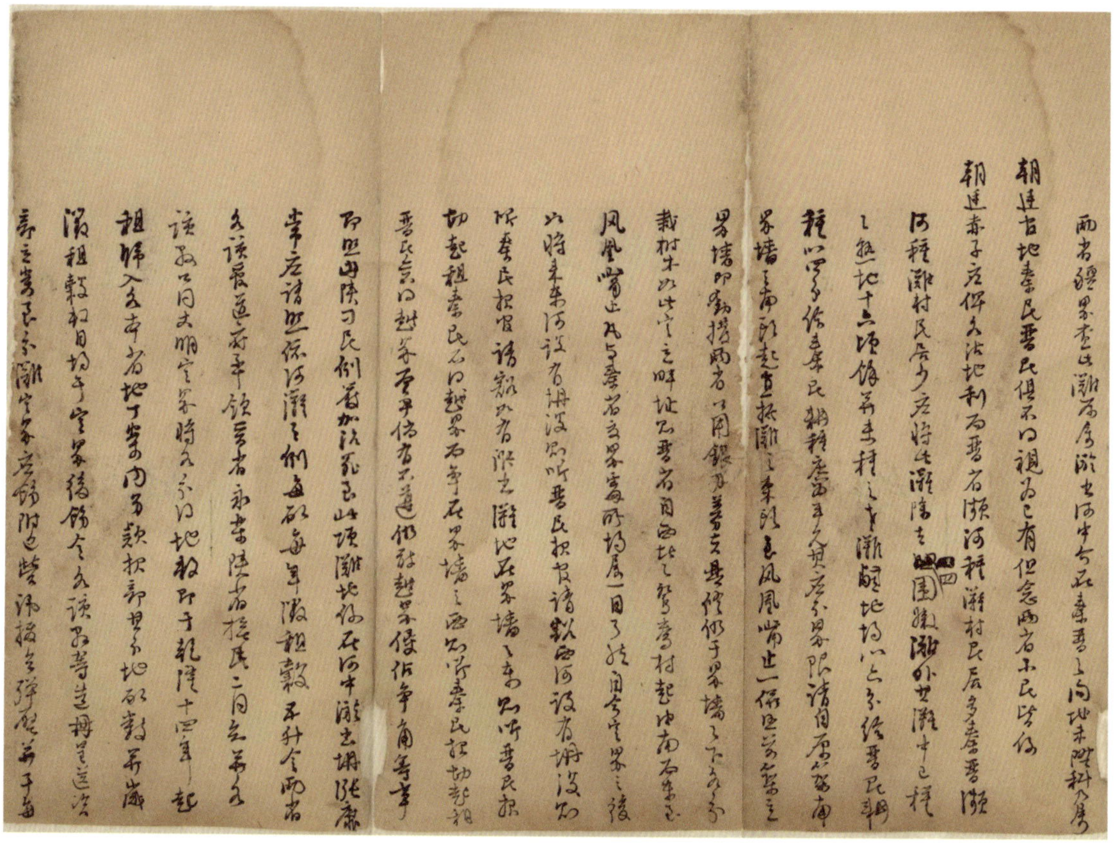

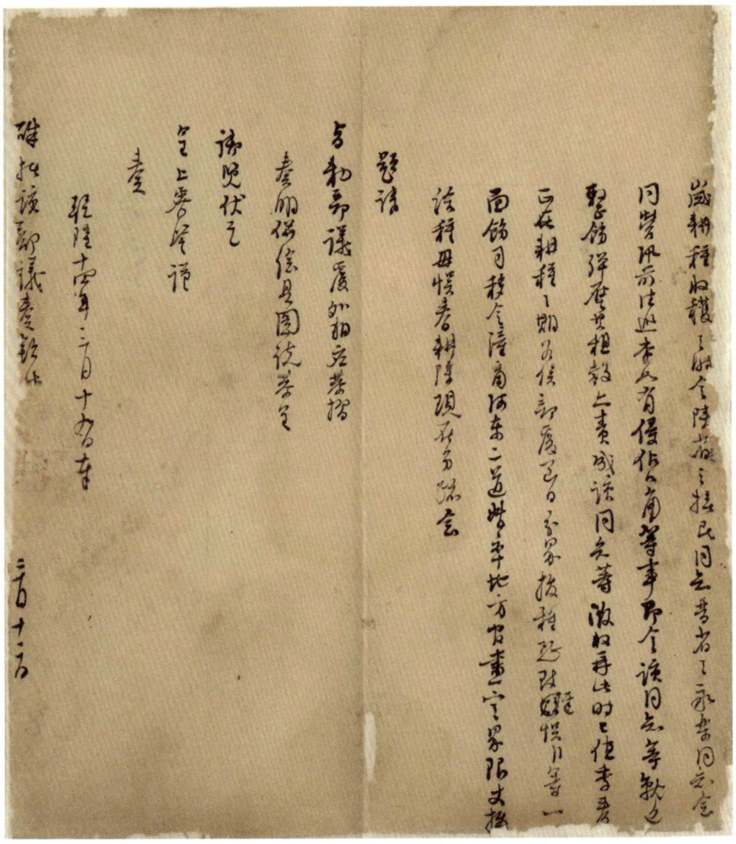

一五九

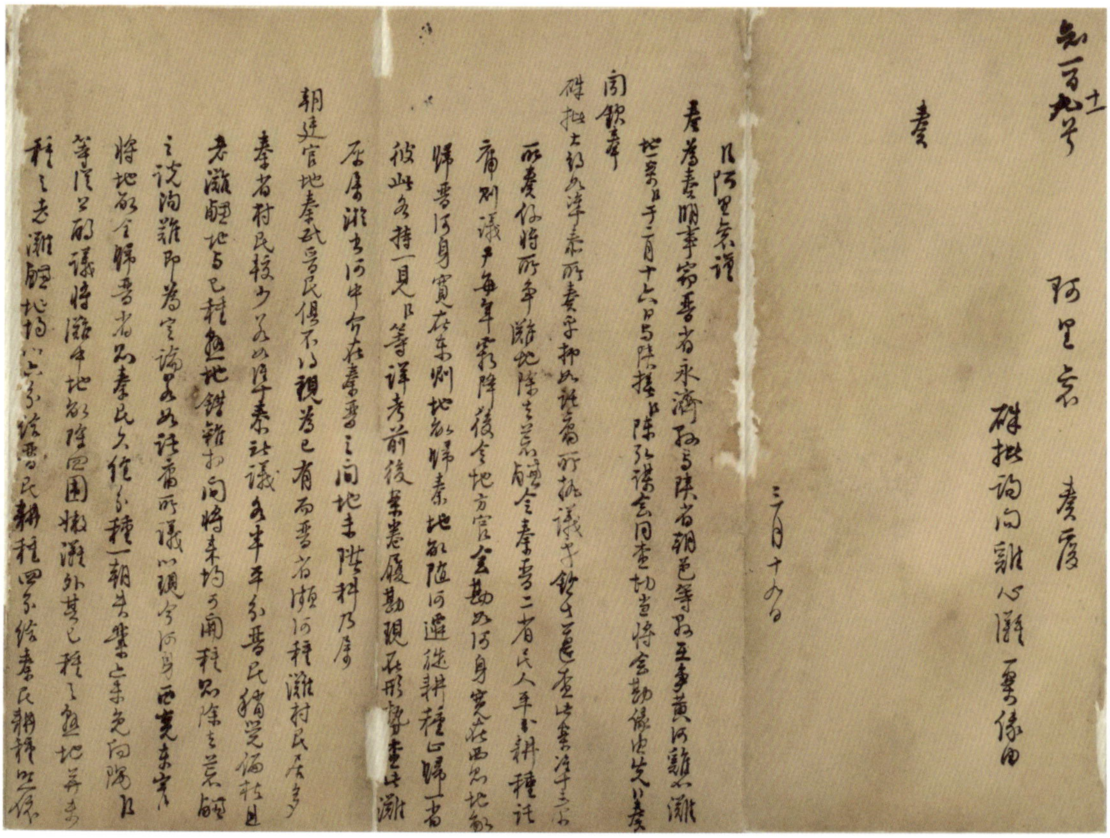

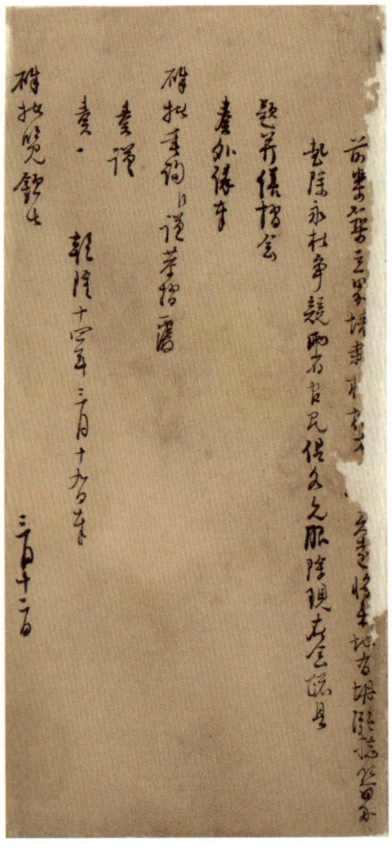

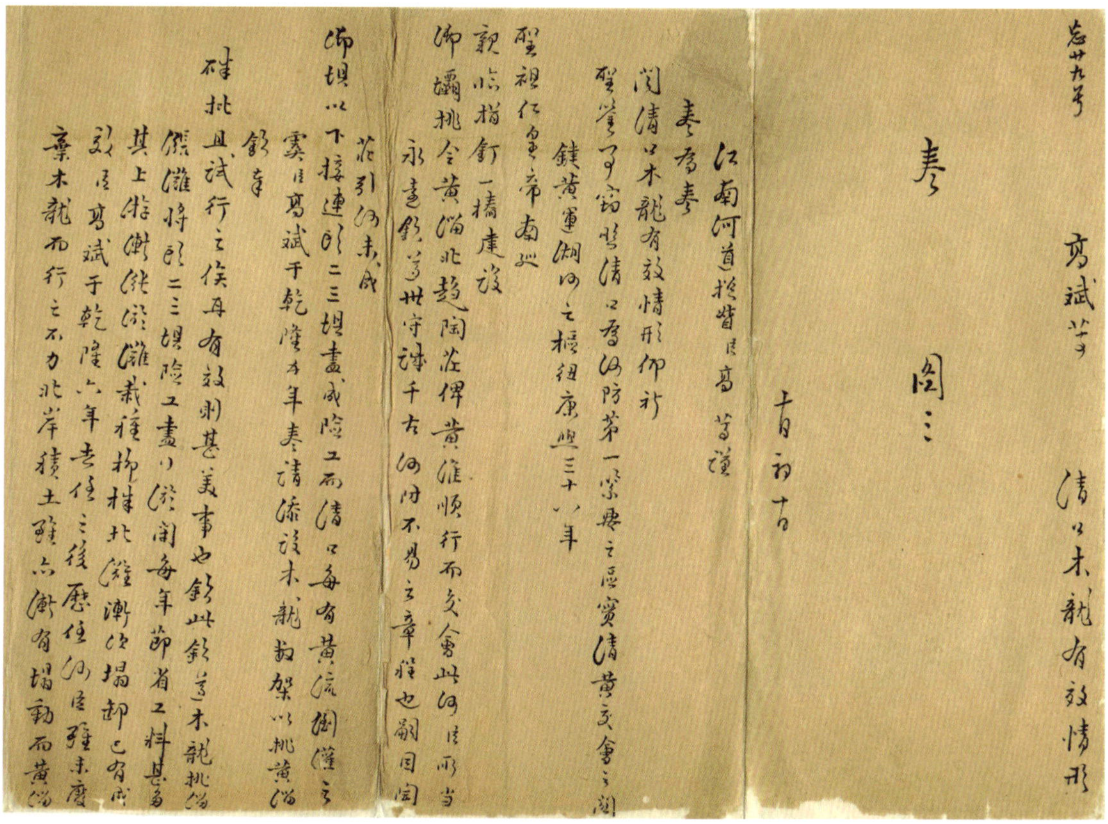

忠廿九号

奏 高斌等

閱

清口木龍有效情形

十月初十日

江南河道總督臣高斌等謹

奏爲奏

聞清口木龍有效情形仰祈

聖鑒事竊照清口爲河防第一緊要之區實清黃交會之關

鍵黃運湖河之樞紐康熙三十八年

聖祖仁皇帝南巡

親臨指示一橋建設

御壩挑令黃溜北趨陶莊俾黃淮順行而交會此河臣所當

永遠欽遵世守洵千古河臣不易之章程也嗣因陶

莊引河未成

御壩以下接連頭二三壩盡成險工而清口每有黃流倒灌之

虞臣高斌于乾隆本年奏請添設木龍數架以挑黃溜

欽奉

硃批且試行之俟再有效則甚美事也欽此欽遵木龍挑溜

頗難將頭二三壩險工盡行撥開每年節省工料甚多

其上游衝復淤灘栽種柳株北灘漸次塌卸已有成

效臣高斌于乾隆六年去任之後歷任河臣雖未廢

棄木龍而行之不力北岸積土雖亦衝有塌動而黃溜

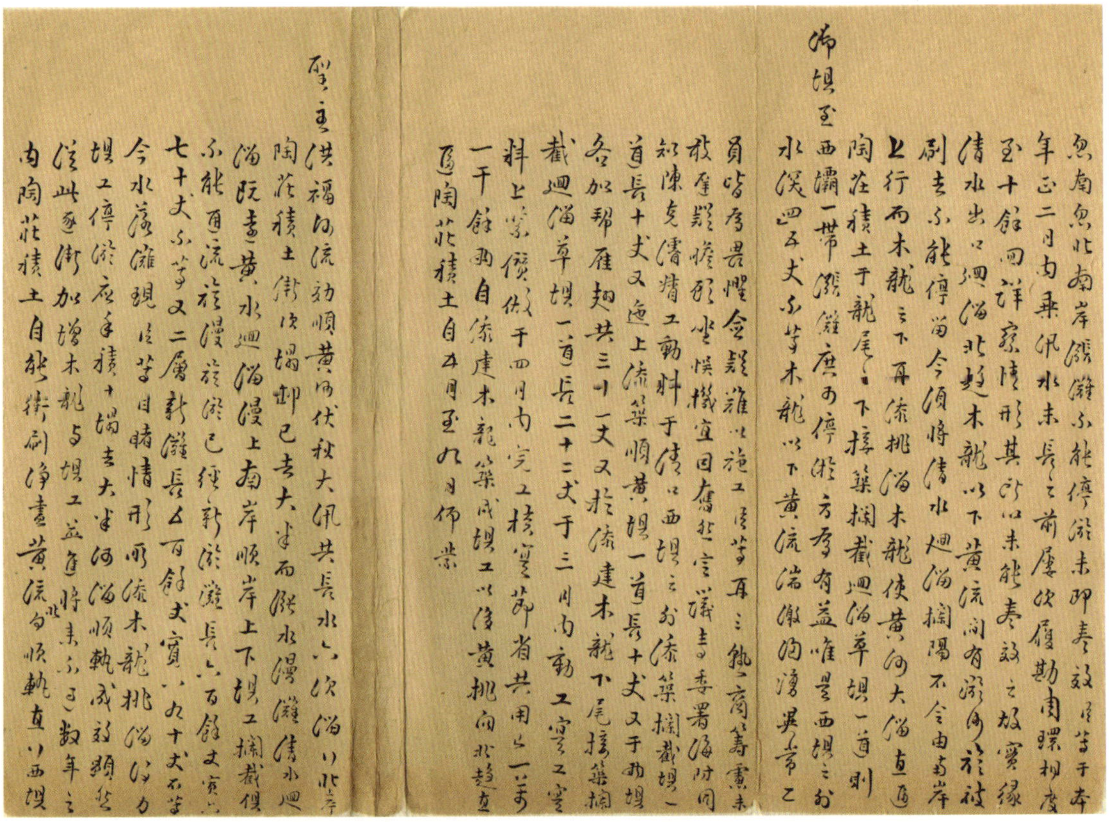

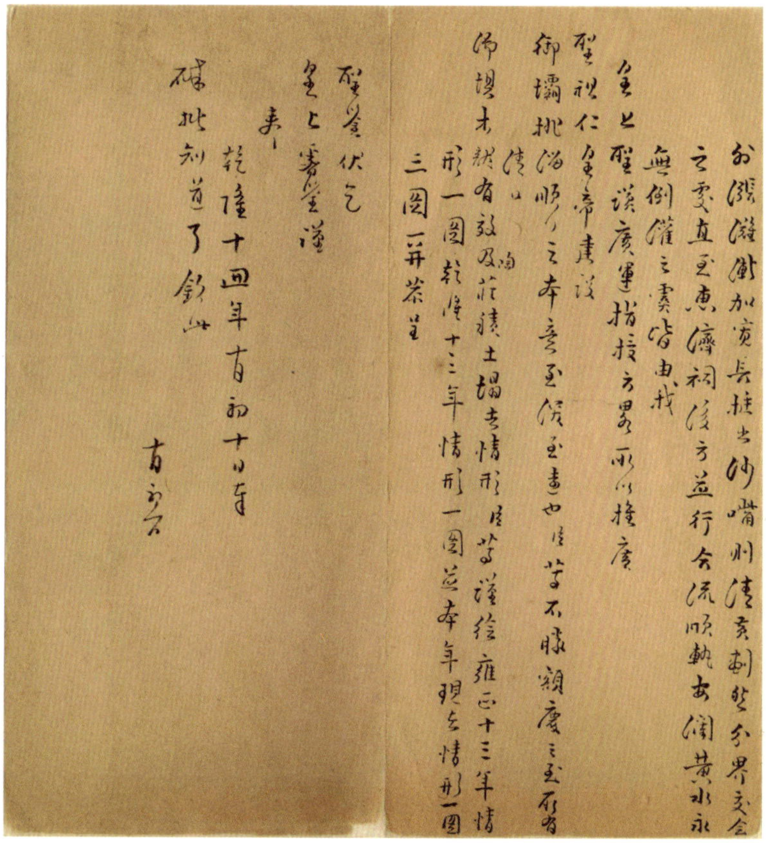

於攔截壩加高長挑出沙嘴川清交匯分界交會
之處直至惠濟祠後方並行合流順軌安瀾黃水永
無倒灌之虞皆由我
皇上聖謨廣運指授方畧所以推廣
聖祖仁皇帝肅設
御壩批諭明了之本意至深至遠也臣等不勝額慶之至所有
清口
佛堤木龍有效及新積土壩灘情形臣等謹繪雍正十三年情
形一圖乾隆十三年情形一圖並本年現在情形一圖
三圖一并恭呈
聖鑒伏乞
皇上睿鑒謹
奏
乾隆十四年十月初十日奏
硃批知道了欽此
十月廿一

一六一

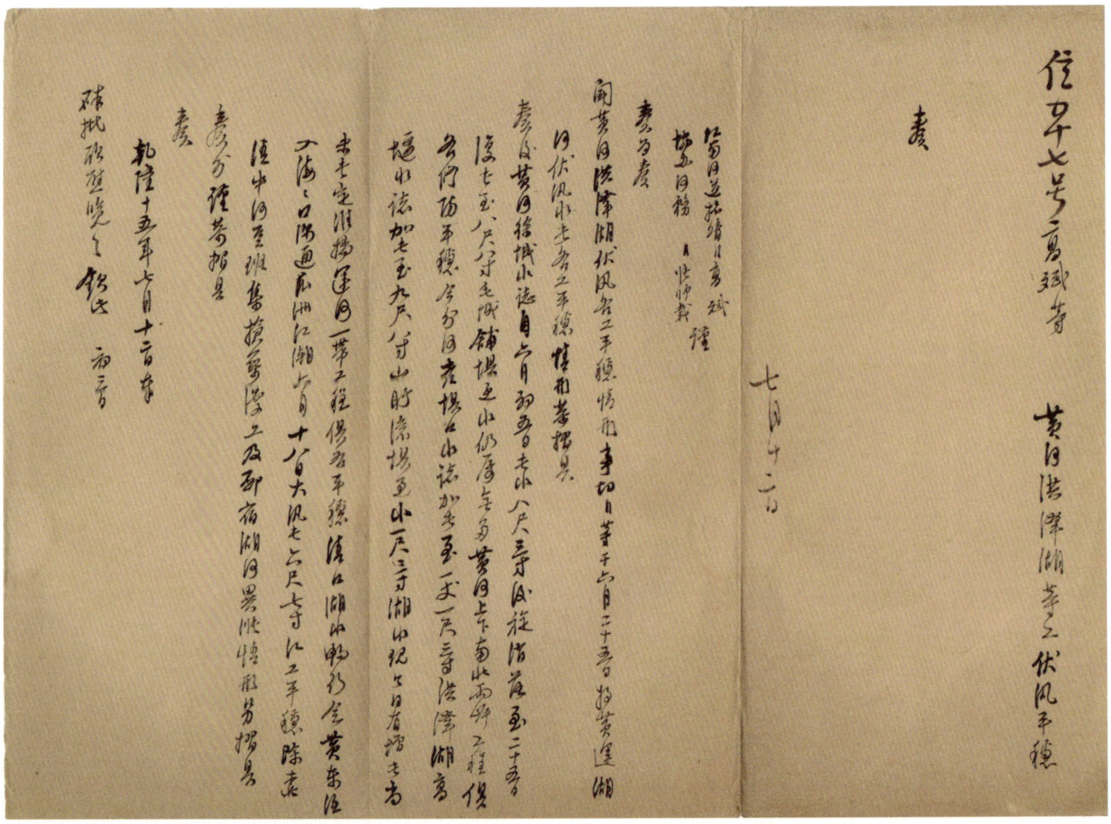

一六二

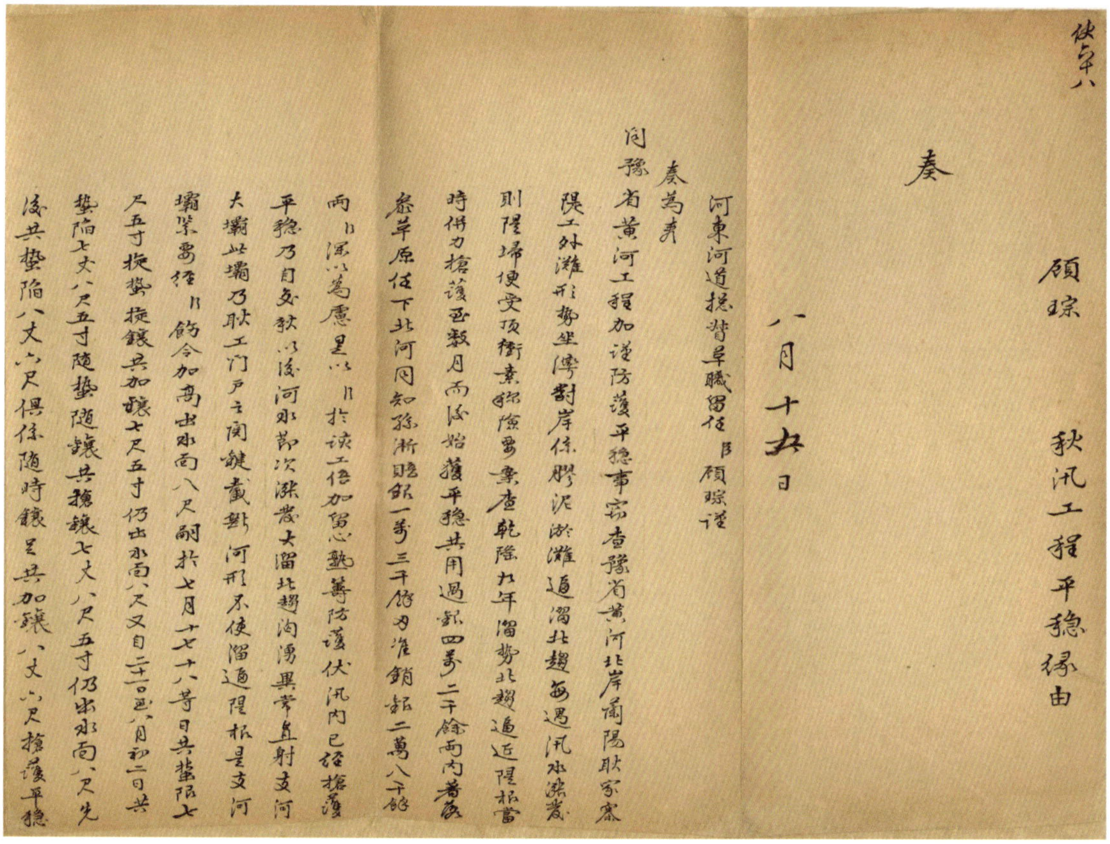
伏字八

奏

顧琮　秋汛工程平穩緣由

八月十五日

河東河道總督革職留任臣顧琮謹

奏爲奏

聞事。竊查豫省黄河北岸[illegible]陽耿家寨堤工外灘形勢坐灣，對岸係膠泥淤灘，逼溜北趨，每遇汛水漲發，則隄埽便受頂衝，素稱險要。查乾隆九年溜勢北趨，逼近隄根，當時倂力搶護，歷數月而後始獲平穩，共用過銀四萬二千餘兩，内著落叅革原任下北河同知孫漸賠銀一萬三千餘兩，准銷銀二萬八千餘兩。臣深以爲慮，是以臣於該工倍加留心，熟籌防護，伏汛内已經搶護平穩。乃自交秋以後，河水節次漲發，大溜北趨，洶湧異常，直射支河大壩，此壩乃耿工門户之關鍵，截斷河形，不使溜逼隄根，是支河壩緊要，經臣飭令加高出水面八尺，詎於七月十七、十八等日共蟄陷七尺五寸，挨蟄挨鑲，共加鑲七尺五寸，仍出水面八尺，又自二十四至八月初二日共蟄陷七丈八尺五寸，隨蟄隨鑲，共搶鑲七丈八尺五寸，仍出水面八尺。先後共蟄陷八丈六尺，俱係隨時鑲足，共加鑲八丈六尺，搶護平穩

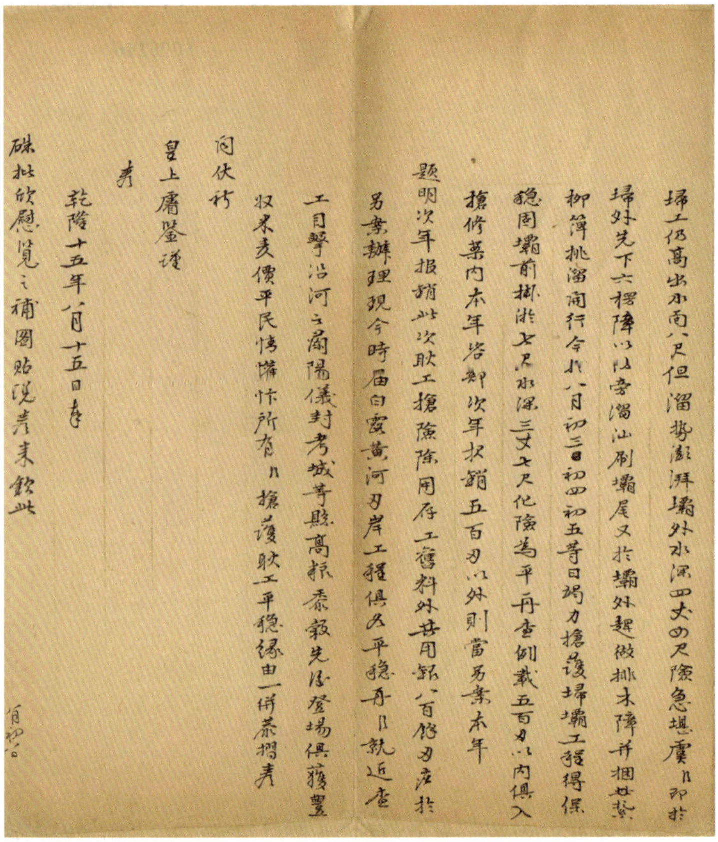

埽工仍高出水面八尺但溜勢激湃埽外水深四丈四尺險急堪虞臣即於
埽外先下六檣障以抵旁溜汕刷埽尾又於埽外趕做排木障并捆紮
柳箔挑溜開行今於八月初三日初四初五等日竭力搶護埽壩工程得保
穩固壩前掛淤七尺水深三丈七尺化險爲平再查例載五百兩以內俱入
搶修案內本年咨部次年報銷五百兩以外則當另案本年
題明次年報銷此次獻工搶險除用存工舊料外共用銀八百餘兩應於
另案辦理現今時屆白露黄河兩岸工程俱各平穩再臣就近查
工目擊沿河之蘭陽儀封考城等縣高粱黍穀先後登場俱獲豐
收米麥價平民情懽忭所有臣搶護獻工平穩緣由一併恭摺奏
聞伏祈
皇上睿鑒謹
奏
乾隆十五年八月十五日奉
硃批欣慰覽之補圖貼說奏來欽此

一六三

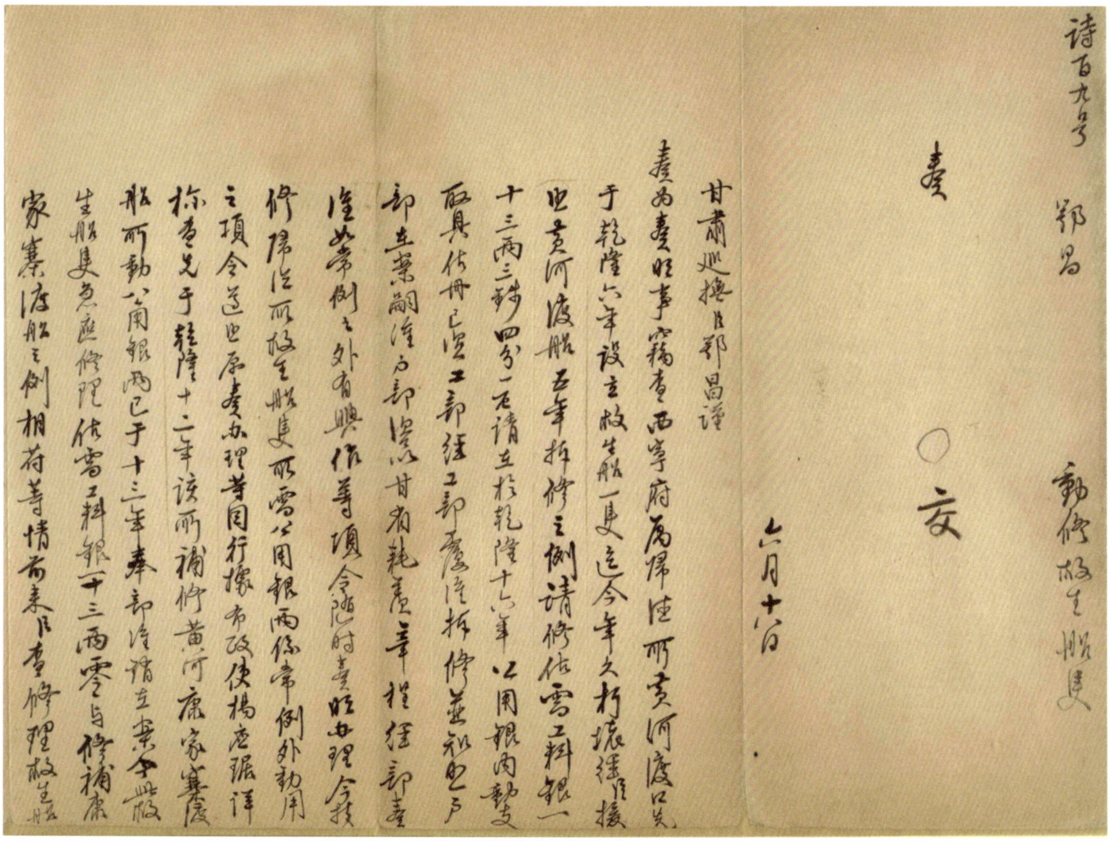
詩百九號　鄂昌　動修救生船隻

奏

〇

交

六月十日

甘肅巡撫臣鄂昌謹

奏為奏明事。竊查西寧府屬歸德所黃河渡口，先
于乾隆六年設立救生船一隻，迄今年久朽壞，經該管接
照黃河渡船五年拆修之例，請修估需工料銀一
十三兩三錢四分一厘，請在於乾隆十六年公用銀內動支，
取具估冊，已送工部，經工部覆准拆修，並知照戶
部在案。嗣准戶部咨以甘省耗羨章程，經部奏
准，除常例之外有興作等項，令隨時奏明辦理。今救
修歸德所救生船隻所需公用銀兩，係常例外動用
之項，今遵照原奏辦理，茲司行據布政使楊應琚詳
稱：查先于乾隆十二年該所補修黃河康家寨渡
船，所動公用銀兩，已于十三年奉部准請在案。今此救
生船隻急應修理，估需工料銀一十三兩零，與修補康
家寨渡船之例相符等情前來。臣查修理救生船

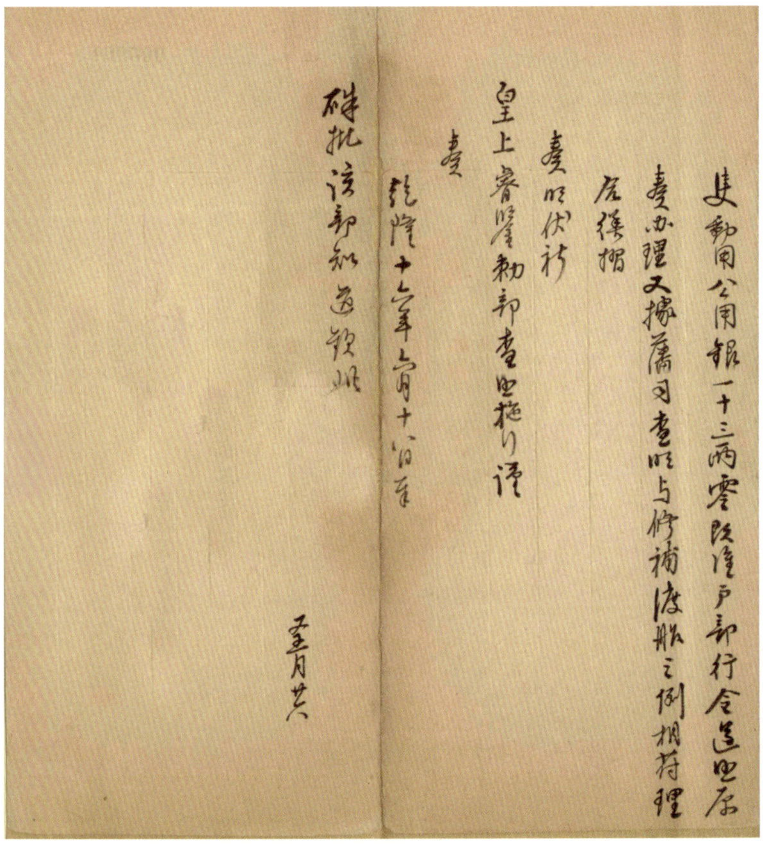
支動用公用銀一十三兩零，除咨户部行令遵照，臣
奏办理文據藩司查明与修補渡船之例相符，理
合併摺
奏明伏祈
皇上睿鑒勅部查照施行。謹
奏
乾隆十七年七月十四日
硃批：該部知道。欽此
七月廿八

一六四

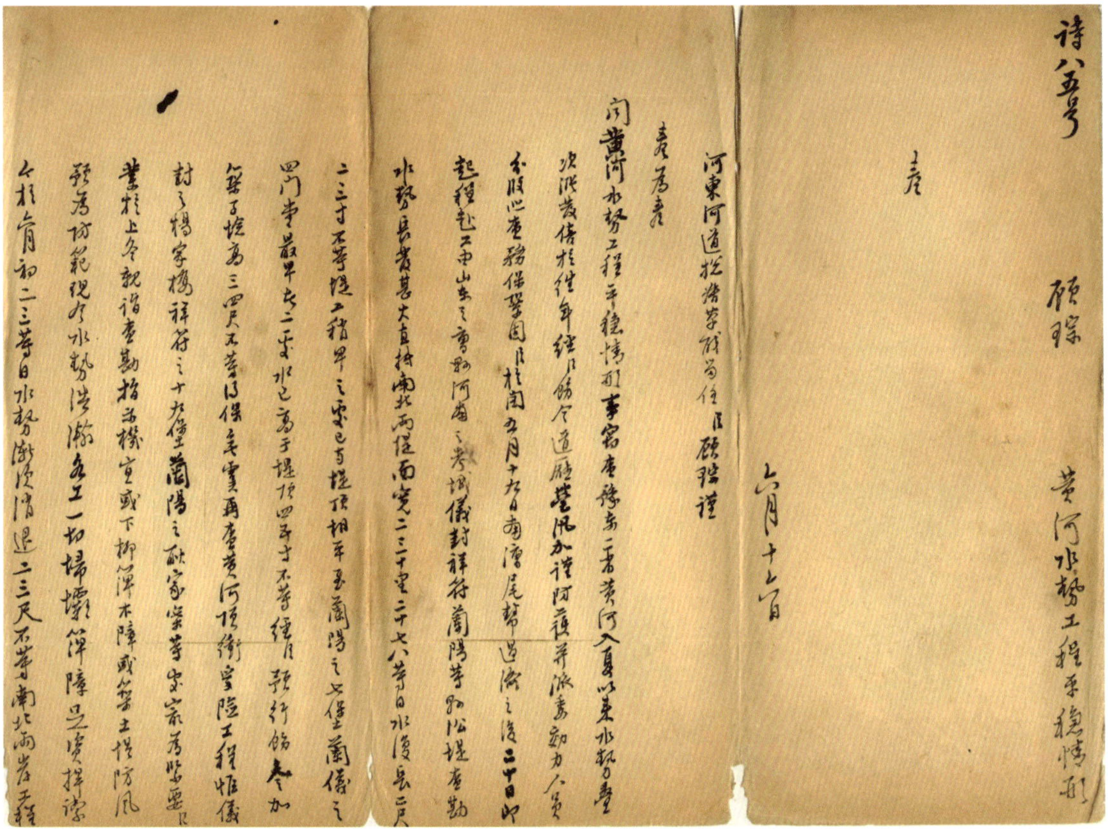

詩八五號

奏

顧琮

黃河水勢工程平穩情形

六月十七日

河東河道總督學士臣顧琮謹

奏爲奏

聞黃河水勢工程平穩情形事。竊查豫東二省黃河入夏以來水勢壹
次漲發，俱於從前經臣飭令道廳營汛加謹防護，並派委勁力人員
分段巡查，務保無虞。臣於閏五月十九日自濟寧尾幫過濟之後，二十日即
起程赴山東之曹縣、河南之考城、儀封、祥符、蘭陽等處，沿堤查勘
水勢，長黃甚大，直抵南北兩堤，面寬二三十里，二十七八等日水復長二尺
二三寸不等，堤工積累之處，已有與堤頂相平，至蘭陽之北堡、蘭儀之
四門寺最甚，長二丈，水已高于堤頂四五寸不等，經臣親行飭令加
築子堰，高三四尺不等，得保無虞。再查黃河頂衝重險工程，惟儀
封之楊家橋、祥符之十九堡、蘭陽之馱家寨等處最為緊要，臣
業於上冬親諳查勘，指示機宜，或下柳籬木障，或築土堤防風，
預為防範，現在水勢洶湧，各工一切埽壩籬障足資捍禦。
今於六月初二三等日，水勢漸漸消退二三尺不等，南北兩岸工程

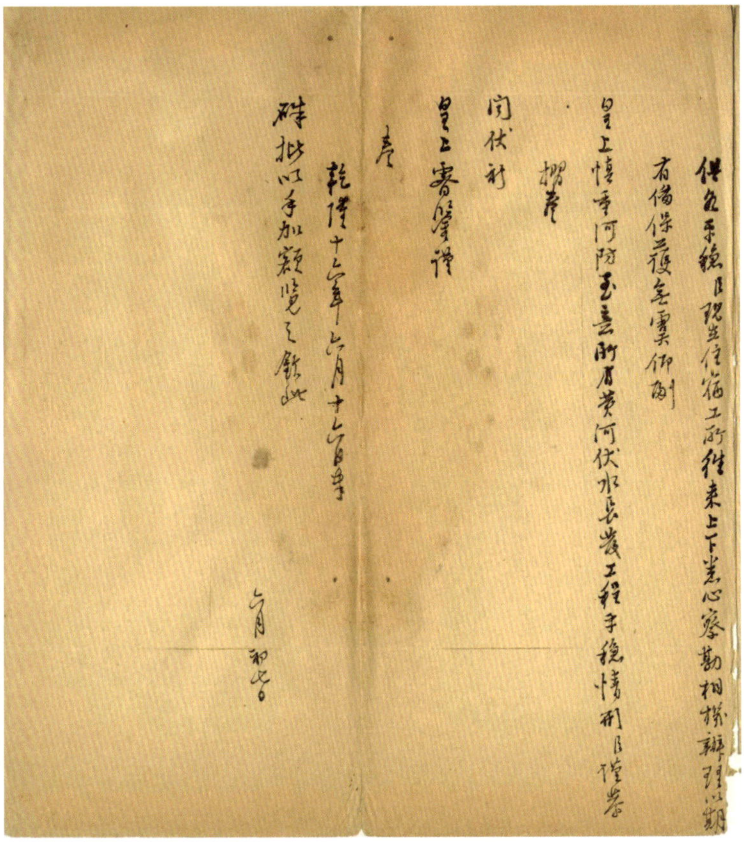

俾各平穩。臣現在住宿工所，往來上下，悉心察勘，相機辦理，以期

有備保護無虞，仰副

皇上憂勤河防至意。所有黃河伏水長發工程平穩情形，臣謹恭

摺奏

聞，伏祈

皇上睿鑒。謹

奏。

乾隆十六年六月十六日奉

硃批：以手加額覽之。欽此。

六月初七日

一六五

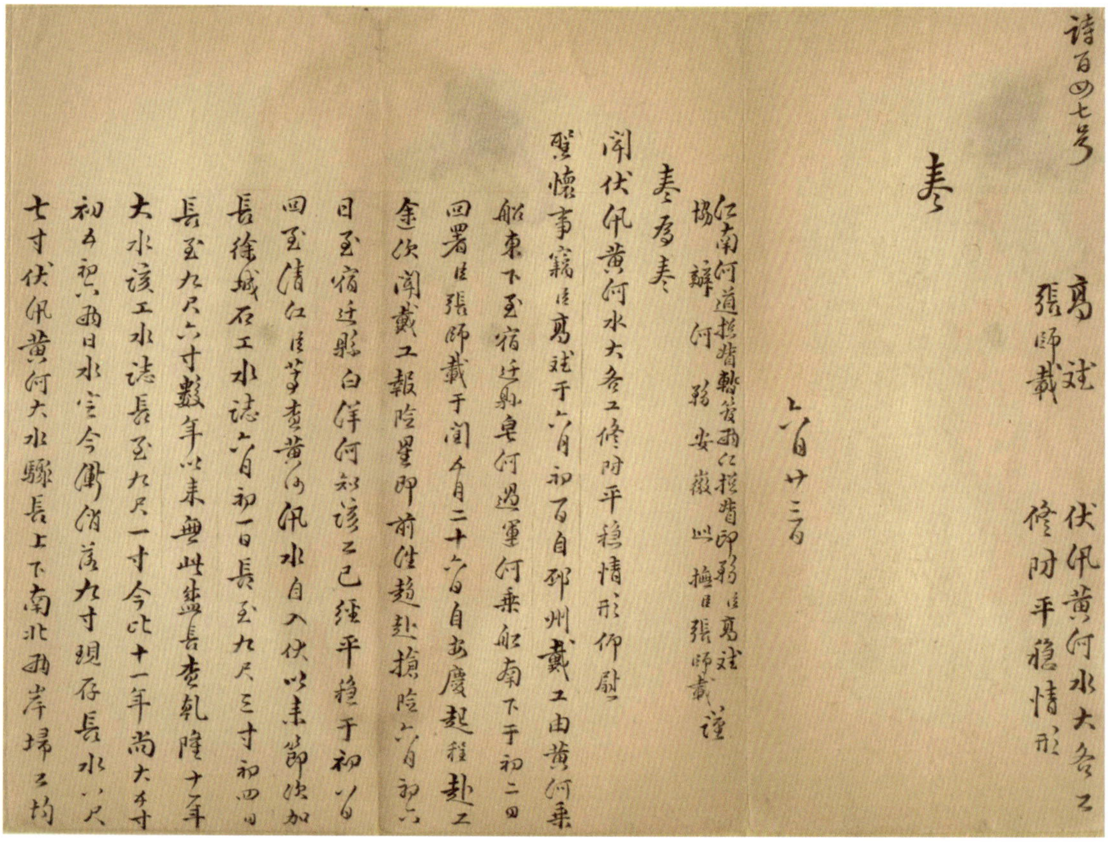

詩百四七号

奏

高斌
張師載 伏汛黃河水大各工
修防平穩情形

旨 廿三日

江南河道總督兼兩江總督印務臣高斌
協辦河務安徽巡撫臣張師載謹
奏為奏
聞伏汛黃河水大各工修防平穩情形仰慰
聖懷事竊臣高斌于六月初一日自邳州戴工由黃河乘
船東下至宿遷縣皂河過運河乘船南下于初二日
回署臣張師載于閏五月二十六日自安慶起程赴工
途次聞戴工報險星即前往趋赴搶險六月初六
日至宿遷縣白洋河知該工已經平穩于初七日
回至清江臣等查黃河伏汛水自入伏以來節次加
長徐城石工水誌六月初一日長至九尺三寸初四日
長至九尺六寸數年以來無此盛長查乾隆十年
大水該工水誌長至九尺一寸今比十一年尚大五寸
初五初六兩日水定今俱消落九寸現存長水八尺
七寸伏汛黃河大水驟長上下南北兩岸埽工均

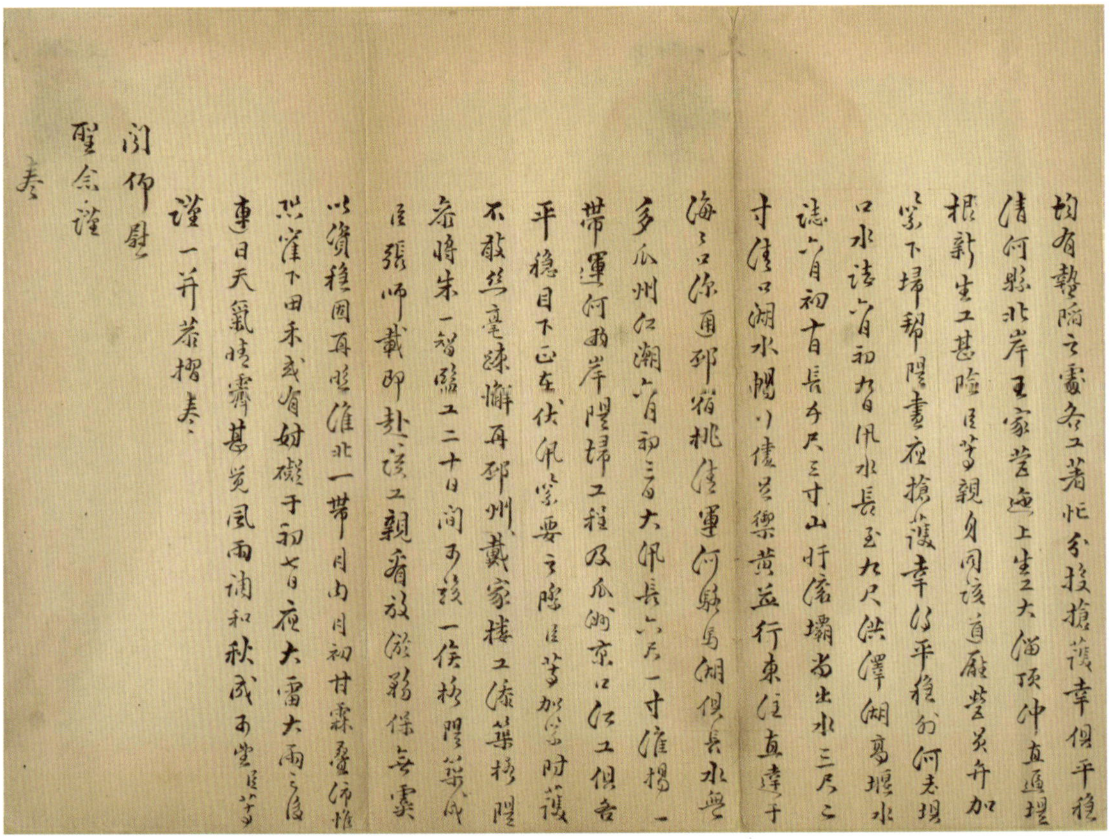
均有磐隔之處各工著忙分投搶護幸俱平穩
清河縣北岸王家营迤上生工大溜頂沖直逼堤
根新生工甚險臣等親身同該道廳营員弁加
緊下埽幫隄晝夜搶護幸得平穩今河去坝
口水誌六月初九日汛水長至九尺洪澤湖高堰水
誌六月初十日長丈尺三寸山盱滚壩尚出水三尺二
寸清口湖水暢流儘足敵黃並行東注直達于
海海口係通邳宿桃清運河駱馬湖俱長水無
多瓜州江潮六月初三日大風長六尺一寸淮揚一
帶運河兩岸隄埽工程及瓜洲京口江工俱各
平穩目下正在伏汛緊要之際臣等加意防護
不敢絲毫疏懈再邳州戴家樓工係築格隄
奉將朱一智臨工二十日間可竣一俟格隄築成
臣張師載即赴該工親看放淤務保無虞
以資穩固再照淮北一帶月內月初甘霖疊沛惟
洪窪下田禾或有妨礙于初七日夜大雷大雨之後
連日天氣晴霽甚覺風雨調和秋成可望臣等
謹一并恭摺奏
聞仰慰
聖念謹
奏

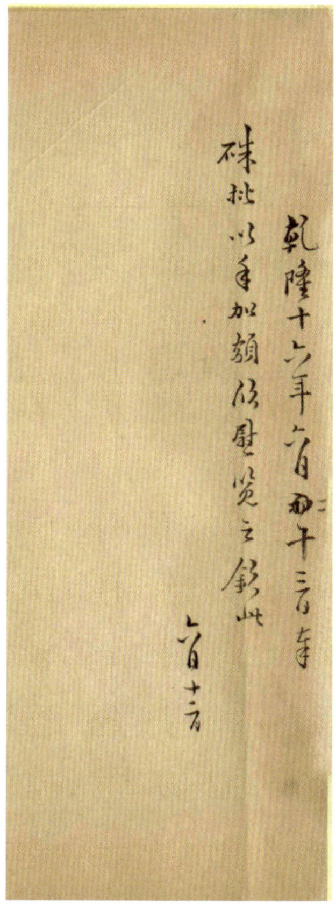

乾隆十六年六月初二十三日奉

硃批：以手加額，欣慰覽之。欽此。

六月十二日

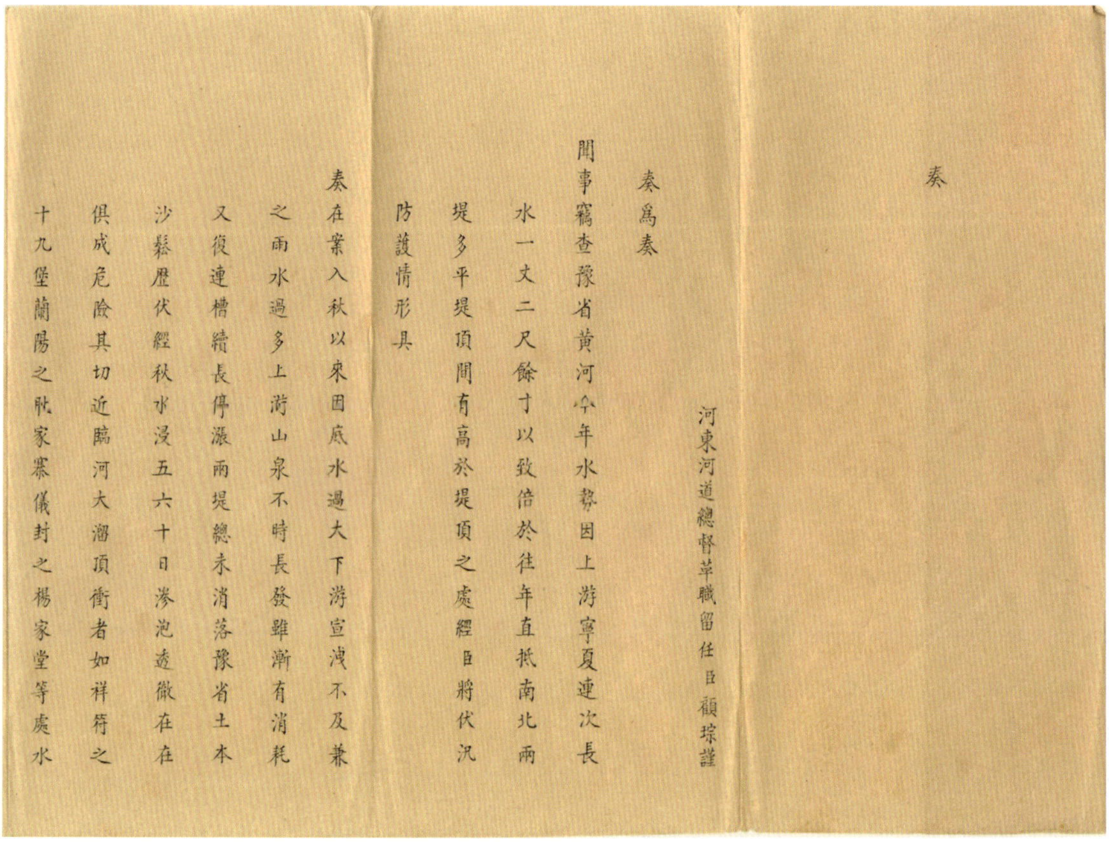

奏

河東河道總督革職留任臣顧琮謹

奏爲奏

聞事竊查豫省黄河今年水勢因上游寧夏連次長
水一丈二尺餘寸以致倍於往年直抵南北兩
堤多平堤頂間有高於堤頂之處經臣將伏汛
防護情形具

奏在案入秋以來因底水過大下游宣洩不及兼
之雨水過多上游山泉不時長發雖漸有消耗
又復連槽續長停瀦兩堤總未消落豫省土本
沙鬆歷伏經秋水浸五六十日滲泡透徹在在
俱成危險其切近臨河大溜頂衝者如祥符之
十九堡蘭陽之耿家寨儀封之楊家堂等處水

浸土滲幾至蟄裂者如陽武之申家灘祥符之
陳橋俱係安危呼吸之處臣上下督率分頭搶
護七月初一日未刻臣正在楊家堂搶護險要
間據河北道胡振組稟據上北河同知張學浩
稟報陽武縣汎十三堡大堤離河本遠原無埽
壩工程因今年漫灘滙聚浸泡日久兼之六月
二十七八日大雨如注河水增長數尺連前底
水共一丈有餘漫過堤頂堤身蟄裂内外皆水
人力難施於六月二十九日已時漫溢等情到
臣臣即於是日由楊家堂星夜飛赴該處查勘
漫溢處所約寬七八十丈現在飛檄各屬撥運
料物齊集兵夫加緊搶築以期速竣雖該處離
河較遠非頂衝奪河之比而臣身任總河不能
調度防範致有漫溢咎實難逭除該管文武官
弁照例查叅外伏祈
皇上將臣飭部嚴加議處以警疎忽其附近漫口村
莊堤外堤内悉已遷居堤上堤外之民先因灘
地漫水已經撫臣鄂容安撫卹安貼堤内之民

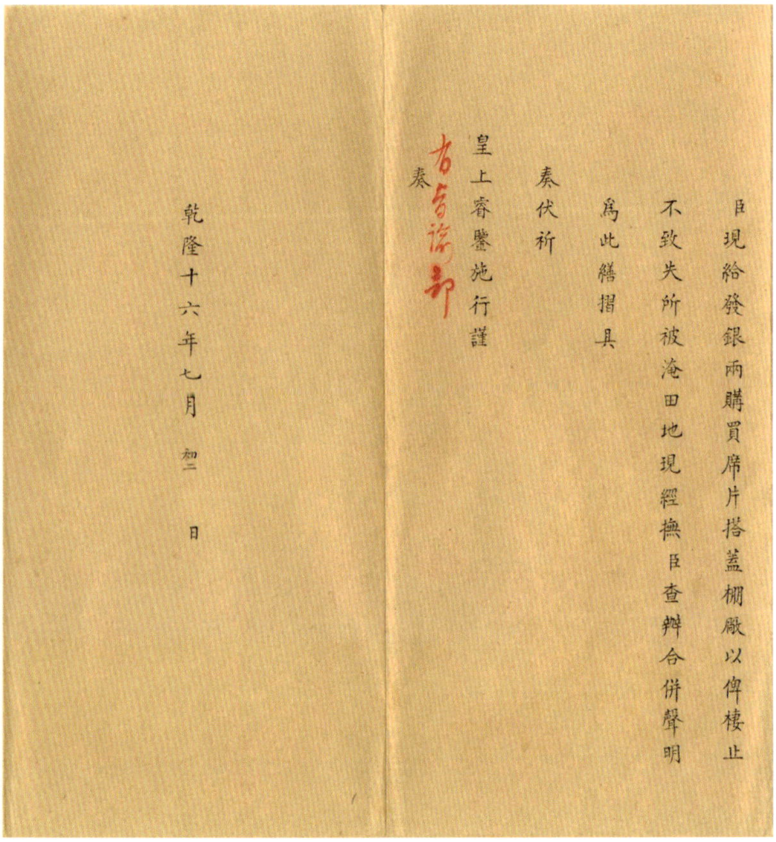

臣現給發銀兩購買席片搭蓋棚厰以俾棲止
不致失所被淹田地現經撫臣查辦合併聲明
爲此繕摺具
奏伏祈
皇上睿鑒施行謹
奏
有旨諭部
乾隆十六年七月廿二日

一六七

奏

陝西巡撫革職留任臣陳弘謀謹

奏為覆奏勘災情形事竊查陝省入夏以來雨水
過多凡雨中帶雹及水漲被淹之處幸皆零星
水亦旋退所損無多並不成災借糧撫綏不致
失所朝邑黃河異漲淹及田廬情形較重經臣

奏

聞親往查勘六月二十四日自西安起程前赴朝邑
督臣黃廷桂到任途次相過臣一面將總督印
務交代一面將各屬被水情形撫恤事宜面為
商定臣於二十七日抵朝邑縣率同道府等官
逐一細勘緣朝邑縣在黃河之西岸河岸雖高
自岸外以及縣城地勢漸次窪下常年水不過

岸原可無患今年六月十四五六等日河水驟
漲丈餘以致泛溢越岸西趨直抵城之東北南
三門幸燮水在於白晝知縣成邦彥率領士民
將城門用土堵塞水未入城而城外田廬俱在
水中有水入村堡房屋倒塌家具糧食全然漂
沒者亦有水不甚深牆壁雖倒房間未倒糧食
尚有存者其被水村民濘泥深陷不能出戶無
處覓食又無棲身之所此種貧民先已動支倉
穀酌給口糧每戶一二斗不等暫資餬口臣委
員分頭挨查凡房屋倒塌之戶除有力之家聽
其自為修葺無庸賞給外其餘無力貧民約共
八百八十戶瓦房八百四十餘間草房二百三
十餘間倒牆一千四百餘間尚有零星窵遠之
戶現在分查為數無多循照定例瓦房每間給
銀二兩草房一兩僅倒牆壁房屋未倒者減半
當下散給以為修葺房屋之用其村莊仍在水
中者委員率領村民相度地宜於下游開溝洩
水以免日久淹浸不能安居且凡經水淹之處

尤宜及早涸出地畝以爲種麥之計日內晴霽
河水已落地漸涸出可以安居不誤種麥矣其
被淹之田禾業已無收俟水退履畝查明分別
被災輕重遵例
題明先予撫綏一月口糧然後分別加賑至黃河
東岸之村莊被水尚輕爲時朝邑知縣不能渡
河往勘先委潼關同知紀虛中從潼關渡河逺
道前往查勘撫恤之食貧民就近將大慶關社
設碾米酌給口糧接濟其河東難心灘地原係
河西居民過灘種地尚未蓋房亦未被冲所種
灘地被淹應否免租查明再爲酌辦此番黃河
水大異於常年本境雨水亦多朝邑城鄉人口
均無傷損有在難心灘種地之民十六人被水
漂流至潼關地方俱經道廳等官撈救存活並
無一斃實足上慰
聖懷者也再延安府之安塞縣前據知縣倪嘉謙詳
報六月初一二日雷雨不止水高三丈冲進南
關似覺較重是以臣即飛委糧道吳紹詩前往

查勘茲據吴紹詩稟稱是日水勢洶湧泛入南
關居民舖戶低處進水一二尺不等室內什物
致有浸泡零星無幾水旋消退並無淹斃人口
亦未沖倒房屋居民安堵被水田禾水退復發
延安氣候少遲翻種蕎麥並不成災毋庸給賑
臣等轉飭酌借口糧撫恤接濟以待秋成此外
惟同州府之澄城大荔縣被水沖倒房屋現在
查明有實係貧乏之戶照例賞給修房銀兩田
地並不成災毋庸給賑通計今年陝省被水各
屬惟朝邑成災者二十八村莊在朝邑不過十
分之一二此外不被水之地各種秋禾均極暢
茂結實臣經過各州縣地方目擊四野芃芃豐
稔在望農民欣喜相告稱為近年所未有通省
秋禾大概相同自此以後不須雨澤八月下旬
均可登場矣所有勘明朝邑偏災及時撫恤并
通省秋禾暢茂結實情形理合一併奏明臣謹
會同陝甘督臣黄廷桂合詞具
奏伏惟

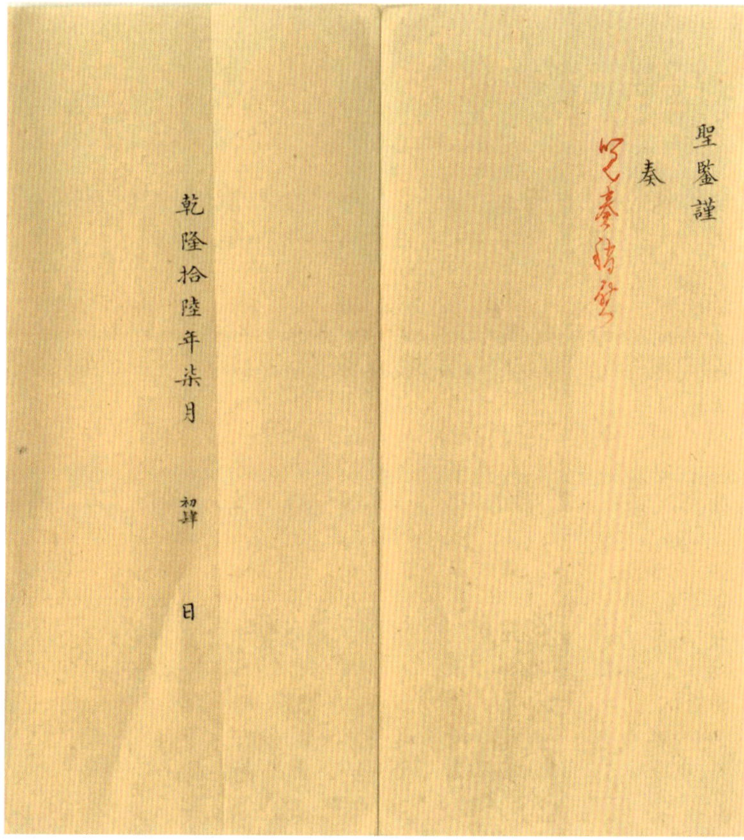

聖鑒謹

奏

覽奏俱悉

乾隆拾陸年柒月初肆日

一六八

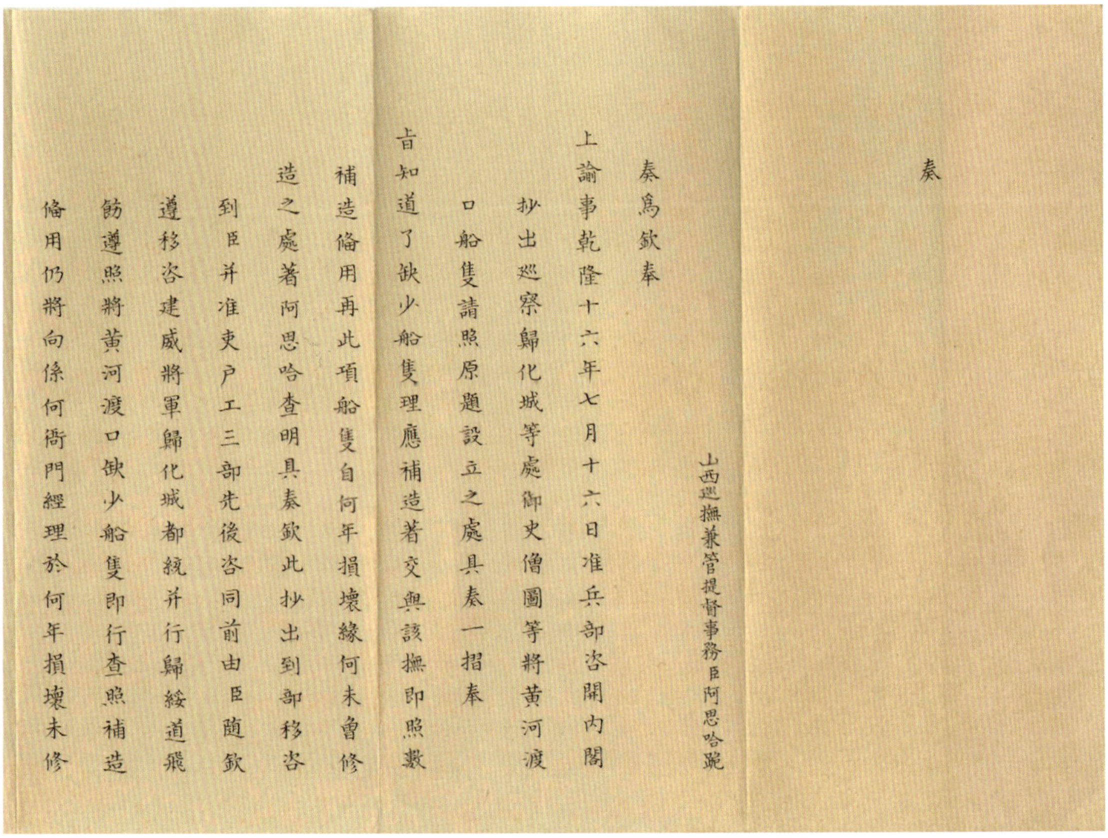
奏

山西巡撫兼管提督事務臣阿思哈跪

奏為欽奉

上諭事乾隆十六年七月十六日准兵部咨開內閣

抄出巡察歸化城等處御史僧圖等將黃河渡

口船隻請照原題設立之處具奏一摺奉

旨知道了缺少船隻理應補造著交與該撫即照數

補造備用再此項船隻自何年損壞緣何未曾修

造之處著阿思哈查明具奏欽此抄出到部移咨

到臣并准吏户工三部先後咨同前由臣隨欽

遵移咨建威將軍歸化城都統并行歸綏道飛

飭遵照將黃河渡口缺少船隻即行查照補造

備用仍將向係何衙門經理於何年損壞未修

之處逐一查明具覆去後嗣准歸化城都統清
字咨稱此項船隻於乾隆九年經本處具報理
藩院遵照部示於土默特六十二箇佐領下攢
湊銀兩修造新船四隻連舊存二隻於湖灘和
碩毛岱二渡口每渡設船三隻十五年十一月
内擬管渡章京那木扎布呈報渡口船隻内有
四隻朽壞二隻尚堪備用等情當即購覔大木
不得先經咨部開山採木未奉允准復經咨商
鄂爾多斯亦無大木今又咨請理藩院開採穆
納山木植應用事竣即行封禁迄今未奉部示
是以未經修造等因咨覆並據歸綏道由司詳
覆前來臣查歸化城清水河西有黄河一道於
毛岱湖灘和碩二渡口原設船六隻備用向係
都統衙門經理派委土默特章京專管自乾隆
九年修造至今河水淹浸内有兩隻尚堪備用
其四隻已經朽壞祇緣購覔大木不得經歸化
城都統咨商理藩院開山未覆是以未經補造
但案卷俱存都統衙門雖經查准咨覆其設船

原委以及前屆如何攢銀如何修造俱未詳悉
臣已另咨確查惟是穆納山木植甫經具
奏封禁似不便准其請開致滋弊竇臣現在飭令
歸綏道將應修船隻確查料估應否重新另造
抑止修補完整就近酌量設法購覔堪用木植
一面據實具報一面作速修造毋許管渡章京
等員借此為名希冀開採封禁山場滋弊遲悞
臣仍委員往勘催督完竣另行具
奏所有遵
旨查明該處船隻損壞未修及現在督飭歸綏道法
保上緊購木修造各緣由理合恭摺覆
奏伏乞
皇上聖鑒臣謹
奏

知道了

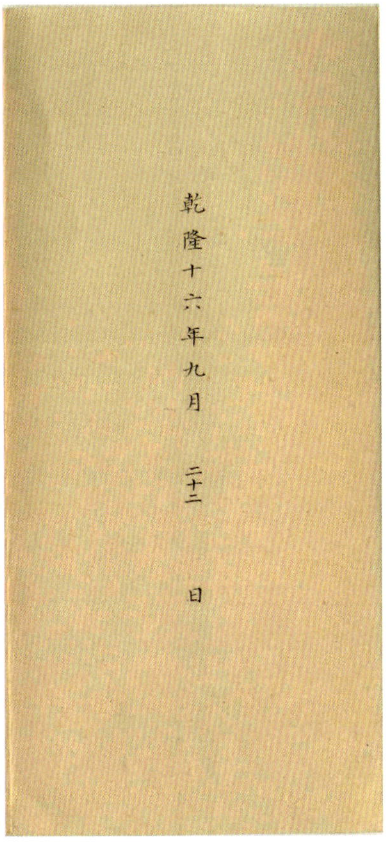

乾隆十六年九月　二十二　日

一六九

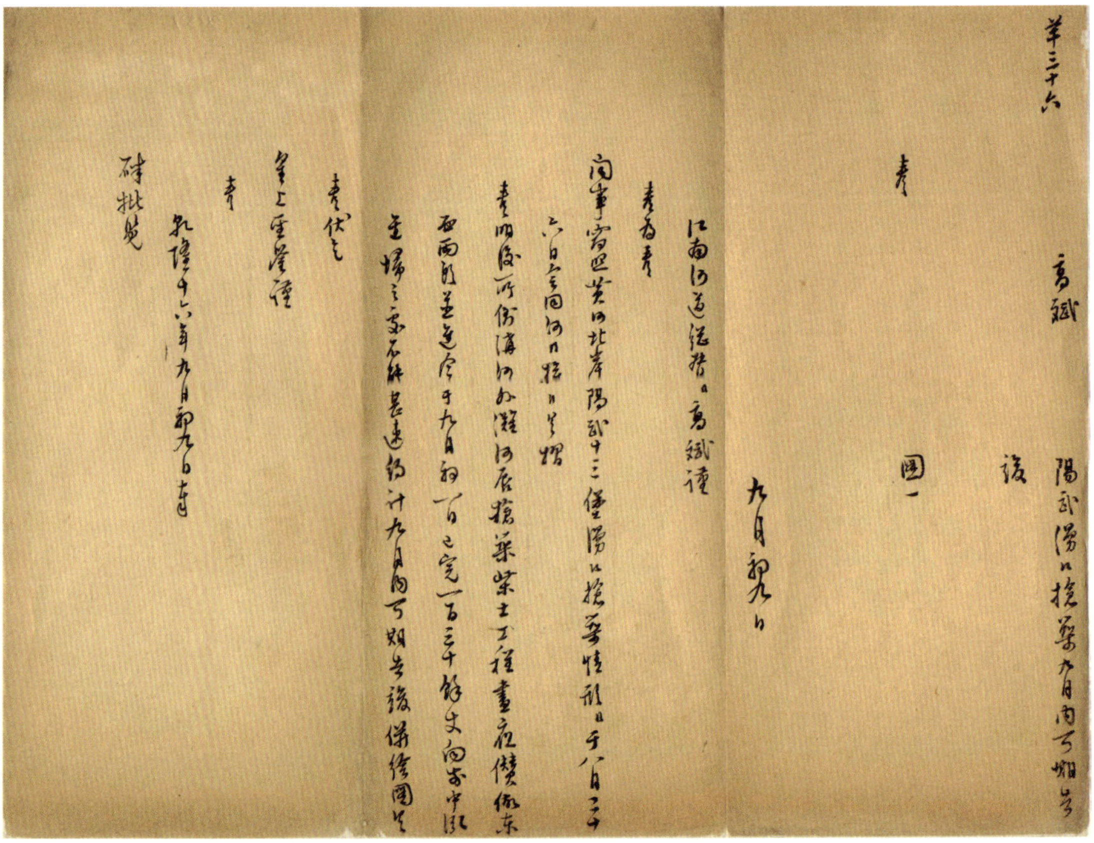
第三十六

高斌

奏

陽武陽橋搶築九月内可竣事

謹

奏聞

九月初九日

江南河道總督臣高斌謹

奏爲奏

聞事。竊臣前因北岸陽武十三堡陽橋搶築情形，于八月二十

六日會同河臣顧琮具摺

奏明。陽橋所做溝河及壩河底搶築柴土工程，晝夜趕做，東

西兩頭並進，今于九月初一日已築完一百三十餘丈，尚有中段

金門之處不甚遠，約計九月内可竣，[illegible]保護圖[illegible]

奏伏乞

皇上睿鑒，謹

奏

乾隆十六年九月初九日

硃批：覽。

一七〇

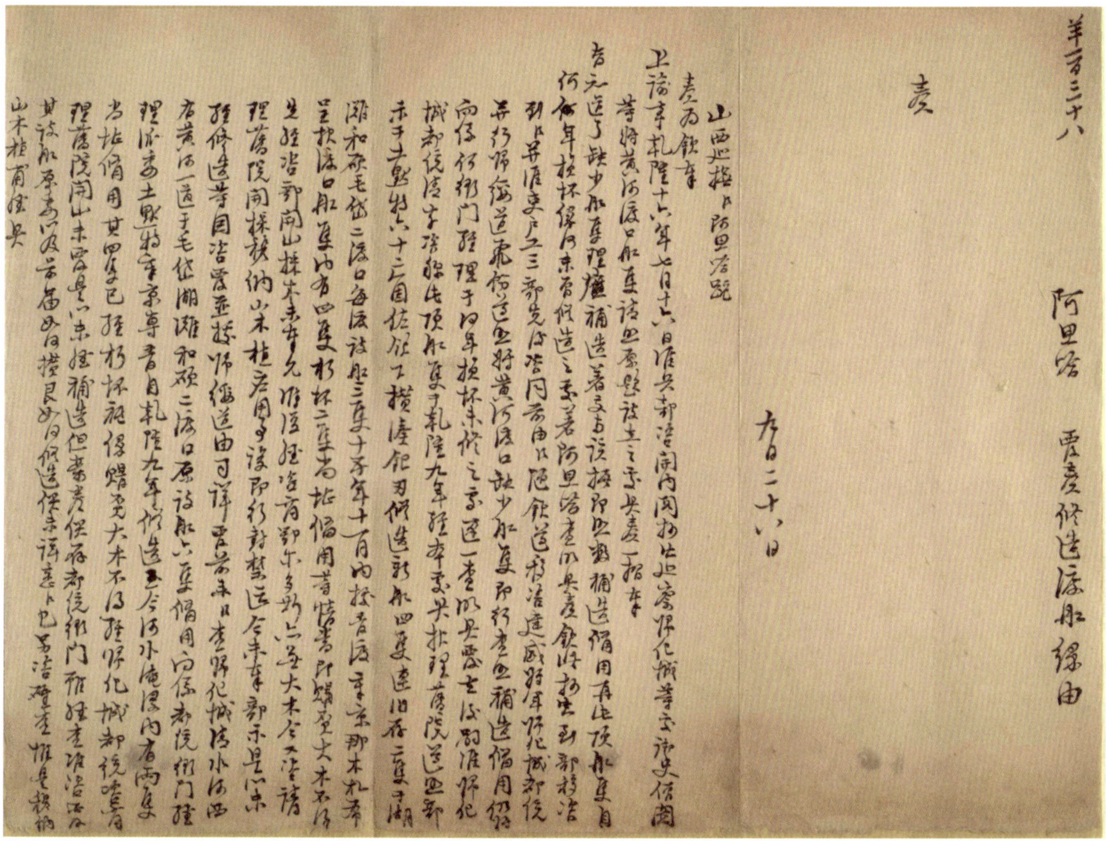

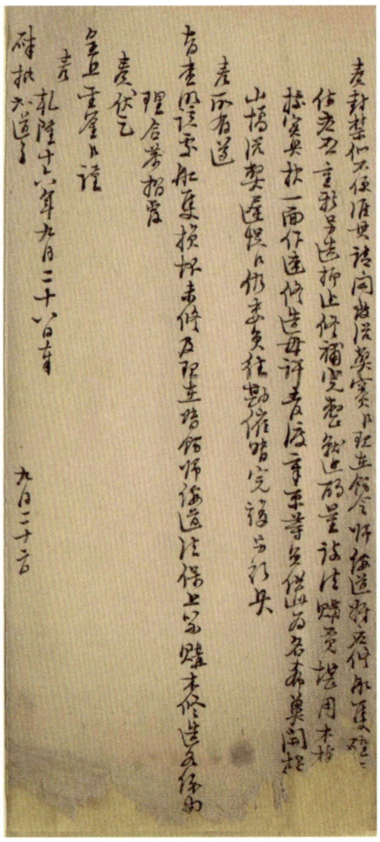

一七一

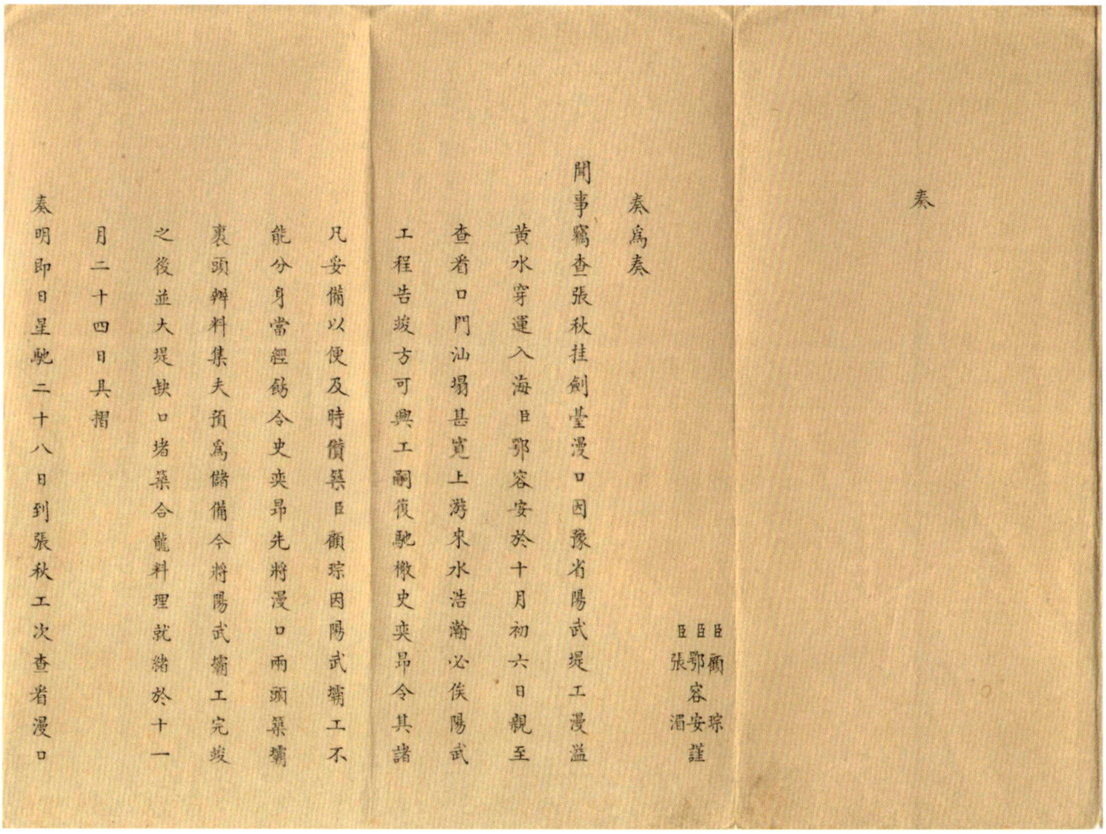
奏

臣顧琮
臣鄂容安
臣張湄　謹

奏爲奏
聞事竊查張秋挂劍臺漫口因豫省陽武堤工漫溢
黃水穿運入海臣鄂容安於十月初六日親至
查看口門汕塌甚寬上游來水浩瀚必俟陽武
工程告竣方可興工嗣復馳檄史奕昂令其諸
凡妥備以便及時償築臣顧琮因陽武壩工不
能分身當經飭令史奕昂先將漫口兩頭築壩
裹頭辦料集夫預爲儲備今將陽武壩工完竣
之後並大堤缺口堵築合龍料理就緒於十一
月二十四日具摺
奏明即日星馳二十八日到張秋工次查看漫口

情形緣陽武河唇大堤業經先後堵閉重門保
障涓滴不洩張秋一帶水勢日見消落但西坡
來水雖係無源綿長七百餘里甚爲寬濶水從
氷底原原下注今堵閉漫口須使有所歸宿方
免壅滯臣等查漫口迤北有東昌減水閘壩三
座可由分洩入徒駭河歸海又有戴灣閘以上
閘壩涵洞四座可由分洩入馬頰河歸海其餘
尚有戴灣閘臨清磚板二閘入衛北流一俟水
勢大減仍將戴灣閘下板嚴閉俾盡從徒駭馬
頰二河宣洩入海其臨清塘河應否挑浚於大
挑案内相機辦理再查漫口迤南有壽東汛三
空橋可由分洩入鹽河歸海又有五空橋原係
分洩運河異漲但橋底甚高不能過水臣等相
度於五空橋之北築攔河壩一道長二十餘丈
並於橋南挑引導水由鹽河歸海俾西坡之水
南北暢流消涸更易至漫口南北裹頭相距三
百餘丈中間河形已經淤墊涸出新舊灘土必
須挑浚以濟運行查自五空橋以北至南裹頭

外面久經涸出高阜舊土長一百三丈傍有淤
灘可以挑浚又接連新現之灘長八十一丈亦
可挑浚再北首舊現灘八十八丈已經挑浚將
次完竣即以所挑之土培築堤工其過水口門
寬四十八丈深自二三尺至二丈七八尺不等
於臣等未到之先史奕昂遵照檄行督率廳營
將北裹頭淺水十七丈用柴鑲墊並將近灘水
深一丈三四尺者下埽鑲築八丈其中間水口
尚寬二十三丈深自一丈五六尺至二丈七八
尺不等臣顧琮先於二十九日督令從兩頭雙
進神仙埽中留空塘澆土不使柴縫過水連日
鑲築十二月初二日臣鄂容安復至張秋會同
商酌督辦巡漕臣張湄亦至工所臣等上緊督
催將深水口門於十二月初四日堵築合龍斷
流除五空橋攔水壩指日趕築完竣並將挑浚
事宜料理就緒另行具
奏外所有張秋漫口合龍日期臣等謹會同恭摺
奏

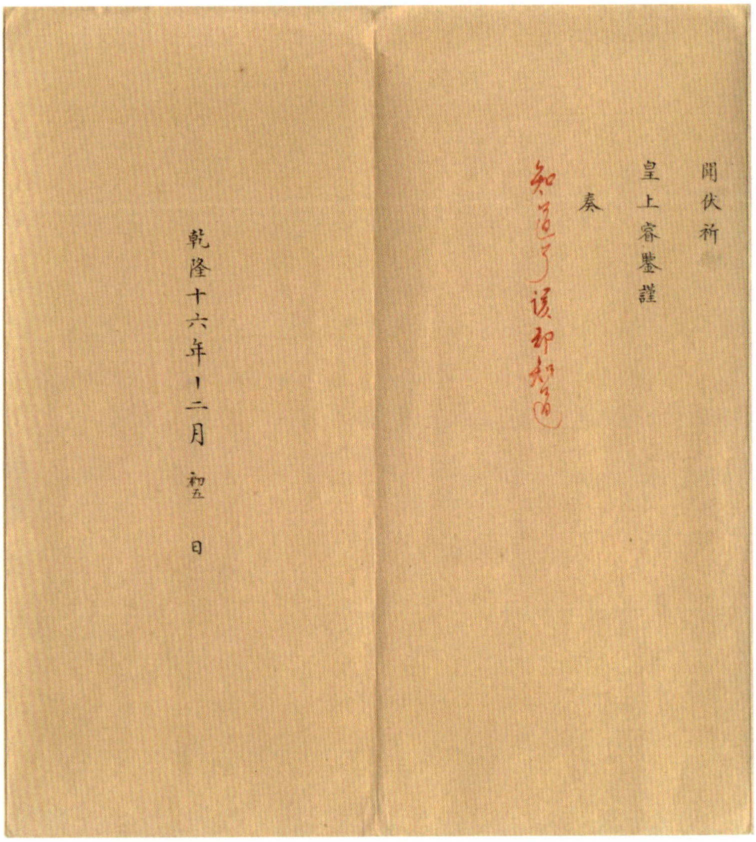
聞伏祈
皇上睿鑒謹
奏
知道了，該部知道。
乾隆十六年十二月初五日

一七二

奏

直隸總督臣方觀承謹

奏爲欽奉

上諭事本年十二月初五日臣於查勘南運河途次

接准部咨内開乾隆十六年十一月二十八日

奉

上諭豫省黄河兩岸大隄之外舊有古隄此善制也

歷來久遠未免殘缺今秋陽武漫口黄水灌入至

直屬之長垣東明皆被波及亟宜補築所有武陟

獲嘉新鄉延津等縣隄工著該撫即動項修理被

灾貧民亦可藉工作賑以資餬口其直隸長垣等

處隄工有無殘缺並令總督方觀承查明具奏欽

此仰見我

皇上保衛民生軫恤灾黎之至意臣當查大名道趙
之壁現在長垣一帶稽察賑務即差員檄行該
道將所有隄工殘缺應行修築處所逐加查勘
確切估報去後兹據稟稱長垣東明二縣向有
太行隄一道西接河南滑縣界東接山東曹縣
界長一百零八里隄之南復有防黄月隄一道
西接河南蘭陽縣界東接河南儀封縣界長五
里有餘其外即黄河北岸之大隄係河南省所
屬查防黄一隄及太行隄之在東明境者雖間
有浪窩鼠洞雨水淋損之處大段未爲殘缺惟
長垣境内之太行隄先於康熙六十年黄水漫
溢在王家隄衝決一口因口門刷深難於堵築
就老隄之内建築内月隄一道乾隆四年月隄
又爲瀝水衝決並甄家莊之西老隄亦被衝開
一口因又於老隄外圈築外月隄一道長七百
二十丈本年七月陽武漫溢就下之水將外月
隄漫開三處陸續刷坍三百餘丈當黄水初至
一望汪洋斷隄三處並在水内現今積水甫消

近隄泥滓數里人馬皆不能至而口門被衝成
坑處所泥水漫溢難以懸估須俟滓濘稍乾始
可詳加履勘又甄家莊迤西之常村集上游水
至首當其衝居民三百餘家皆在隄下本年幸
保無虞並應加培以資防護等情臣查長垣等
處之太行隄原以外障渾流本年黃水由王家
隄灌入漫口三處共寬三百丈通連甄家莊西
老隄之舊漫口汕刷殘缺自應欽遵
諭旨查明修理以資捍衛並令貧民得以藉工作賑
今甫經水退一俟泥水稍乾人力可施之時即
飭令該道帶同諳練修防之員前往相度其漫
口處所如衝刷尚不甚深即就原處堵築若已
汕刷成潭客土恐不堅實即須於隄外高阜之
處另籌圈築月隄至常村集隄岸雖未衝殘而
工關緊要亦應酌量加培以期鞏固統容另行
確估具
奏辦理此外隄身及防黃月隄大段並未殘缺惟
歷年久遠所有浪窩鼠洞雨水淋損之處亦應

及時修補查該處工作向係勤用民力今蒙

聖主軫念窮黎

加恩體恤應請於經理漫口後一并動項粘補則古

隄悉得完整而小民於春月間力作餬口更有

接助之資益戴

皇仁於靡既矣所有查明太行隄殘缺應修處所合

先繪圖貼説恭摺

奏覆伏乞

皇上聖鑒訓示謹

奏

知道了

乾隆十六年十二月二十日

一七三

奏

江南河道總督臣高斌謹

奏爲奏

聞桃汛水勢工程平穩情形仰祈

聖鑒事本年二月二十日清明起桃汛黄河汛水加長銅沛廳徐城石工水誌長至六尺五寸外河老壩口水誌長至六尺三寸洪澤湖汛水加長高堰水誌長至三尺山盱滚壩出水五尺五寸黄運湖河上下南北兩岸工程俱各修防穩固清口湖水暢行會黄東注直達於海海口深通瓜洲江潮三月初三日大汛長至四尺一寸江工俱各修防平穩除照例具

題外所有桃汛水勢工程平穩情形謹恭摺奏

聞伏乞

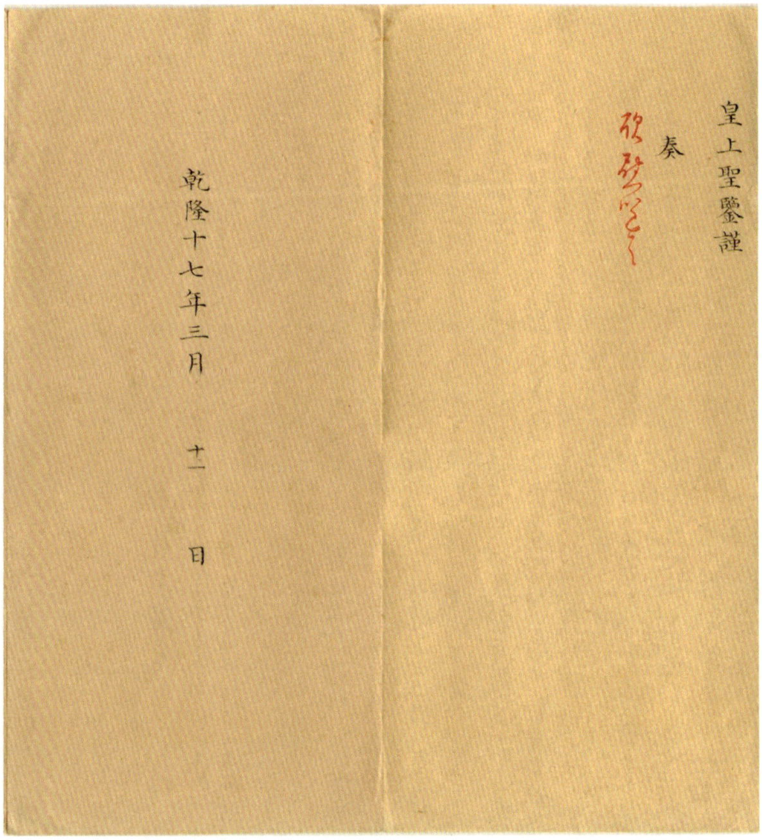
皇上聖鑒謹
奏
欣慰覽之
乾隆十七年三月　十一　日

一七四

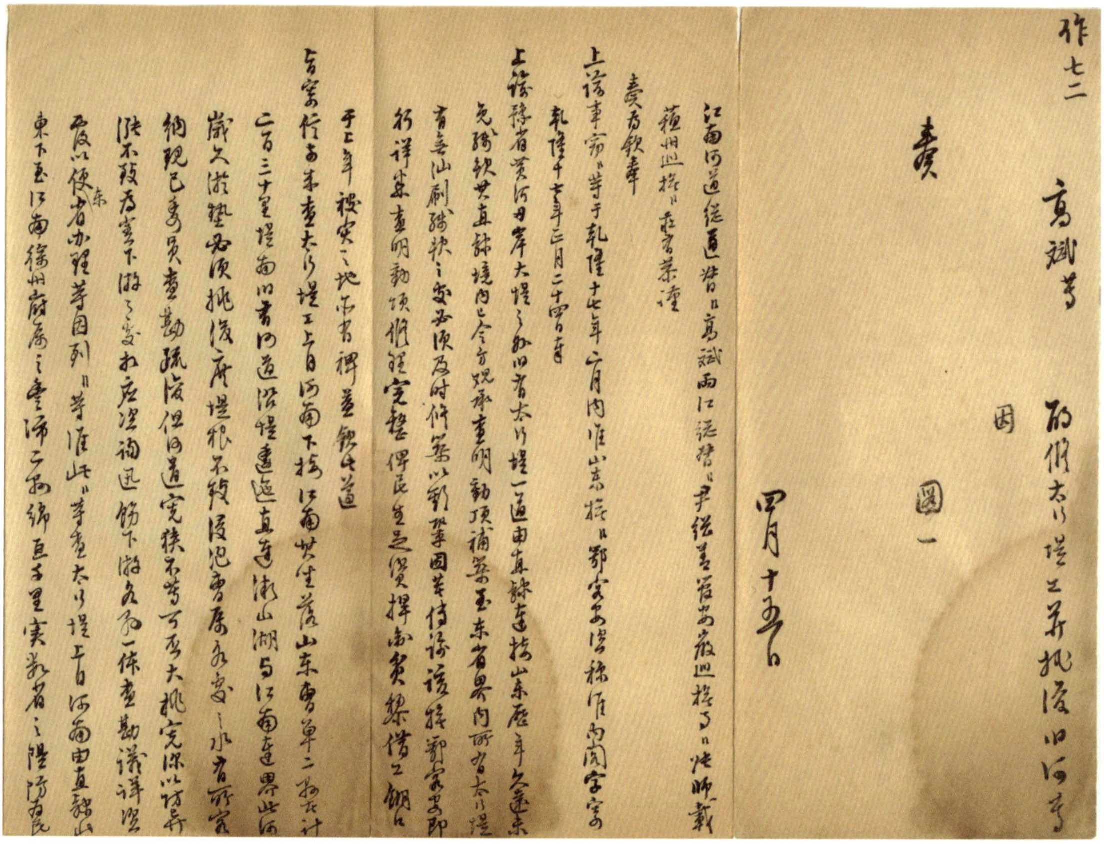
附七二

高斌等

奏為修太行堤工并挑浚舊河等

因

圖一

四月十五日

江南河道總督臣高斌、兩江總督臣尹繼善、署安徽巡撫臣衛哲治、
蘇州巡撫臣莊有恭謹
奏為欽奉
上諭事。竊臣等于乾隆十七年三月內准山東撫臣鄂容安咨稱，准內閣字寄
乾隆十七年三月二十四日奉
上諭：據省黃河南岸大堤，名曰舊太行堤，一道由直隸東接山東，歷年久遠，未
免殘缺。其直隸境內已令方觀承查明動項補築。至東省界內所有太行堤
有無沖刷殘缺之處，亦須及時修築，以衛[illegible]。著傳諭該撫鄂容安即
行詳細查明，動項修理完整，俾民生無患，[illegible]
于上年被災之地，尤有裨益。欽此。遵
旨咨行到臣。查太行堤工，上自河南下接江南，其經過山東曹、單二縣，長計
二百三十餘里。堤南舊有河道，沿堤逶迤直達微山湖與江南交界。此河
歲久淤墊，必須挑浚，所有堤根不致浸泡，曹屬各處之水有所容
納。現已委員查勘疏浚，但河道寬狹不等，可否大挑寬深以防異
漲，不致為害下游之處，相應咨商，飭下游各屬一體查勘，議詳辦
理，以便[illegible]辦理等因到臣。准此。臣等查太行堤上自河南由直隸、山
東下至江南徐州府屬之豐、沛二縣，綿亘千里，實數省之隄防[illegible]

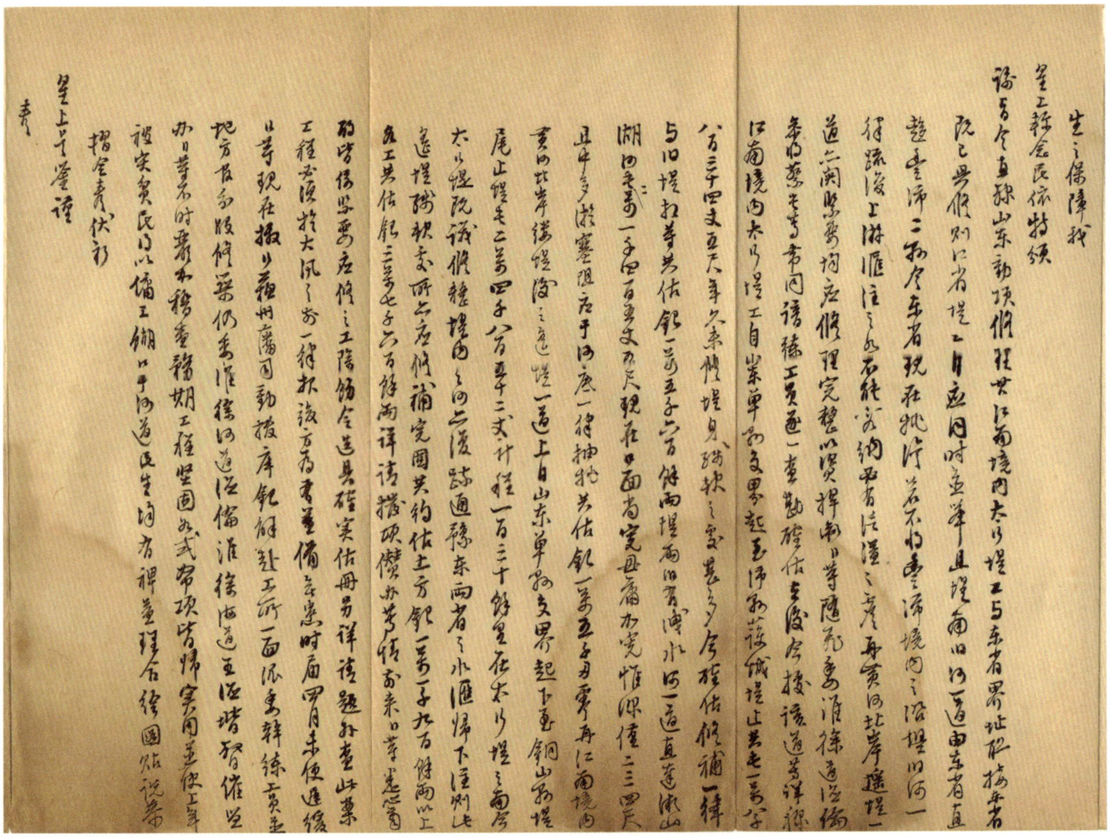

旨知道了
乾隆十七年四月初六日奏

一七五

奏

山西巡撫兼管提督事務臣阿思哈跪

奏爲欽奉

上諭事竊照歸化城清水河西黄河沿邊毛岱湖灘

和碩二處渡船損壞一案因上年巡察歸化城

等處御史僧圖具

奏奉

旨知道了欽此船隻理應補造着交與該撫即照數

補造備用再此項船隻自何年損壞緣何未曾修

造之處着阿思哈查明具奏欽此當經臣將查明

設船原案及損壞並購大木不得未修緣由恭

摺覆

奏并聲明一面督飭歸綏道法保上緊購木修造

在案嗣因嚴寒氷凍未能興工春融即經催督
兹據藩臬二司詳准該道報稱原設渡船六隻
内有二隻尚屬可用其損壞四隻已經修造完
固循照向例仍交都統衙門派委土默特章京
收管濟渡歲加修補毋致復行損壞等情前來
并據善岱托克托城二通判具報相同除移咨
歸化城都統查收經理外所有口外黄河渡船
修竣緣由理合恭摺
奏明伏乞
皇上聖鑒臣謹
奏
知道了
乾隆十七年四月　二十六　日

一七六

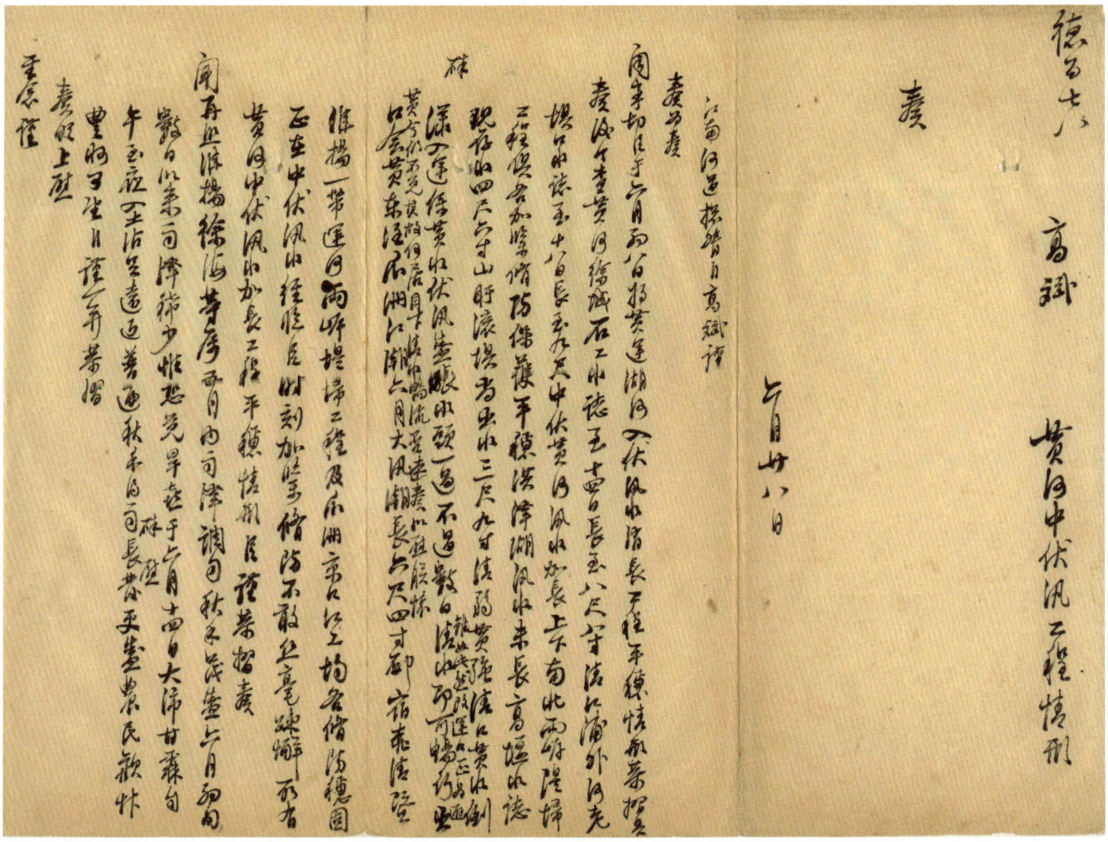

德字七八

奏

高斌

黃河中伏汛工程情形

六月廿八日

江南河道總督臣高斌謹

奏爲奏

聞事。竊臣于六月初六日將黃運湖河入伏後水消長工程平穩情形恭摺具

奏後，今查黃河徐城石工水誌至十四日長至八尺一寸，清江浦外河志

椿水誌至十八日長至九尺，中伏黃河風水加長，上下南北兩岸隄埽

工程俱各加緊修防，保護平穩。洪澤湖風水亦長，高堰水誌

現存水四尺六寸，山盱滾壩過水三尺九寸。清口黃強清弱，黃水倒

灌入運，係黃水伏汛照例應照閘頭一道，不過數日清水即可暢行出[illegible]

[illegible]會黃東注。洲江湖六月大汛潮長六尺四寸，即宿東清[illegible]

淮揚一帶運河兩岸隄埽工程及瓜洲、京口江工均各修防穩固。

至查中伏風水經臣時刻加緊修防，不敢絲毫疏懈，所有

黃河中伏風水加長工程平穩情形，臣謹恭摺奏

聞。再，邇淮揚、徐海等府于五月内雨澤調勻，秋禾暢茂。六月初旬

數日以來雨澤稀少，惟恐晚禾旱乾，于六月十四日大沛甘霖，自

午至夜，[illegible]遠近普遍，秋禾自可長發，更堪慰

聖懷。謹

奏。

奏
乾隆十七年六月二十四日奉
硃批覽欽此
[illegible]

一七七

奏

江南河道總督臣高斌謹

奏爲遵

旨奏覆事乾隆十七年七月初七日接准大學士公傅恒

大學士來保寄字内開乾隆十七年六月二十八日

奉

上諭前因蔣炳查看黄河隄工情形奏稱河底受淤向無疏濬之法惟有將兩岸隄壩加修高厚等語朕批示此雖無法然兩隄益高束水墻上之法未有不偾事者仍應悉心講求取直去灣俾自行刷沙之法爲庶幾耳究之蔣炳所奏原非目下有亟應辦理之河工不過因親勘河工爲此常談之論而朕之所批亦不過統論治河之道加高培厚不若取直去灣庶後此遇有應作工處

俾知所遵守非令其於此時别開取直去灣之引河也
今顧琮蔣炳乃會奏於祥符汛十九堡對岸看得引河
一千七百餘丈蘭陽汛耿家寨對岸看得引河一千三
百餘丈均應開挖請於霜降後遴員分段僱挑等語則
是因朕批而生新工矣黄河水勢無常所謂取直去灣
不過因勢利導耳若欲於河底開挖引河以待來年汛
水開放夫引河有幾許寬深遂能容受全河盛汛乎汛
過即淤工費徒爲虚擲此理甚明人所易曉從來河員
樂於工作可圖領帑開銷不講則已講則非濬即築必
有當興之工有如醫者有疾無疾診必有方幸而不爲
大害否則代正引邪往往竟成痼疾河工似此無益之
費不知凡幾高斌近年經朕指示南河稍知裁制然如
前此奏改運口謂可永無黄水倒漾之患而今歲伏汛
仍不免清弱黄强黄流入運則所改運口其受益安在
顧琮等所奏霜降後興工開挖引河之處竟不必行著
大學士高斌於秋汛過後河務稍暇赴豫查勘是否應
行開濬或不必挑挖詳悉審度具摺奏聞蔣炳等摺一
併抄寄高斌閲看凡經管河務之該督撫等將此旨一

併諭令知之欽此遵
旨寄信前來臣跪讀
聖訓不勝戰兢恐懼之至伏念臣至駑至鈍毫無知識荷
蒙我
皇上殊恩高厚
訓誨多年諄切周詳俾得知有遵守今蒙
聖恩指示明切差看豫省河工臣敬繹之下感戴實難名
狀臣欽遵
諭旨請於霜降秋汛後前往豫省黃河兩岸隄工上下周
遭踏勘併將顧琮等所請挑引河之處詳加審度恭
摺奏請
聖訓指示遵行所有臣奉到
諭旨理合具摺
奏覆伏乞
皇上聖鑒謹
奏
覽

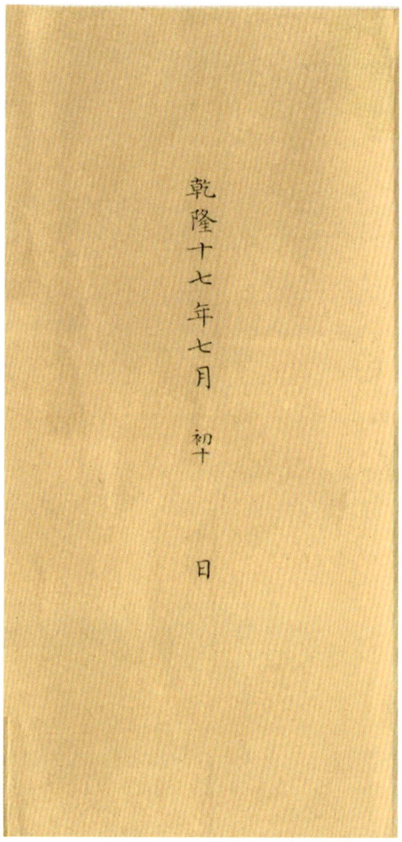
乾隆十七年七月　初十　日

一七八

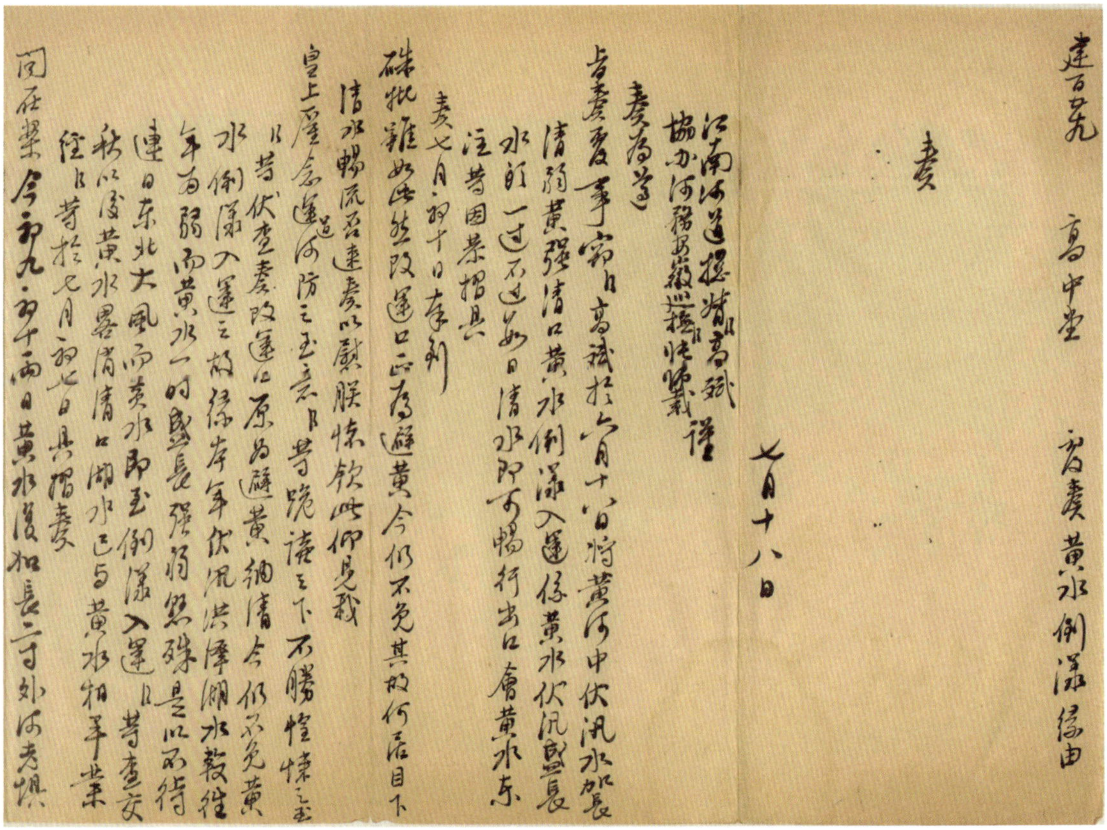

速百先　高中堂　密奏黃水倒漾緣由

奏

七月十八日

江南河道總督臣高斌
協办河務安徽巡撫臣[illegible]謹

奏爲遵

旨覆奏事。竊臣高斌於六月十八日將黃河中伏汛水加長、清弱黃強、清口黃水倒漾入運，係黃水伏汛盛長，水頭一過，不過數日清水即可暢行出口，會黃水東注等因，恭摺具

奏。七月初十日奉到

硃批：雖如此，然致運口不爲避黃，今仍不免，其故何居？目下清水暢流否？速奏以慰朕懷。欽此。仰見我

皇上廑念運道河防之至意，臣等跪讀之下，不勝惶悚之至。

臣等伏查，奏改運口原爲避黃納清，今仍不免黃水倒漾入運之故，係本年伏汛洪澤湖水較往年爲弱，而黃水一時盛長，強弱懸殊，是以不待連日東北大風，而黃水即至倒漾入運。臣等查交秋以後，黃水略消，清口湖水已與黃水相平，業經臣等於七月初七日具摺奏

聞在案。今初九、初十兩日黃水復加長二寸，外河志樁

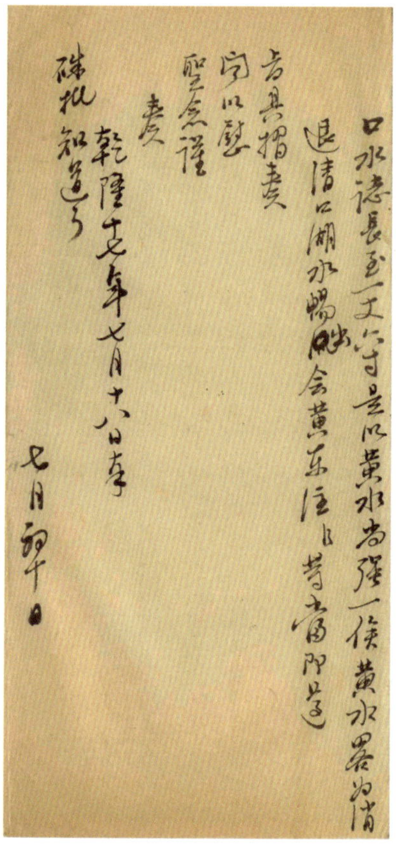

口水總長至一丈六寸是以黃水尚強一俟黃水略為消
退清口湖水暢出會黃東注注等情當即遵
旨具摺奏
聞以慰
聖念謹
奏
乾隆十七年七月十八日奏
硃批 知道了
七月初十日

一七九

奏

河南河北鎮總兵官奴才朱世泰謹

奏爲奏

聞事竊奴才屬汛地方二麥收成分數業經繕摺

奏明今查得奴才所屬營汛地方雖陸月雨澤稀

少秋初以來各屬陸續具報得雨叁肆寸伍陸

寸不等早秋高糧穀子俱已收穫晚禾正在茂

長結實惟武陟縣西南鄉距黄河柒捌里原無

堤岸向有清風嶺壹道以防黄水之險中有班

家溝以洩内地之水本年陸月初拾拾壹貳拾

等日有黄河水派漫灘從班家溝流入内地之

豐太等貳拾肆村莊其房屋並未損壞高糧尚

可收穫惟豆穀已被水淹據臣蔣炳見在撫恤

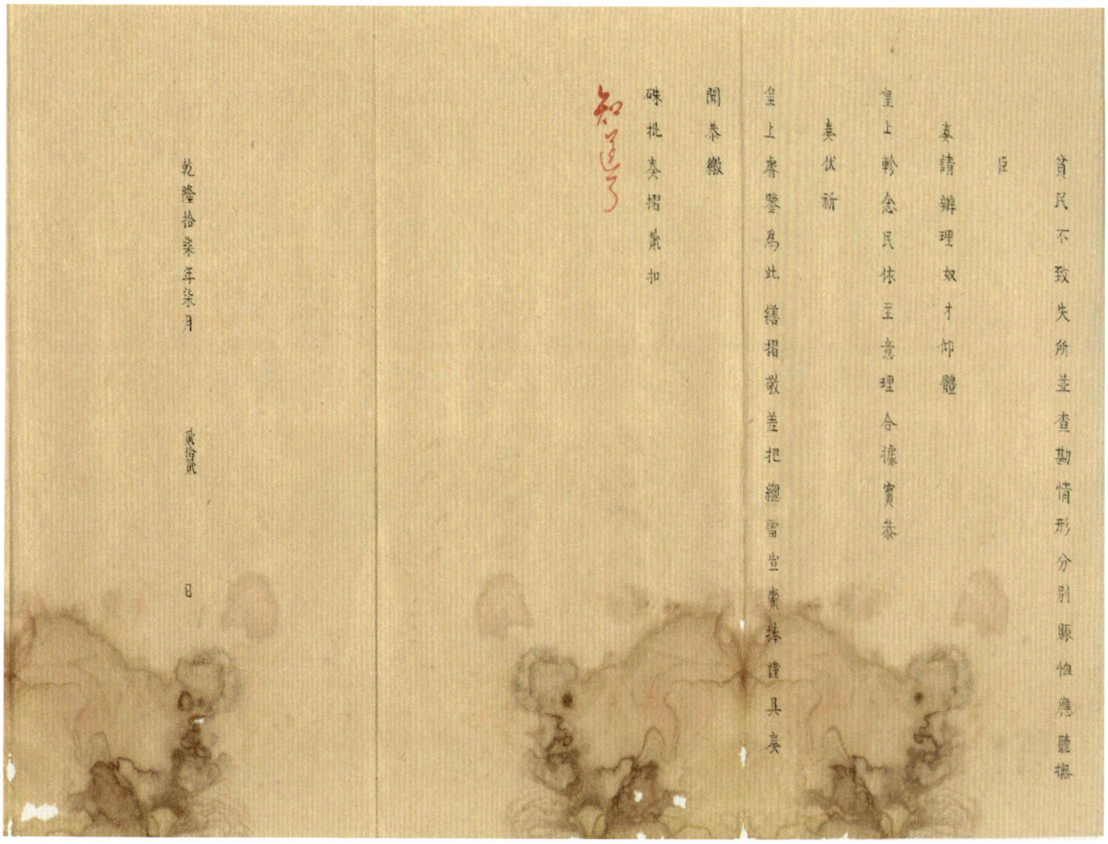

貧民不致失所並查勘情形分別賑恤應聽撫

臣

奏請辦理奴才仰體

皇上軫念民依至意理合據實恭

奏伏祈

皇上睿鑒爲此繕摺敬差把總雷宣齎捧謹具奏

聞恭繳

硃批奏摺貳扣

知道了

乾隆拾柒年柒月　貳拾貳　日

一八〇

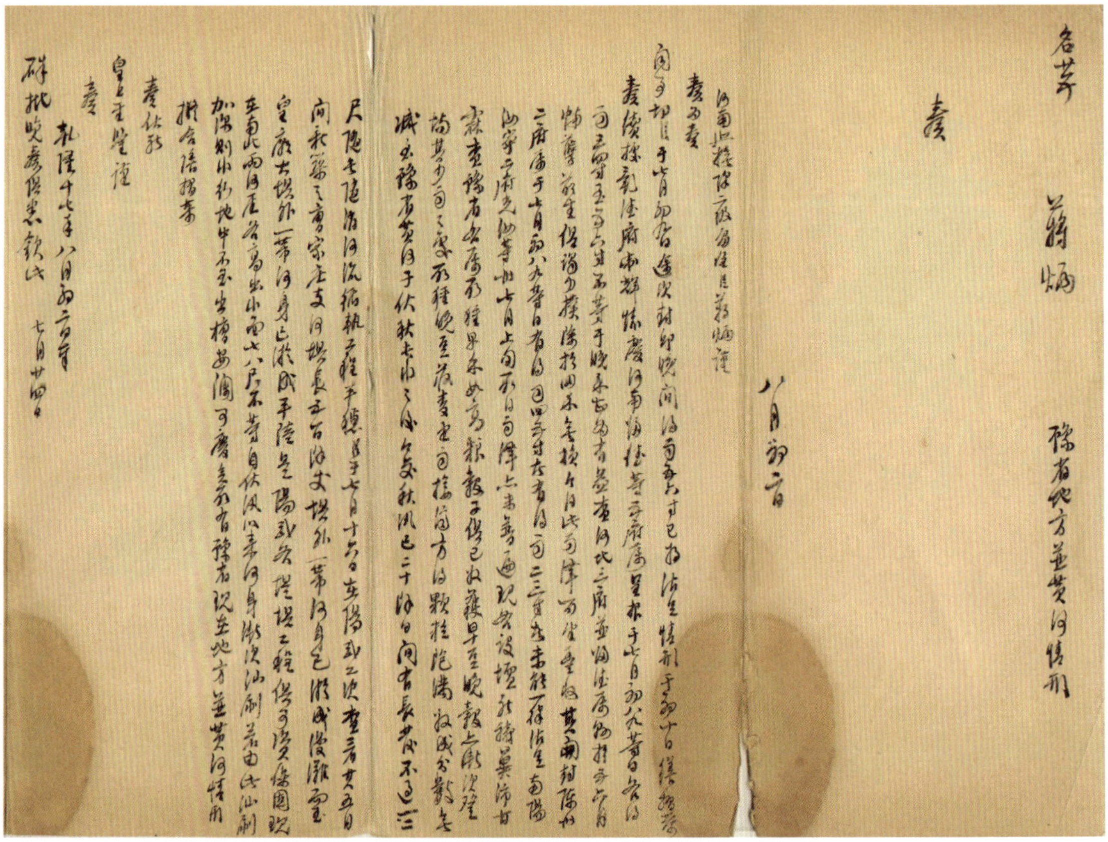

一八一

奏

江南河道總督臣高斌謹

奏爲遵

旨奏覆事乾隆十七年九月初四日接准大學士公傅恒

寄字内開乾隆十七年八月二十七日奉

上諭大學士高斌奏稱外河黄水自六月二十八日盛長

消退無多是以湖水尚未能暢行出口俟黄水略再消

退方可暢出會黄等語前因黄水倒漾入運曾經傳旨

詢問迄今入秋已及兩月何以黄勢尚强清流不能暢

刷如此日久於運河豈無妨礙著傳諭大學士高斌等

令其悉心籌畫應作何辦理方爲合宜使黄水永無倒

漾之慮速行詳悉妥酌奏聞欽此遵

旨寄信前來臣欽遵跪讀之下仰見我

皇上慎重運道河防之至意臣查清口湖水已於八月二
十七日暢行出口經臣於二十九日恭摺奏
聞在案臣伏查本年清口清弱黄强黄水自六月十八日
倒漾入運經兩月餘至八月二十七日清水始能暢
行出口之故實緣淮源上游夏秋汛水未長清水來
源甚微臣於春夏之交即經加意極力緊束東壩以
資收蓄六月内清水僅存五尺五寸至八月初間僅
長至六尺一寸嗣於八月望後連陰微雨日多西北
密雲甚厚上源淮水漸發八月内長至八尺八寸今
九月初四日長至九尺二寸山盱舊滚壩已經過水
七寸清口湖水始得暢行再查本年伏秋大汛黄水
疊次盛長六月内長至一丈二尺三寸旋消旋長七
月内復長二次八月内復長三次今九月初四日老
壩口水誌現存長水一丈三尺二寸是以臣節次奏
報必俟黄水略再消退清水方能暢行出口今黄水
屢次盛長雖尚未長定幸秋汛已過時逾寒露溜勢
平緩不似六七月間之洶湧異常黄河上下南北兩
岸隄埽緊要工程加謹修防守護可以無虞惟洪澤

湖清水已經有餘正好用以衝刷淮揚運河黄水倒
漾兩月有餘之停淤新淤一見清水立即刷淨惟運
河水勢較大臣於淮安一帶不時往來親身察看於
九月初一日已令淮揚道李奇齡前往高寶運河一
帶加意巡查防護今湖水雖已過滚壩七寸水勢已
定未必甚長臣令河庫道李弘於八月二十七日前
往山盱一帶查勘方回臣仍擬於數日内親往山盱
一帶巡查小心防護務保無虞以仰副我
皇上屢念河防之至意臣凛遵
聖訓悉心籌畫現今所有辦理情形未敢遽稱合宜查清
口西壩外之順黄壩
聖駕親臨閲視進埽之處已加長接出十八丈
御壩之外現有木龍六架挑溜東趨迤南以下俱係漫水灘
外水中暗灘接長夹土草壩二道一道長二十丈次
一道長四十丈查今次黄水倒漾之情形實較乾隆
三年之形勢迥别黄溜直趨
惠濟祠自
關帝廟迤西至卞家汪一帶俱係迴溜倒漾進口入運

其木龍以下草壩之外漫水無溜之處俱長暗灘至
一二百丈不等容俟水落灘現後丈量明確繪圖貼
說另摺恭
奏外所有本年清口黄水之倒漾實係偶然一次與平
常黄强清弱之情形又屬各别今已安瀾順軌臣謹
據實
奏覆伏乞
皇上聖鑒謹
奏

究於運道有防否所奏尚未明晰

乾隆十七年九月　初五　日

一八二

奏

河東河道總督臣顧琮謹

奏爲奏

聞事竊查豫東二省黃河霜降已過水勢工程平穩

情形經臣恭摺具

奏在案臣查黃河緊要工程惟南岸之鄭州胡家

屯及北岸之祥符十九堡蘭陽之耿家寨三處

或係河離堤近下木簰挑溜或當大溜掃灣建

築挑水埽壩或因溜勢未定連建鷄嘴小壩經

臣於白露後回東時

奏明相機辦理保固無虞在案嗣臣於八月十七

日回濟後節次指示廳營各住宿工所督率員

弁晝夜加謹防護前據管河道張奎祥詳據廳

營内稱胡家屯溜刷外堤請築壩臺以備下埽
等語臣以堤外建築壩臺是與水爭地不但致
生大工所費甚鉅且緩不濟急該廳朱漢因辦
理十月
題估到濟臣當經面授機宜詳加指示一面於堤
後帮寬即與堤外建築壩臺無異一面於堤外
下埽是不與水爭地也即日令朱漢回豫並令
就近請撫臣指示現在上緊辦理查該工昨據
該廳營禀外堤刷去三十餘丈厓面仍高水面
二尺餘且後有魚鱗堤足資保護況今久過霜
降水勢日耗厓岸較水面日高不比伏秋大汛
自保無虞再查北岸祥符十九堡蘭陽耿家寨
二處工程霜降後雖據河北道胡振組報稱溜
逼埽壩勢屬險要臣當經飛飭指示做法下埽
保護今俱已平穩臣現在將本年
題估工程并小挑事宜上緊儹辦約數日就緒即
便起程前往豫省細加查看相機辦理並與撫
臣面商機宜以期有備無患臣謹恭摺奏

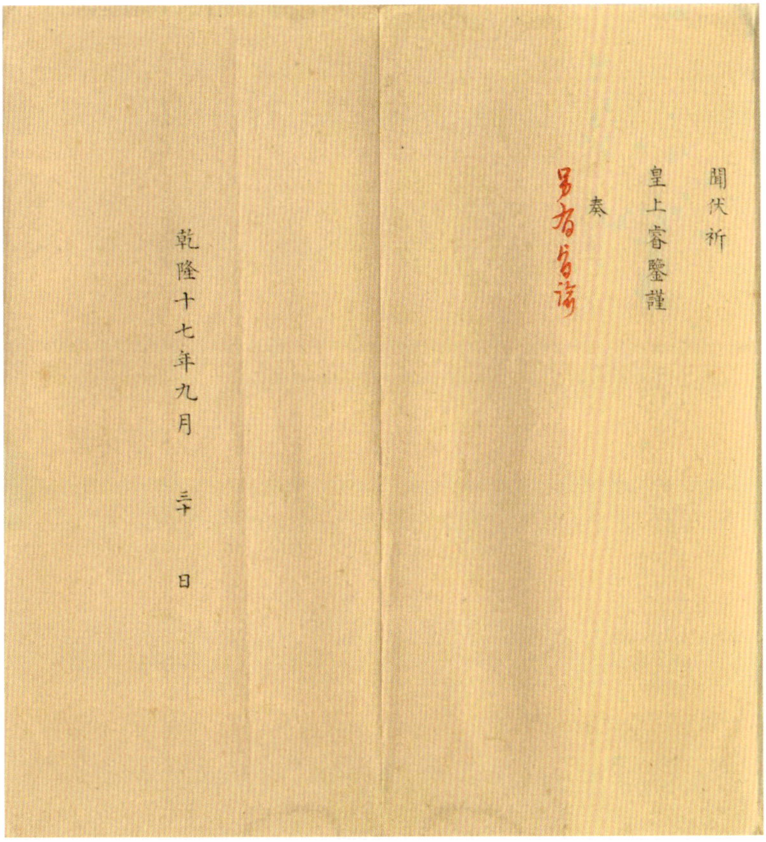

聞伏祈
皇上睿鑒謹
奏
另有旨諭
乾隆十七年九月　二十　日

一八二

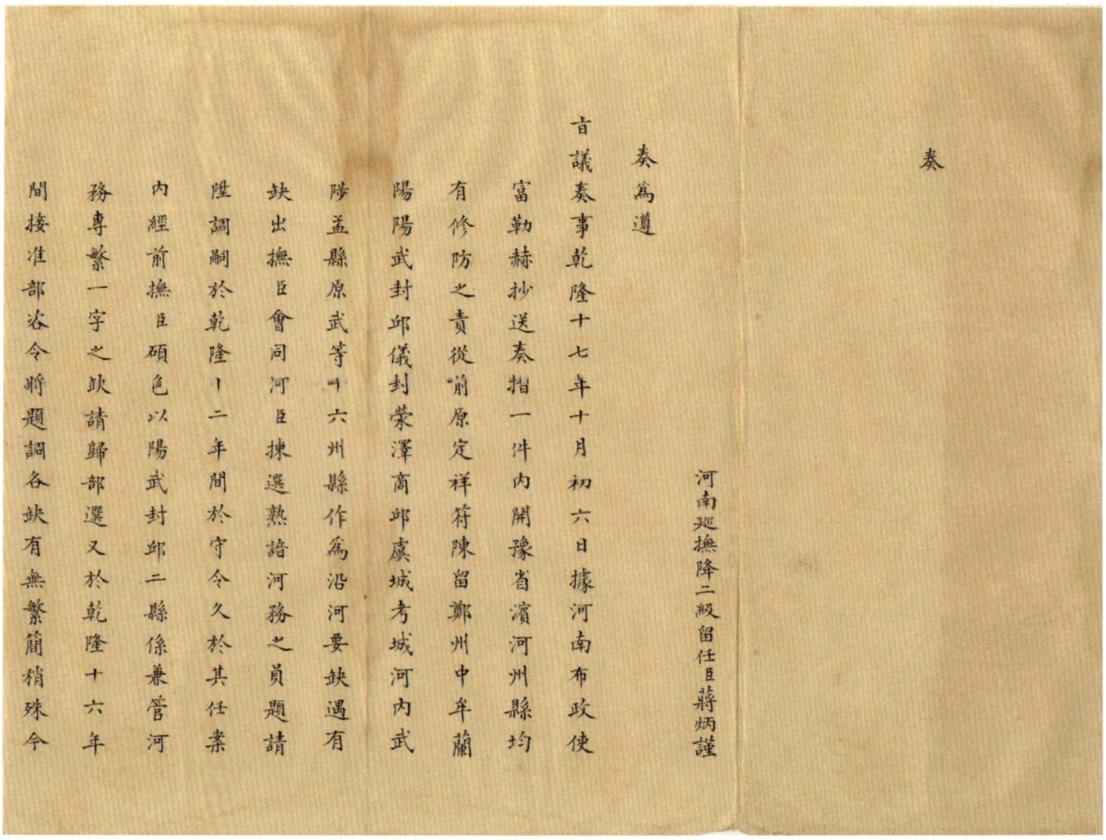

奏

河南巡撫降二級留任臣蔣炳謹

奏爲遵

旨議奏事乾隆十七年十月初六日據河南布政使

富勒赫抄送奏指一件内開豫省濱河州縣均

有修防之責從前原定祥符陳留鄭州中牟蘭

陽陽武封邱儀封滎澤商邱虞城考城河内武

陟孟縣原武等十六州縣作爲沿河要缺遇有

缺出撫臣會同河臣揀選熟諳河務之員題請

陞調嗣於乾隆十一二年間於守令久於其任案

内經前撫臣碩色以陽武封邱二縣係兼管河

務專繁一字之缺請歸部選又於乾隆十六年

間接准部咨令將題調各缺有無繁簡稍殊今

昔武異可以改歸部選經奴才於護撫印任内
以陳留縣所轄黄河僅止二里改爲專衝簡缺
又原武縣河流南徙險工亦平改爲專難簡缺
均歸部選在案惟是河流遷徙靡定工程亦平
險頓殊乾隆十六年七月間黄水漫溢之處即
在從前題改之陽武是陽武一缺昔雖平穩今
實險要其封邱一缺毗連陽武上年被水成灾
一切防險事宜甚關緊要至於陳留所轄黄河
雖止二里本年該處工程報險適常多方保護
始免冲决再原武則與武陟聯界武陟地方連
年被黄沁兩河之水泛溢爲灾原武亦應早爲
慮及且河流又有北徙之勢更宜加意防範部
選人員多未諳練每須另請調補似應將陽武
封邱陳留原武等四縣均照舊改爲揀選題缺
俾沿河州縣均有諳員料理似於河務地方均
有裨益更有請者查向來沿河州縣僅有河務
責任而於估計歲搶各工及查收料物皆係廳
汛各員領銀承辦地方官從不顧問查堤工冲

漫地方官有議處並分賠之例則一切工料原
不應視爲泛常請嗣後沿河州縣凡有河工估
計收料並修建等事令地方官會同辦理如果
估計無浮工程堅固即令出具印結隨詳申送
各該管上司查核仍令協同保固倘有扶同飾
混並朦朧具結者照例叅處則州縣均有經理
之責而於工程更覺慎重等因奉
硃批告之蔣炳聽其議奏欽此欽遵　該臣查得
開封府屬之陽武封邱陳留暨懷慶府屬之原
武等四縣向因濵臨黄河遇有缺出撫臣會同
河臣揀選熟諳河務之員具
題陞調以重河防嗣於乾隆十二年於守令久於
其任案内經前撫臣碩色以陽武封邱二縣雖
管河務但止專繁之缺請歸部選又於乾隆十
六年准部咨查現在題調各缺有無繁簡稍殊
今昔或異可以改歸部選經該布政使富勒赫
於護理巡撫印務任内議以陳留縣所轄黄河
僅止二里原武縣河流南徙一切險工久已平

稳均歸部選覆准在案今據該司奏稱乾隆十
六年七月黄水漫溢之處即在從前題改之陽
武是陽武一缺昔雖平稳今實險要其封邱一
缺毗連陽武上年被水成災一切防險事宜甚
關緊要至於陳留所轄黄河雖止二里本年工
程報險適常多方保護始免冲决原武則與武
陟連界武陟地方連年被黄沁兩河之水泛溢
爲灾原武亦應早爲慮及且河流又有北徙之
勢更宜加意防範部選人員多未諳練似應照
舊改爲題缺等語查沿河州縣例應在外揀選
者原恐部選人員不諳河務是以即就本省熟
諳之員題請調補與衝繁疲難四項三項相兼
之缺不同惟論工程之險易並不在地方之大
小陽武等縣從前請歸部選或因係專繁等缺
或因工程平稳起見而黄河之水變遷靡常或
昔險今平或昔平今險原無一定未便以請改
在先因循於後致滋貽悞應如該司所奏將陽
武封邱二縣照舊改爲沿河專繁次要缺陳留

縣改爲專衝沿河次要缺原武縣改爲專難沿
河次要缺嗣後缺出揀選題補如蒙
聖恩俞允容臣將現在各員與河臣會同確商其可
以勝任之員仍令供職或於河缺未宜即另請
改調似於河防實有裨益再查定例河南省堤
工如遇水長管河等官協同地方官率領堡夫
搶護如有怠玩悞工者將管河地方官照黄河
定例議處仍查明年限着落賠修又定例如府
有地方之責如遇沖決應照道員一體處分各
等語是堤工事務承修官員及地方各官均有
責成不容膜視而向來積習地方官多不顧問
臣於本年四月到任後即諭州縣官於河工修
防事宜毋得膜視不啻三令五申是以本年凡
有報險工程州縣官聞信即馳駐工所會同河
員協辦今該司奏請凡有河工估計收料並修
建等事令地方官會同辦理似於工程更覺慎
重第查豫省河工俱係地方官購辦料物雇募
民夫由河員承修今若事事責令會同辦理其

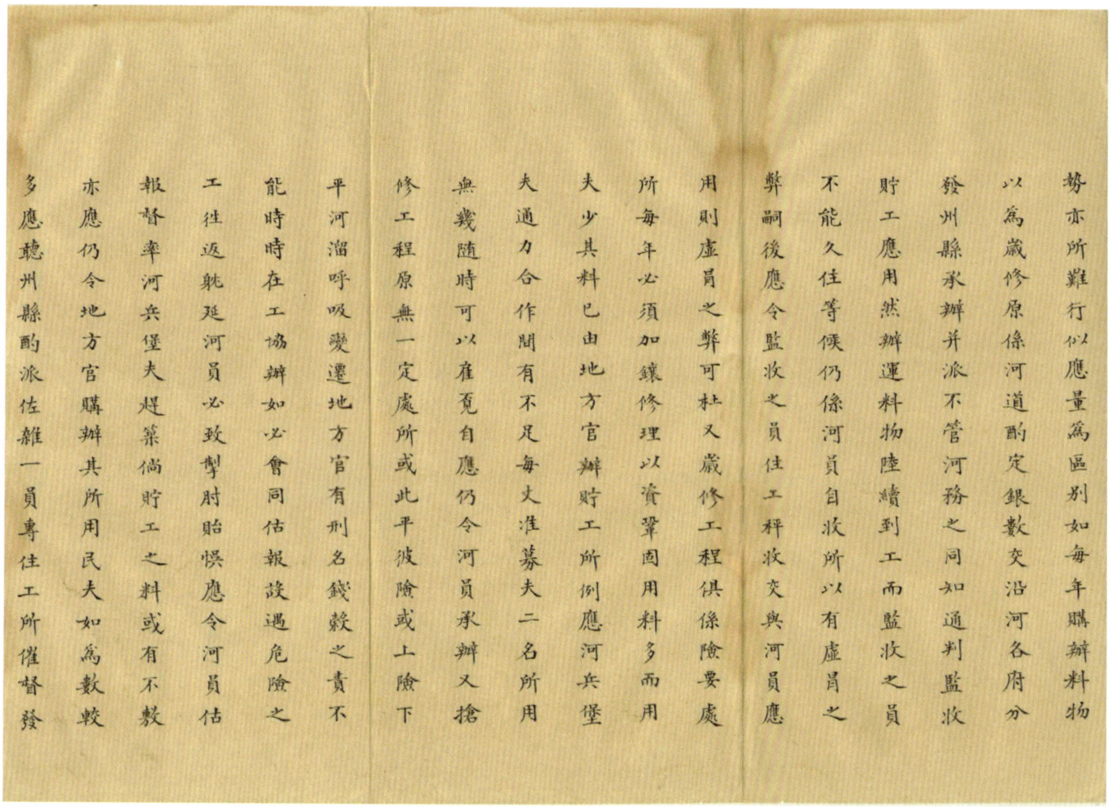

勢亦所難行似應量爲區別如每年購辦料物
以爲歲修原係河道酌定銀數交沿河各府分
發州縣承辦并派不管河務之同知通判監收
貯工應用然辦運料物陸續到工而監收之員
不能久住等候仍係河員自收所以有虚冒之
弊嗣後應令監收之員住工秤收交與河員應
用則虚冒之弊可杜又歲修工程俱係險要處
所每年必須加鑲修理以資鞏固用料多而用
夫少其料已由地方官辦貯工所例應河兵堡
夫通力合作間有不足每丈准募夫二名所用
無幾隨時可以雇覓自應仍令河員承辦又搶
修工程原無一定處所或此平彼險或上險下
平河溜呼吸變遷地方官有刑名錢穀之責不
能時時在工協辦如必會同估報設遇危險之
工往返躭延河員必致掣肘貽悞應令河員估
報督率河兵堡夫趕築倘貯工之料或有不敷
亦應仍令地方官購辦其所用民夫如爲數較
多應聽州縣酌派佐雜一員專住工所催督發

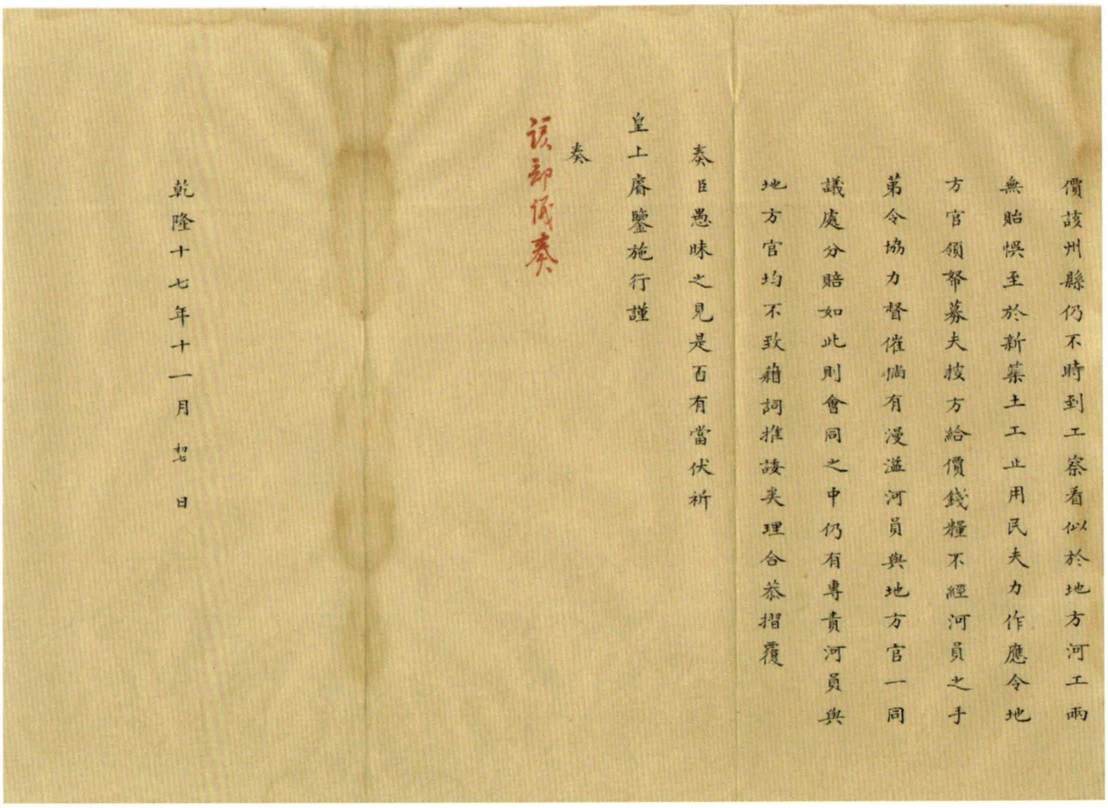

價該州縣仍不時到工察看似於地方河工兩
無貽悞至於新築土工止用民夫力作應令地
方官領帑募夫按方給價錢糧不經河員之手
第令協力督催倘有漫溢河員與地方官一同
議處分賠如此則會同之中仍有專責河員與
地方官均不致藉詞推諉矣理合恭摺覆
奏臣愚昧之見是否有當伏祈
皇上睿鑒施行謹
奏

該部議奏

乾隆十七年十一月廿七日

一八四

奏

臣高斌臣顧琮臣蔣炳謹

奏爲欽奉

上諭事乾隆十七年六月二十八日大學士公傅恒

大學士來保寄字奉

上諭前因蔣炳查看黄河堤工情形奏稱河底受淤向無疏濬之法惟有將兩岸堤壩加修高厚等語

朕批示此雖無法然兩堤益高束水墻上之策未有不償事者仍應悉心講求取直去灣俾自行汕刷之法爲庶幾耳究之蔣炳所奏原非目下有亟應辦理之河工不過因親勘河工爲此常談之論而朕之所批亦不過統論治河之道加高培厚不若取直去灣庶後此遇有應作工處俾知所遵守

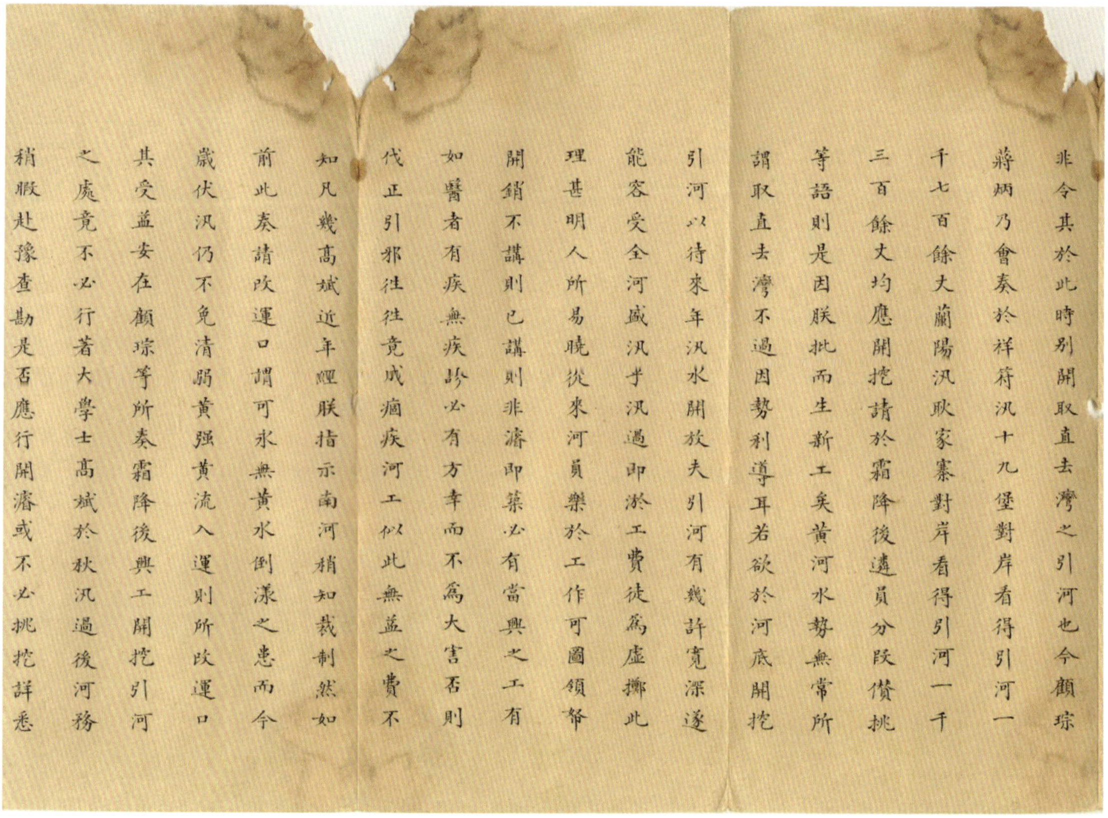

非令其於此時别開取直去灣之引河也今顧琮
蔣炳乃會奏於祥符汛十九堡對岸看得引河一
千七百餘丈蘭陽汛耿家寨對岸看得引河一千
三百餘丈均應開挖請於霜降後遴員分段債挑
等語則是因朕批而生新工矣黄河水勢無常所
謂取直去灣不過因勢利導耳若欲於河底開挖
引河以待來年汛水開放夫引河有幾許寬深遂
能容受全河盛汛乎汛過即淤工費徒爲虚擲此
理甚明人所易曉從來河員樂於工作可圖領帑
開銷不講則已講則非濬即築必有當興之工有
如醫者有疾無疾診必有方幸而不爲大害否則
伐正引邪往往竟成痼疾河工似此無益之費不
知凡幾高斌近年經朕指示南河稍知裁制然如
前此奏請改運口謂可永無黄水倒漾之患而今
歲伏汛仍不免清弱黄强黄流入運則所改運口
其受益安在顧琮等所奏霜降後興工開挖引河
之處竟不必行著大學士高斌於秋汛過後河務
稍暇赴豫查勘是否應行開濬或不必挑挖詳悉

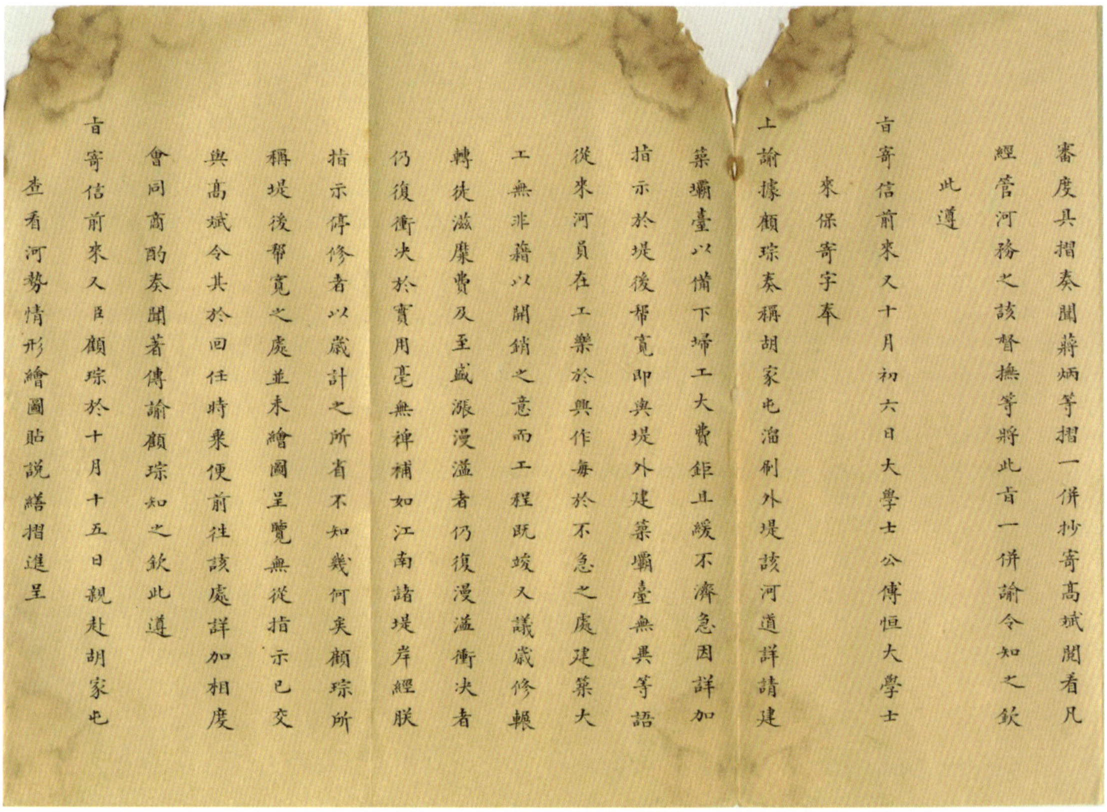

審度具摺奏聞蔣炳等摺一併抄寄高斌閱看凡
經管河務之該督撫等將此旨一併諭令知之欽
此遵
旨寄信前來又十月初六日大學士公傅恒大學士
來保寄字奉
上諭據顧琮奏稱胡家屯溜刷外堤該河道詳請建
築壩臺以備下埽工大費鉅且緩不濟急因詳加
指示於堤後帮寬即與堤外建築壩臺無異等語
從來河員在工樂於興作每於不急之處建築大
工無非藉以開銷之意而工程既竣又議歲修輾
轉徒滋糜費及至盛漲漫溢者仍復漫溢衝决者
仍復衝决於實用毫無裨補如江南諸堤岸經朕
指示停修者以歲計之所省不知幾何矣顧琮所
稱堤後帮寬之處並未繪圖呈覽無從指示已交
與高斌令其於回任時乘便前往該處詳加相度
會同商酌奏聞著傳諭顧琮知之欽此遵
旨寄信前來又臣顧琮於十月十五日親赴胡家屯
查看河勢情形繪圖貼説繕摺進呈

御覽於十月二十四日蒙
皇上面交臣高斌臣高斌欽遵
諭旨於十一月十六日至衛輝府會同臣顧琮臣蔣
炳前往各工公同查勘得南岸鄭州之胡家屯
向來河溜本分南北兩股於本年九月初旬北
流細弱生出灘嘴將大溜緊逼南趨汕刷堤根
於九月十三四等日將外堤刷去三十餘丈臣
顧琮據河道稟報即一面奏
聞一面馳赴胡家屯查看於十月十五日繪圖貼說
具
奏蒙
皇上將原圖交臣高斌奉
旨命往查看該處河勢先於十月下旬大溜又復漸
次北移將北岸生出之灘嘴刷去中流傍南間
斷生出嫩灘現在北流九分有餘其南流僅有
灘面微流漫溜不過一分已屬化險爲平目前
形勢可以無慮但時值冬月水落恐將來汛水
長發微流仍可引溜南趨今擬於西壩之前斜

築草土小壩三道將順堤河形隔截不使通流
則漸次自可淤閉再南岸大堤離河甚近伏秋
大汛不可不預爲防範今於大堤之南築魚鱗
堤一道以資重層保障自可鞏固無虞以上兩
處所需銀兩即於歲修項下報銷不必另
題動款所有胡家屯工段現在已經平穩並酌辦
緣由謹繪圖貼說同原圖一併恭呈
御覽至於北岸祥符之十九堡並蘭陽之耿家寨兩
處節年以來河流緊逼堤岸每需下埽搶護臣
顧琮臣蔣炳因擬於兩處對岸開挑引河仰蒙
聖訓引河有幾許寬深遂能容受全河盛汛汛過即
淤工費徒爲虛擲分晰
指示至聖至明臣等跪讀之下實爲心悅誠服現今
十九堡形勢於十月二十二日後漸次河溜南
徙約抵老灘在擬挑引河之北已成一河至十
一月初六日堤根舊河斷流淤出新灘化險爲
平臣顧琮會同臣蔣炳於十一月初八日繕摺
繪圖貼說恭

奏在案今臣高斌詳加相度該處要工河勢南徙
已經化險爲平實可慶幸因新淤灘地未能堅
實亦應於淤灘之上横築草土小壩四道以防
凌桃汛水之埽卸俟桃汛過後新灘堅老即可
鞏固無虞又蘭陽耿家寨工於霜降前後溜勢
頂衝臣蔣炳親赴該工搶護臣顧琮到工後又
偕下木牌挑溜於十月二十八日臣顧琮繕摺
繪圖貼説
奏明俟臣高斌到工商酌辦理今臣等查該工情
形雖屬險要但上游溜不上提已有漸次下随
之勢俟明年大汛再看或可望其平緩下移臣
等詳加酌議於頂衝大埽堤後加幫裏戧寬厚
以資鞏固遇汛水長發小心防護務保無虞俟
明年大汛後再相機辦理以上十九堡新灘增
築小壩耿工大堤加幫後戧所費錢糧均屬無
多俱可於歲修項下開銷無庸另請動款所有
該兩處現在河勢情形繪圖貼説一併恭呈
御覽臣等管窺愚見是否有當伏祈

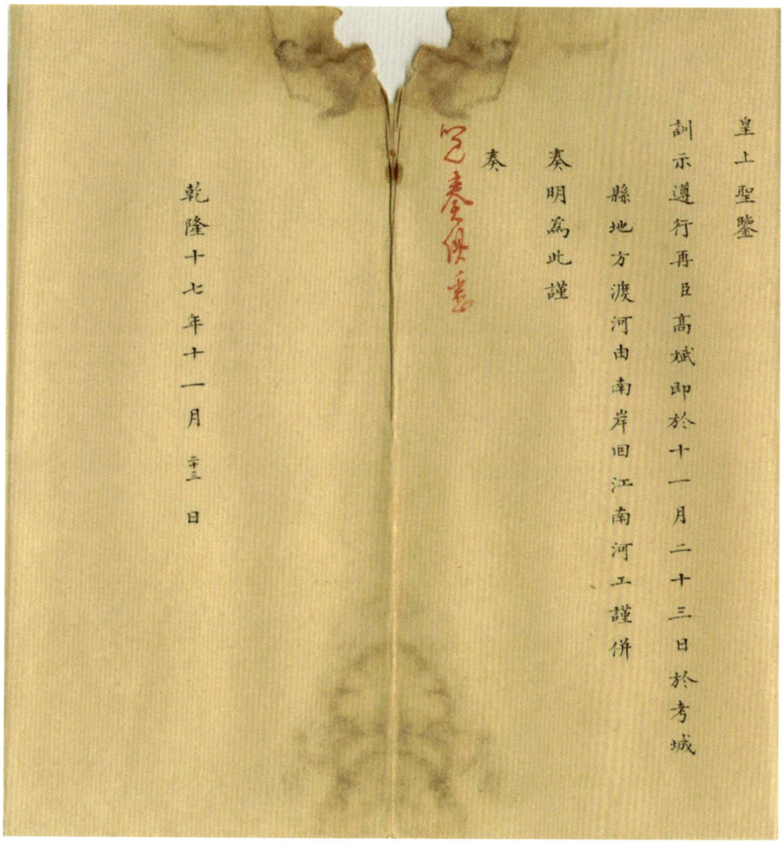

皇上聖鑒

訓示遵行再臣高斌即於十一月二十三日於考城縣地方渡河由南岸回江南河工謹併

奏明爲此謹

奏

已奏俟旨

乾隆十七年十一月_{二十三}日

一八五

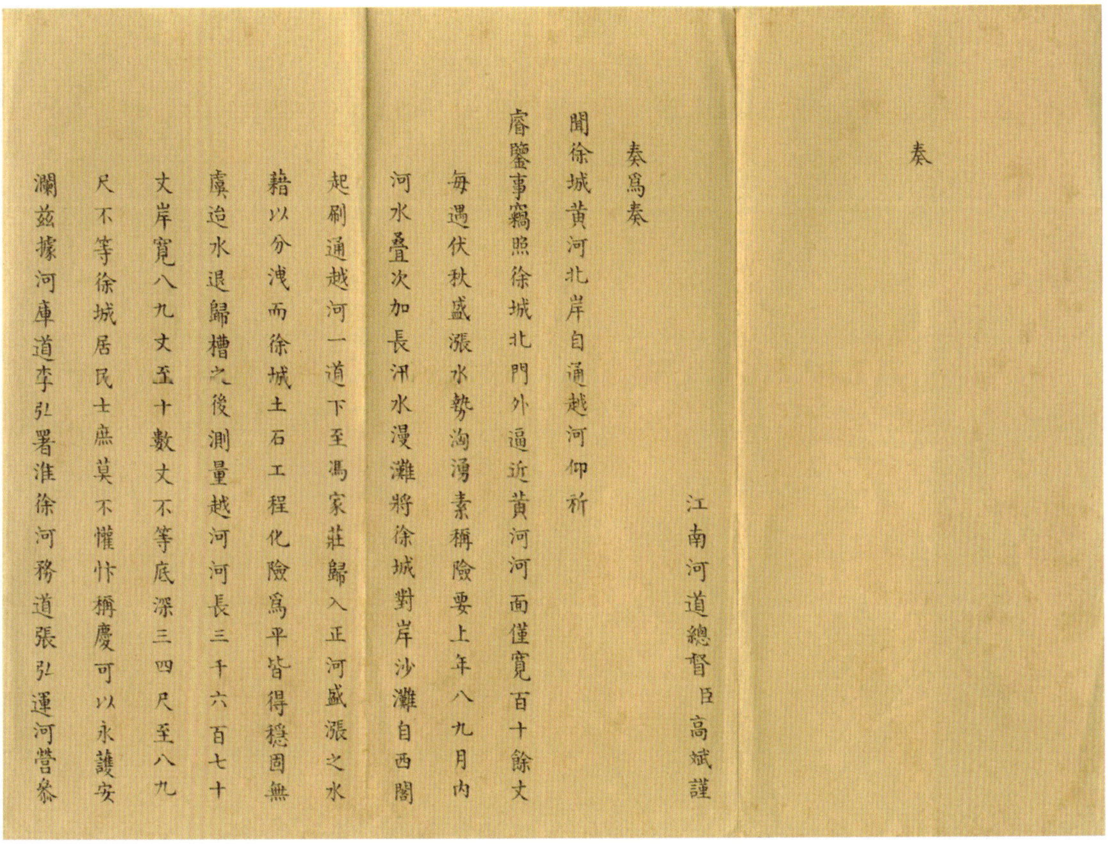

奏

江南河道總督臣高斌謹

奏爲奏

聞徐城黃河北岸自通越河仰祈

睿鑒事竊照徐城北門外逼近黃河河面僅寬百十餘丈每遇伏秋盛漲水勢洶湧素稱險要上年八九月内河水叠次加長汛水漫灘將徐城對岸沙灘自西閣起刷通越河一道下至馮家莊歸入正河盛漲之水藉以分洩而徐城土石工程化險爲平皆得穩固無虞迨水退歸槽之後測量越河河長三千六百七十丈岸寬八九丈至十數丈不等底深三四尺至八九尺不等徐城居民士庶莫不懽忭稱慶可以永護安瀾茲據河庫道李弘署淮徐河務道張弘運河營參

將朱一智遊擊張吉等查勘會詳前來臣查徐州北
門外逼臨黃河每值伏秋汛水長發修防實關緊要
仰賴
皇上聖德感孚今越河自行通流不勞人力化險爲平從
此盛漲分洩有賴工程鞏固無虞於河防大有裨益
臣不勝額慶之至謹繪圖貼說恭摺奏
聞伏乞
皇上聖鑒謹
奏
知道了
乾隆十八年正月 二十九 日

一八六

奏

河南巡撫降二級留任臣蔣炳謹

奏爲查明新淤沙壓地畝

奏請分別陞除課糧事竊照黃河之水挾沙而行一經漫溢則淤泥停積之處瘠土可爲膏腴而水冲沙壓之區沃土亦頻爲廢壞乾隆十六年豫省陽武縣十三堡堤工漫溢以致該縣之雁李等村有糧熟地或被沙壓或刷成坑又連界之原武縣白塔寺村有糧熟地亦被沙壓均難墾種而封邱縣史固付固二社有無糧官荒地畝水過之後淤泥停積即可播種有收若不詳加查察分別陞除課糧則隱佔賠累多滋弊端臣於上年到任後據各該縣詳報并民人呈控

行司委員會同該縣逐一確勘查大分别辦理
茲據布政使圖爾炳阿據印委各官公同勘報
分晰議詳前來臣覆加查核陽武縣雁李等村
水冲沙壓有糧熟地八十一頃零實係坑深沙
厚難以耕種計每年應完額糧銀共四百五兩
零原武縣白塔寺等村淤成飛沙有糧熟地八
十四頃零實係沙壓不堪耕種每年應完額糧
銀四百二十九兩零俱應仰懇
聖恩豁除糧額現飭造具冊結照例繕疏具
題其封邱縣之史固付固二社新淤好地内有户
民自首開墾荒地十一頃八十三畝零於查勘
之時即據首報應歸自首隱匿地畝案内即於
本年
題報陞科外其無糧古荒地三十六頃零所淤之
泥深淺不等現皆可以種植若聽該地民人認
糧管業即各藉邊界争控無已且係現成之業
與認墾荒地需用工本開闢者不同應請該爲
官莊召佃起租其所收租額酌照該縣糧額量

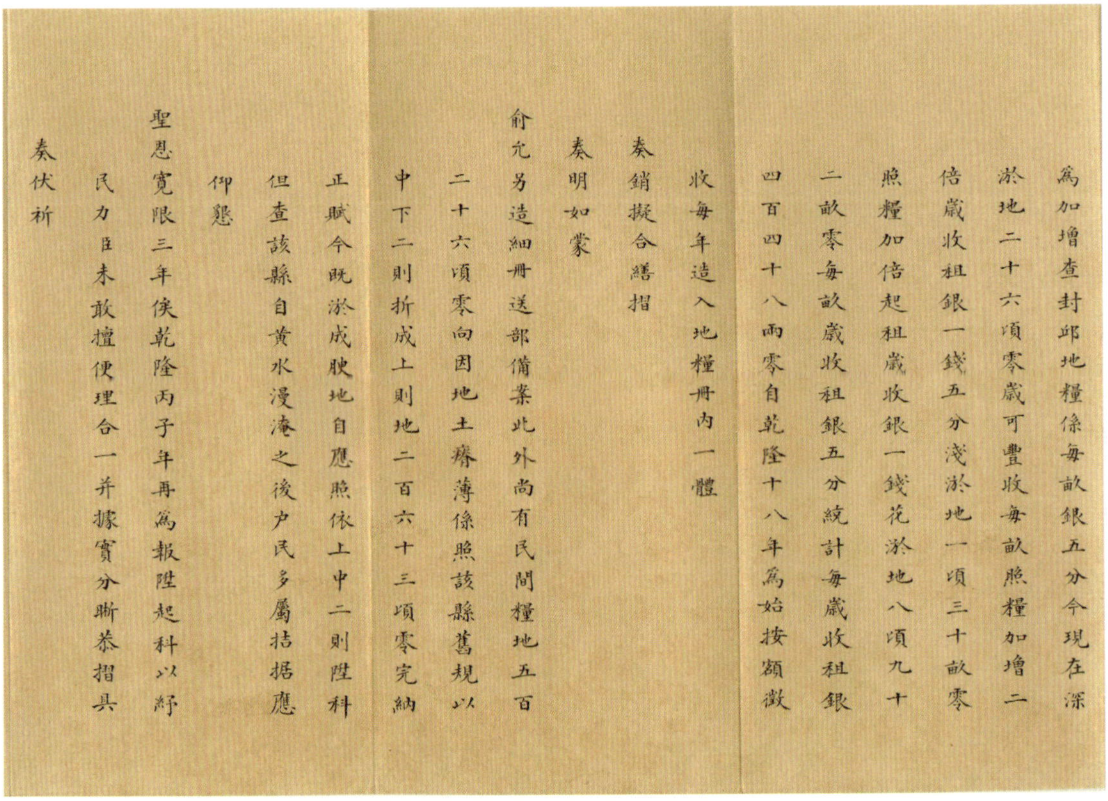
爲加增查封邱地糧係每畝銀五分今現在深
淤地二十六頃零歲可豐收每畝照糧加增二
倍歲收租銀一錢五分淺淤地一頃三十畝零
照糧加倍起租歲收銀一錢花淤地八頃九十
二畝零每畝歲收租銀五分統計每歲收租銀
四百四十八兩零自乾隆十八年爲始按額徵
收每年造入地糧冊内一體
奏銷擬合繕摺
奏明如蒙
俞允另造細冊送部備案此外尚有民間糧地五百
二十六頃零向因地土瘠薄係照該縣舊規以
中下二則折成上則地二百六十三頃零完納
正賦今既淤成腴地自應照依上中二則陞科
但查該縣自黄水漫淹之後户民多屬拮据應
仰懇
聖恩寬限三年俟乾隆丙子年再爲報陞起科以紓
民力臣未敢擅便理合一并據實分晰恭摺具
奏伏祈

皇上睿鑒

訓示遵行爲此謹

奏

該部議奏

乾隆十八年四月十二日

奏

江南河道總督臣高斌謹

奏為奏

聞事竊照本年江北淮徐等屬雨澤均調麥收豐稔情形

臣於五月十六日恭摺具

奏後嗣於五月二十三二十七六月初一初二初四等

日疊沛甘霖甚為廣遠霑足至初五日辰刻天氣晴

霽五月内小麥已收甚為豐稔秋禾並皆青葱秀發

米糧時價日漸平減民情懽慶再揚州府屬之泰州

興化淮安府屬之山陽清河桃源安東阜寧鹽城徐

州府屬之沛縣睢寧邳州宿遷海州屬之沭陽贛榆

等州縣因四月内甘霖未經霑足之際間有蝻子萌

生臣經節次行令河工道廳文武員弁併分委効力

人員協同各地方文武官弁加緊撲捕五月十七日
江蘇撫臣莊有恭過清江前往徐州沛縣一帶督捕
六月初三日回至清河縣即往安東及海州一帶督
捕安徽撫臣張師載於五月二十一日到靈璧縣孟
山湖一帶督捕兩淮鹽臣普福於五月二十三日到
阜寧一帶督捕狼鎮總兵永柱於五月二十四日到
阜寧一帶督捕再各督撫人各委道員分頭督捕此
次捕蝻並各勇往奮力且喜連得透雨之後蝻孽本
屬無多即可消除不致有礙田禾臣謹恭摺奏
聞仰慰
聖念再黃運湖河汛水大雨之後漸次加長外河老壩口
黃河水誌長至九尺九寸洪澤湖高堰水誌長至五
尺八寸山盱滚壩出水二尺七寸清口湖水暢行會
黃東注達海上下南北兩岸各處隄埽工程俱各加
意修守防護平穩合併
奏明伏乞
皇上聖鑒謹
奏

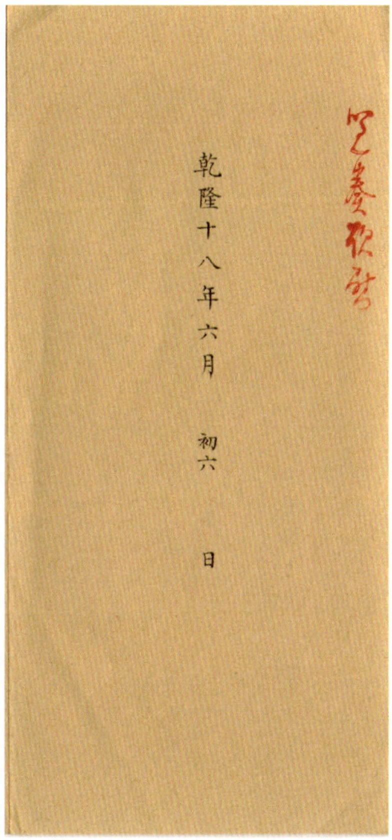

覽奏俱悉

乾隆十八年六月初六日

一八八

奏

河東河道總督臣顏琮謹

奏爲奏

聞事竊查重運過濟日期經臣會同巡漕臣朱若東

恭摺

奏明在案臣於尾帮過柳林閘封固之後隨赴豫

查防黃河工程臣查黃河每年水勢向係寧夏

府飛馳報知而下游預爲防範本年據寧夏府

報稱上游黃河於六月上旬兩次長水共八尺

等情比往年較大而豫省黃河各工長水四尺

三四寸不等轉與往年較小隨長隨消未至出

槽臣查黃河險要各工南岸鄭州汛胡家屯現

在溜分兩股北股遠堤約有六分南股約有四

分上年大學士河臣高斌撫臣蔣炳與臣會同
相商填築土埝三道挑逼溜勢不致溜走堤根
工程平穩北岸祥符縣汛十九堡廠門村王部
寨等工大學士河臣高斌撫臣蔣炳與臣亦於
上年會同指示於堤外建築支河土埝四道本
年春間臣查河時會同撫臣蔣炳相度機宜將
四道埝外簽下小木簰防護溜勢現今溜分兩
股北股約有七分南股距堤遠者約有三分十
九堡等工俱各平穩今撫臣蔣炳渡河至十九
堡與臣面商一切事宜意見相同既可保固工
程又可節省錢糧再北岸蘭陽縣汛耿家寨溜
走埽外亦於上年會同指示簽下埽個並簽木
簰挑溜開行現在工程穩固又東省黄河曹縣
汛和好堤工與南岸考城縣汛於灘相對河勢
坐灣工程緊要春間臣於埽壩之外簽下小木
簰挑開溜勢現在溜走中泓距堤甚遠工程穩
固時當伏汛而秋汛踵臨臣住宿適中之蘭陽
祥符二處工次上下策應相機督率修守務期

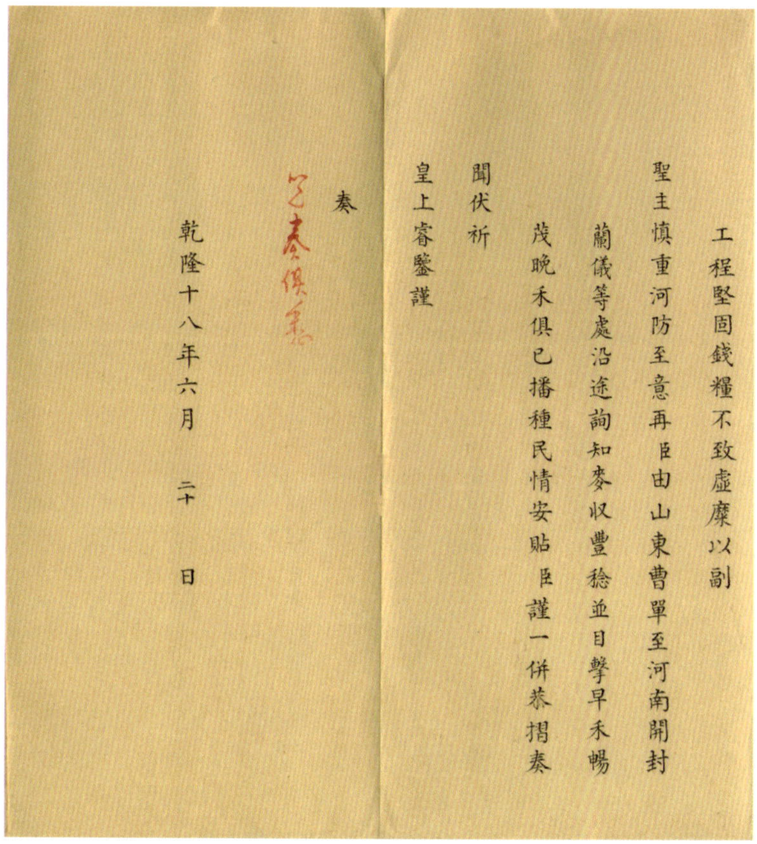

工程堅固錢糧不致虛糜以副
聖主慎重河防至意再臣由山東曹單至河南開封
蘭儀等處沿途詢知麥收豐稔並目擊早禾暢
茂晚禾俱已播種民情安貼臣謹一併恭摺奏
聞伏祈
皇上睿鑒謹
奏
另奏俱悉
乾隆十八年六月　二十　日

一八九

奏

臣顧琮
臣蔣炳 謹

奏爲奏

聞黄河水勢長發工程平穩事竊查本年黄河水勢
據上游寧夏府二次報稱長水共八尺下游豫
省黄河共長水四尺三四寸不等旋長旋消續
據寧夏府報稱上游復長水一尺五寸等情下
游黄河兼之六月二十三四等日連次大雨河
水共長五尺七八寸出槽漫灘於祥符汛北岸
陳橋一帶地勢最窪之處水勢先至堤根深二
三尺不等臣等嚴飭道廳營汛南北兩岸處處
加謹防護並委員弁分投上下協同廳汛凡有
水至堤根之處倍加小心巡防臣顧琮於春閒

赴豫時一切草土工程與撫臣蔣炳相商意見
相同共飭道廳營汛各員加意儹修以期事半
功倍臣顧琮此次至豫查看草土各工均各如
式詢知撫臣蔣炳不時預行督催工程俱得早
竣是以本年此番伏汛水長五尺七八寸雖大
於上年而兩岸工程加緊辦理先事預防雖水
勢出槽窪下之處驟至堤根只須加意防範不
致周章至堤外河灘高阜之處水勢未至堤根
臣等查南岸鄭州汛胡家屯溜分兩股河水雖
長工程平穩北岸祥符汛十九堡溜分兩股南
股遠堤約有三分北股約有七分溜勢上提河
形坐灣廠門村之上馬坊村堤外頂衝趕下埽
個防護平穩再蘭陽汛耿家寨大溜逼近埽壩
上年二壩外水深三四丈不等自紮下木簰挑
溜開行漸致受淤今水深五尺本年伏汛溜勢
下坐其第八埽與第九埽之下雞嘴鐵心壩大
溜衝刷埽工喫緊隨墊隨鑲今於八埽外紮下
木簰一架雞嘴壩外上下紮下木簰各一架挑

溜開行工程亦經平穩臣蔣炳不時往宿南岸
祥符汛黑堽調度策應今現在黑堽臣顧琮住
宿北岸蘭陽瓜家寨祥符十九堡二處上下策
應調度務期工程穩固仰副
聖主慎重河防至意今於六月二十七八九至七月
初二等日水勢漸次消落四尺四寸所有伏汛
黄河水長工程查辦平穩緣由臣等謹繪圖恭
摺具
奏伏祈
皇上睿鑒謹
奏
欣慰覽之
乾隆十八年七月　初二　日

一九〇

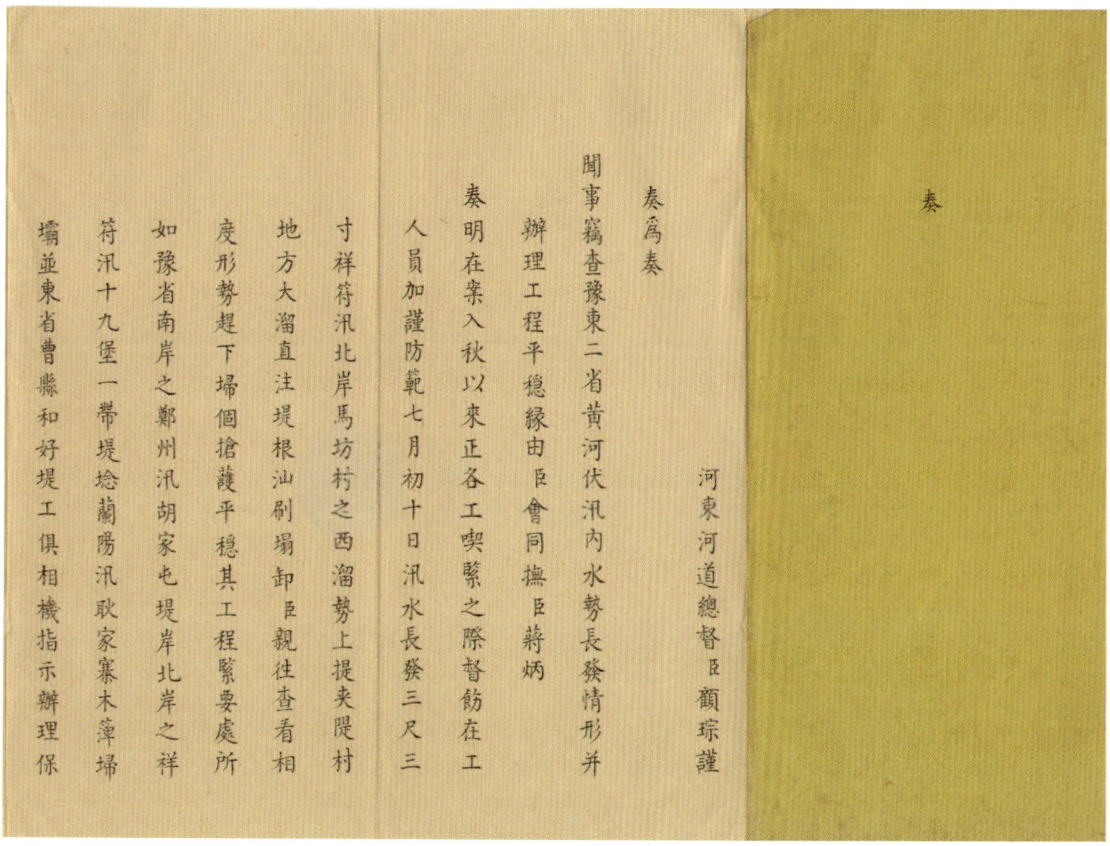
奏

河東河道總督臣顏琮謹

奏爲奏

聞事竊查豫東二省黄河伏汛内水勢長發情形并

辦理工程平穩緣由臣會同撫臣蔣炳

奏明在案入秋以來正各工喫緊之際督飭在工

人員加謹防範七月初十日汛水長發三尺三

寸祥符汛北岸馬坊村之西溜勢上提夾隄村

地方大溜直注堤根汕刷塌卸臣親往查看相

度形勢趕下埽個搶護平穩其工程緊要處所

如豫省南岸之鄭州汛胡家屯堤岸北岸之祥

符汛十九堡一帶堤埝蘭陽汛耿家寨木蓆埽

壩並東省曹縣和好堤工俱相機指示辦理保

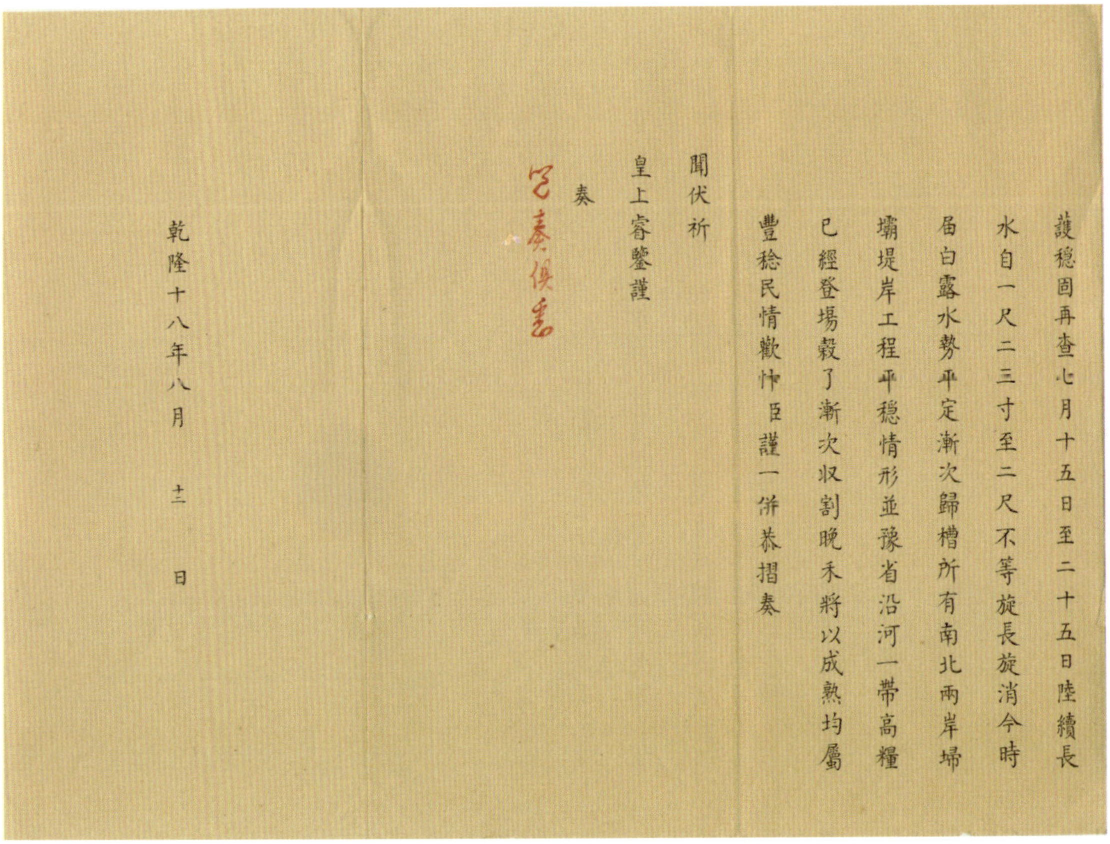

護穩固再查七月十五日至二十五日陸續長
水自一尺二三寸至二尺不等旋長旋消今時
屆白露水勢平定漸次歸槽所有南北兩岸埽
壩堤岸工程平穩情形並豫省沿河一帶高糧
已經登場穀了漸次收割晚禾將以成熟均屬
豐稔民情歡忭臣謹一併恭摺奏
聞伏祈
皇上睿鑒謹
奏
覽奏俱悉
乾隆十八年八月　十三　日

一九一

奏

臣舒赫德臣劉統勳臣策楞謹

奏爲奏

聞事竊照黃河北岸石林口以下孫家集河灘據該管廳營禀報近因黃水溢漲漫灘過多中泓已刷深一丈有餘急應相機辦理臣等隨委道營各員前往確勘兹據禀稱近處雖刷深丈餘遠處不過二三尺至四五尺不等此處漫灘寬至三百餘丈非可鑲埽堵閉惟有切灘挑渠引水以歸正河即可保無虞問之白鍾山高斌意見俱屬相同臣等已委員酌帶銀兩星夜前往辦理以期妥協理合奏

聞爲此謹

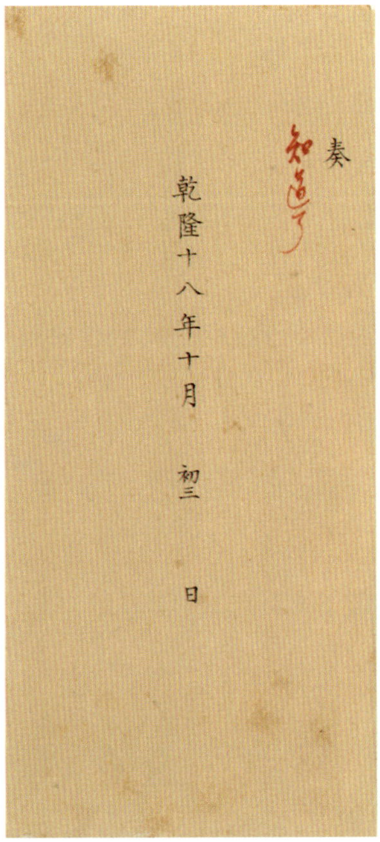
奏
知道了
乾隆十八年十月　初三　日

一九二

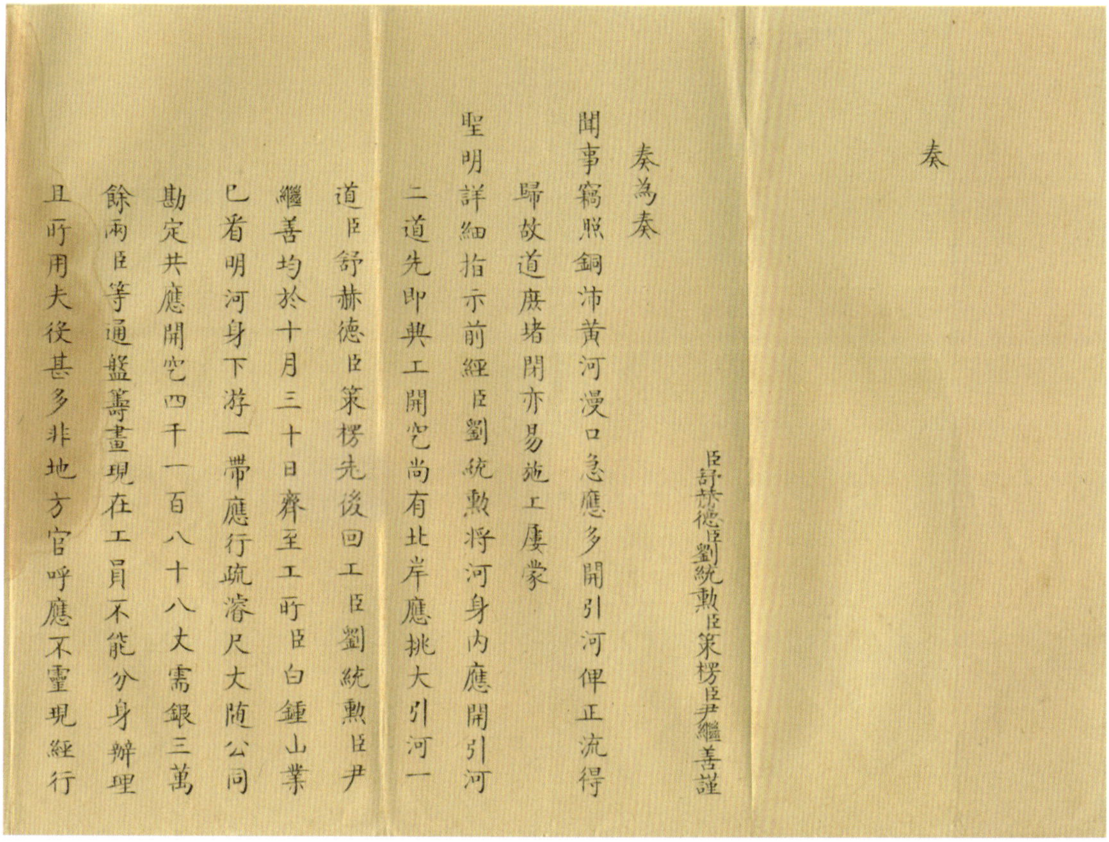

奏

臣舒赫德臣劉統勳臣策楞臣尹繼善謹

奏為奏

聞事竊照銅沛黃河漫口急應多開引河俾正流得

歸故道庶堵閉亦易施工廑蒙

聖明詳細指示前經臣劉統勳將河身內應開引河

二道先即興工開挖尚有北岸應挑大引河一

道臣舒赫德臣策楞先後回工臣劉統勳臣尹

繼善均於十月三十日齊至工所臣白鍾山業

已看明河身下游一帶應行疏濬尺丈隨公同

勘定共應開挖四千一百八十八丈需銀三萬

餘兩臣等通盤籌畫現在工員不能分身辦理

且所用夫役甚多非地方官呼應不靈現經行

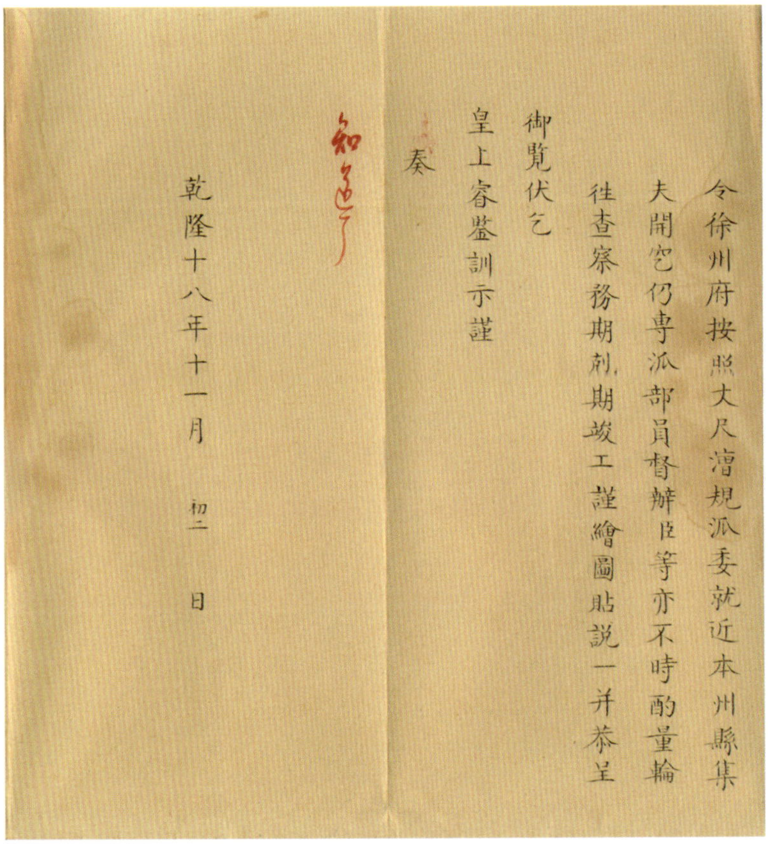

令徐州府按照大尺濬規派委就近本州縣集
夫開挖仍專派部員督辦臣等亦不時酌量輪
往查察務期剋期竣工謹繪圖貼説一并恭呈
御覽伏乞
皇上睿鑒訓示謹
奏

知道了

乾隆十八年十一月初二日

一九三

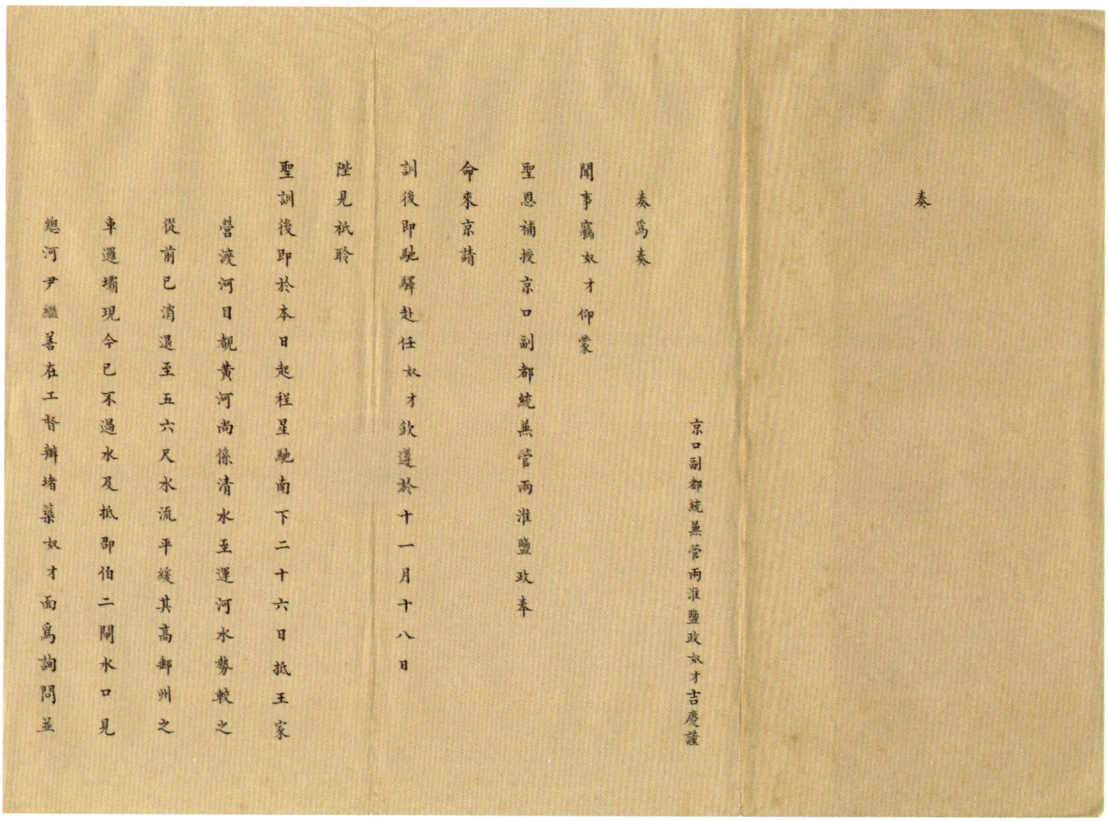

奏

京口副都統兼管兩淮鹽政奴才吉慶謹

奏爲奏

聞事竊奴才仰蒙

聖恩補授京口副都統兼管兩淮鹽政奉

命來京請

訓後即馳驛赴任奴才欽遵於十一月十八日

陛見祗聆

聖訓後即於本日起程星馳南下二十六日抵王家

營渡河目覩黃河尚係清水至運河水勢較之

從前已消退至五六尺水流平緩其高郵州之

車邏壩現今已不過水及抵邵伯二閘水口見

總河尹繼善在工督辦堵築奴才面爲詢問並

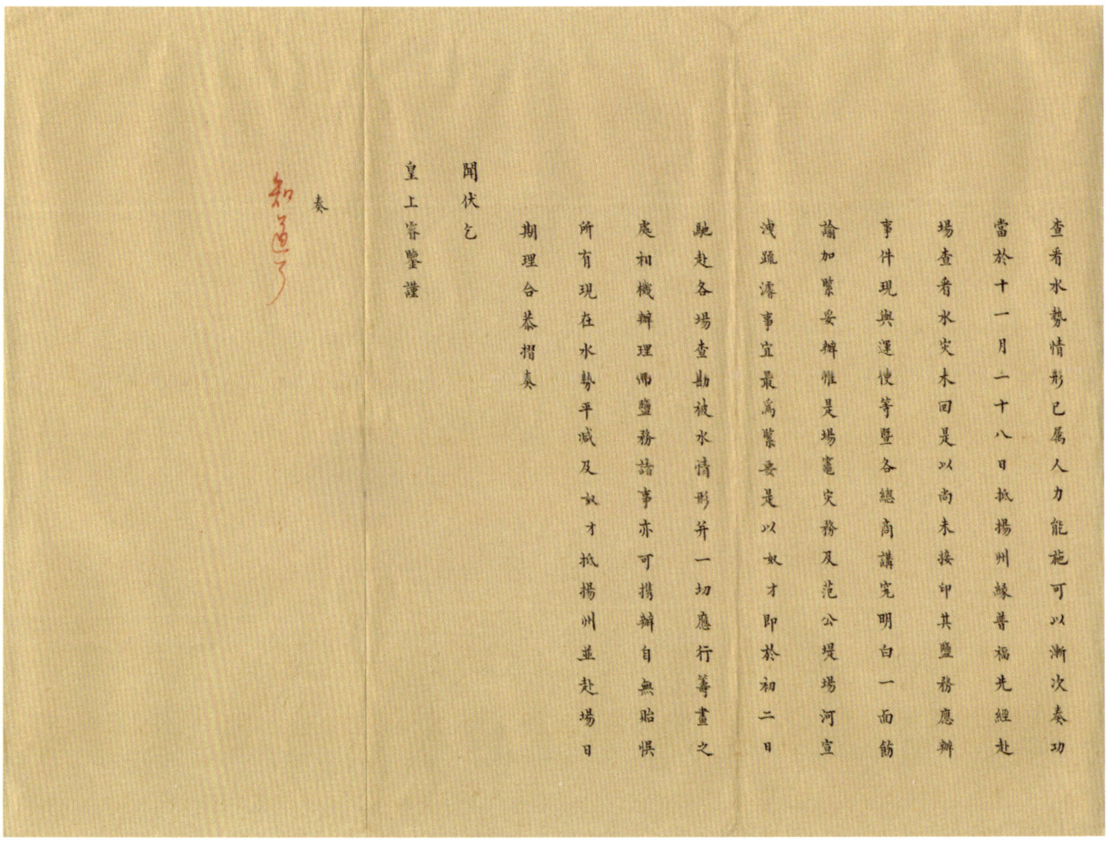

查看水勢情形已屬人力能施可以漸次奏功

當於十一月一十八日抵揚州緣普福先經赴

場查看水災未回是以尚未接印其鹽務應辦

事件現與運使等暨各總商講究明白一面飭

諭加緊妥辦惟是場竈災務及范公堤場河宣

洩疏濬事宜最爲緊要是以奴才即於初二日

馳赴各場查勘被水情形并一切應行籌畫之

處相機辦理而鹽務諸事亦可攜辦自無貽悞

所有現在水勢平減及奴才抵揚州並赴場日

期理合恭摺奏

聞伏乞

皇上睿鑒謹

奏

知道了

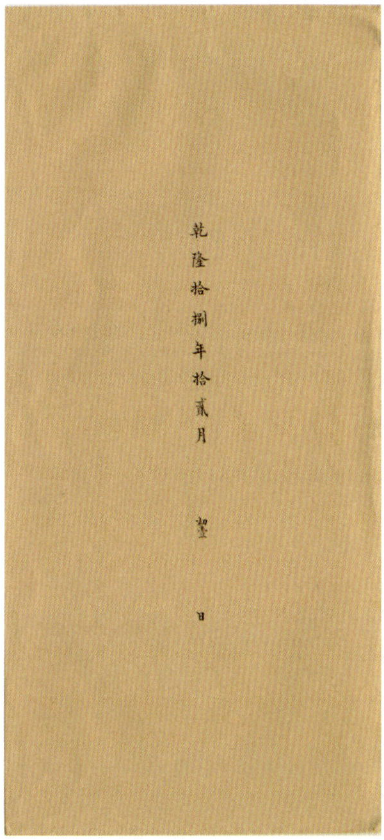
乾隆拾捌年拾貳月　望　日

一九四

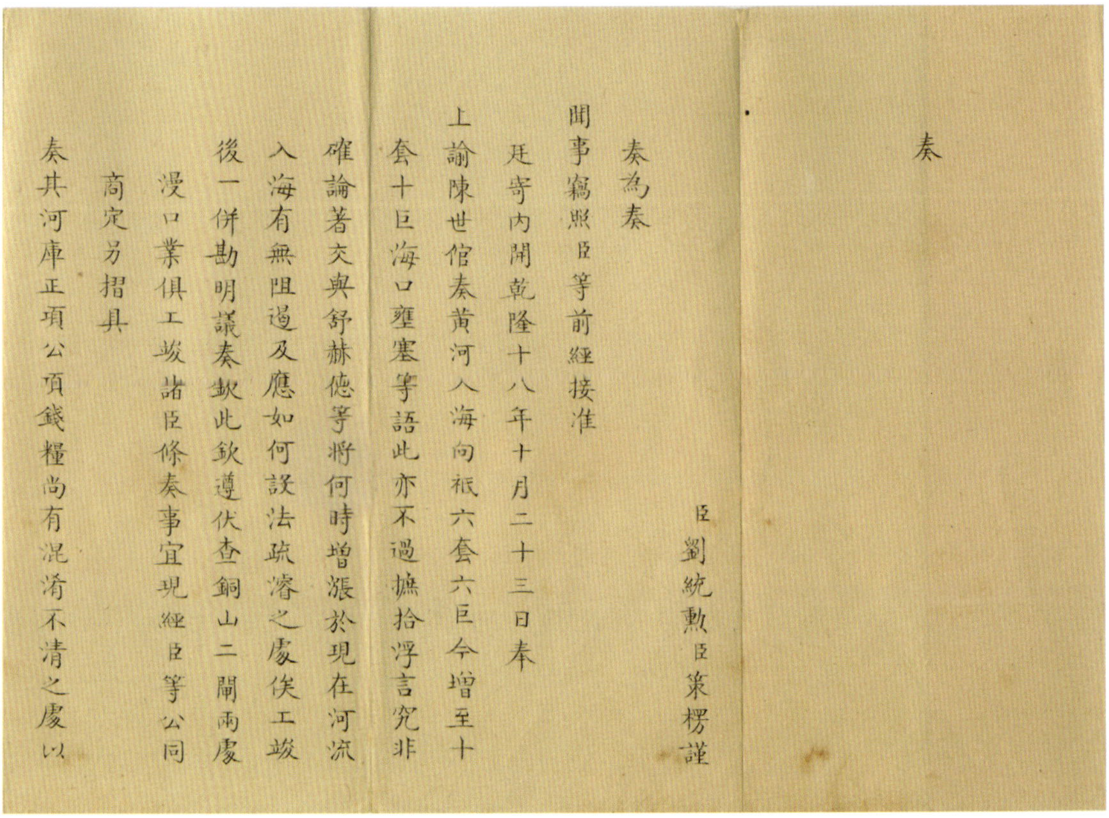
奏

臣劉統勳臣策楞謹

奏為奏

聞事竊照臣等前經接准

廷寄內開乾隆十八年十月二十三日奉

上諭陳世倌奏黃河入海向祇六套六巨今增至十套十巨海口壅塞等語此亦不過摭拾浮言究非確論著交舒赫德等將何時增漲於現在河流入海有無阻遏及應如何設法疏濬之處俟工竣後一併勘明議奏欽此欽遵伏查銅山二閘兩處漫口業俱工竣諸臣條奏事宜現經臣等公同

商定另摺具

奏其河庫正項公項錢糧尚有混淆不清之處以

及木龍吳城磚工等另案各件臣等亦俱查有
大槩惟是錢糧經手不一頭緒吏屬紛繁必得
核對原案按款清釐庶免舛錯而此種卷宗或
分貯院道各署或散存各廳現在河臣尹繼善
逐一查調尚需時日臣等謹遵
旨先往黃河入海處所勘明有無阻遏俟回抵清江
後再行會同確核分别辦理具奏所有臣等於
二十二日起程查勘臣夸緣由理合奏
聞伏乞
皇上睿鑒謹
奏

乾隆十八年十二月　二十一　日

一九五

奏

臣劉統勳臣裘曰修謹

奏為奏覆事竊臣等接准

廷寄欽奉

上諭陳世倌奏黃河入海向祗六套六巨今增至十
套十巨海口壅塞等語此亦不過摭拾浮言究非
確論著交與舒赫德等將何時增漲於現在河流
入海有無阻遏及應如何設法疏濬之處俟工竣
後一併勘明議奏欽此欽遵臣等於本月二十二
日起程自黃河南岸至八灘地方勘過十巨後
由水路直抵海口復從北岸查勘十套而回沿
途留心探量自清江以至八灘綿長三百餘里
河身水自丈餘至二丈六七尺不等面寬百餘

丈至二百丈共八灘以下至海口五十五里緣
河面自二百丈漸寬至三里許是以水勢散漫
下流口門內橫沙一道斜長約三十餘里潮來
則隱潮去則顯由南岸而觀似乎橫亘海門在
北岸審視則不過傍北岸生淤沙尾稍向東南
灣曲並非攔門而沙北有小港口兩道出水紓
緩其沙南大口門寬有四里餘水深六七尺不
等臣等目擊現在出水清形滿河水湊下流甚
為迅速其伏秋汛水暢注並無壅塞可知蓋黃
海交會之際河水遇潮停阻以致北面淤沙一
道現在南大口門出水深通無庸疏濬且駕舟
入海於潮落時將沙撈浚潮來之後勢必將沙
送回疏濬亦屬無益至原奏內稱向祗六套六
巨今增至十套十巨遍詢沿海兵民僉謂曾聞
昔年海口原在雲梯關地方因歷年海水漸退
河身兩岸生淤遂增長百餘里等語臣等伏查
巨套均在七曲港之上一巨一里十巨僅足十
里套則七八里或十里不等通共十套計八十

餘里不但十巨離海口甚遠河流通塞與增巨
無涉即十套之下河身數十里分流入海並無
阻遏原奏內稱增至十套十巨以致淤塞之說
誠有如
聖明所謂摭拾浮言具為傳聞之誤無疑臣等謹據
實覆
奏一並繪圖貼說恭呈
御覽伏乞
皇上睿鑒謹
奏

知道了

乾隆十八年十二月 三十 日

一九六

奏

臣劉統勳策楞嵇璜德爾敏尹繼善富勒赫謹

奏爲欽奉

上諭事乾隆十八年十二月

廷寄欽奉

諭旨混江龍鉄掃幕之法均不妨試一行之其適用與否不過一二日即可立見如不可行亦可釋群疑而息異論矣欽此臣等伏查河工只有混江龍鉄篦子二種隨又仿照舊式製造鉄掃幕一具先令副將朱一智等在黄河内試驗數日據稱踹濬之日畧去浮沙過後仍淤無甚效驗臣等復親至河邊公同驗看將三種器具繫於船尾在河内往来多時用竿試探較前畧深寸許但

此係挨近河邊船用多人挽拽方能行動若在
中泓大溜不但人力難施即乘順風而去亦不
能往而復返且黄河两岸相去甚廣即多備船
隻多設器具而旋跣旋淤亦不能望其深通是
混江龍等項用於支河小港尚易見功用之於
黄河徒費人工不能實有裨益所有臣等公同
試驗情形理合據實覆奏并將混江龍等項繪
圖貼説恭呈
御覽謹
奏

是見其言無實濟無裨不識彼執書以説者
獨以爲可行也

乾隆十九年正月　初十　日

一九七

奏

臣尹繼善臣富勒赫臣白鍾山謹

奏為詳籌黃河善後事宜恭請
聖訓事竊照黃運兩河各廳本年歲搶埽土工程經
欽差臣德爾敏同臣富勒赫勘明估計繕摺恭奏並
聲明銅山新工已竣所有一切善後事宜臣等
會同詳細妥議具奏請
旨奉
硃批已有旨了欽此臣等悉心商酌黃河善後之策
莫要於疏浚中泓蓋黃河之水裹沙而行非極
湍急即致浮沙停滯一有停滯即漸淤成灘灘
在南則水射北而北岸受險灘在北則水趨南
而南岸受險從前

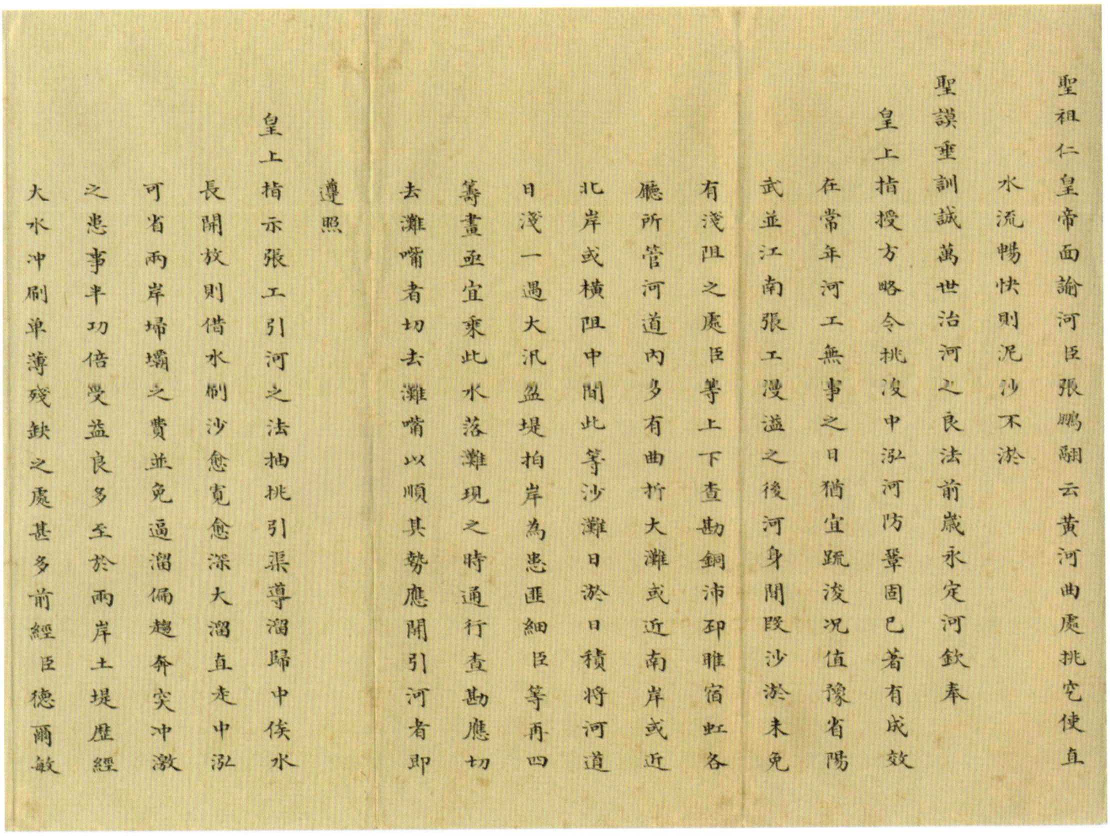

聖祖仁皇帝面諭河臣張鵬翮云黃河曲處挑寛使直
水流暢快則泥沙不淤
聖謨重訓誠萬世治河之良法前歲永定河欽奉
皇上指授方略令挑浚中泓河防鞏固已著有成效
在常年河工無事之日猶宜疏浚況值豫省陽
武並江南張工漫溢之後河身間段沙淤未免
有淺阻之處臣等上下查勘銅沛邳睢宿虹各
廳所管河道内多有曲折大灘或近南岸或近
北岸或横阻中間此等沙灘日淤日積將河道
日淺一遇大汛盈堤拍岸為患匪細臣等再四
籌畫亟宜乘此水落灘現之時通行查勘應切
去灘嘴者切去灘嘴以順其勢應開引河者即
遵照
皇上指示張工引河之法抽挑引渠導溜歸中俾水
長開放則借水刷沙愈寛愈深大溜直走中泓
可省兩岸埽壩之費並免逼溜偏趨奔突冲激
之患事半功倍受益良多至於兩岸土堤歷經
大水冲刷单薄殘缺之處甚多前經臣德爾敏

覓富勒赫等奏請脩補加高培厚者原指歲脩
而言兵最關險要之處原經奏明尚須籌計善
後酌量加培但黄河兩岸工段綿長若不分緩
急同時並舉則所需錢粮過多今據各廳營估
報前來臣等恐其所估未實現在臣尹繼善臣
白鍾山率同諳練工員過歷各工悉心相度丈
勘確估内有々甚險要尚足資捍禦者槪行從
緩統於每年加高子寸叢内酌量辦理其有縷
堤月堤實關險要而現在堤身单薄不甚足恃
者必須及時脩理以孫恭虞以上各工臣等約
略計算大約所需錢粮不韦十餘萬兩俟勘明
核實一面確𠪨造冊具題一面於大工餘剩銀
内動撥興工如有應閒别河者臣等繪圖貼說
另行請
旨庶河防穩固而帑費不接之時可以寓賑於工准
徐災黎沾沐
皇恩永無紀極矣為此繕摺恭奏伏乞
皇上睿鑒訓示遵行謹奏祗王挑河藥戧事宜臣等

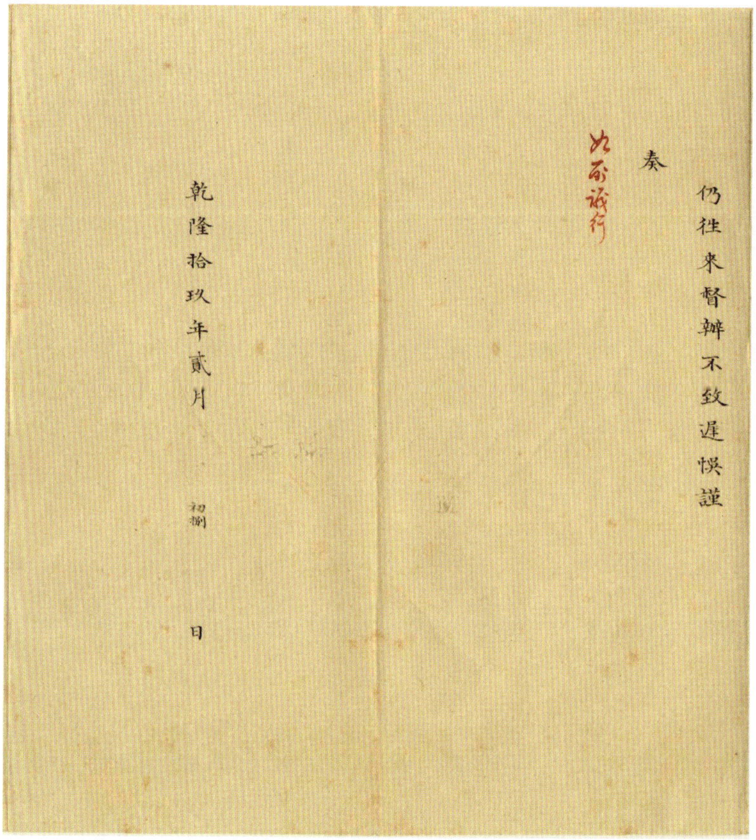

仍往來督辦不致遲悞謹

奏

如所議行

乾隆拾玖年貳月初捌日

一九八

奏

臣劉統勳臣策楞謹

奏為清查河東兩省黃河工料事竊照臣等前在
濟寧將運河道庫貯錢糧並各廳新舊工料分
晰確查具摺奏
聞在案隨由濟寧順查兗沂曹道所屬山東境內曹
單曹儀兩廳共十八年歲搶修工程共估銀一
萬四千三百三十餘兩已壓桃伏秋三汛保固
平穩十九年兩廳共領歲搶修銀一萬七千一
百四十兩零除料已到工餘銀亦皆驗足據新
任道員穊崇阿呈稱河撫兩院諭令盤查積料
曹儀廳折耗稭草銀一千一百八十三兩零曹
單廳折耗稭草銀一千七十三兩零繳有價銀

現存該道處所等語臣等復加盤查驗兑數目
俱各相符兗沂道所發錢糧即在運河道庫支
領該道並無庫貯兩廳亦無核減應追之項臣
等隨由曹州地方前赴豫省查勘開歸河北二
道暨所屬各廳開歸道管轄上南河下南河儀
考商虞四廳該道張埜祥實存庫銀一萬七千
一百九十兩零又收到四廳賠補折耗稭草銀
一萬二千四百一十一兩零河北道管轄黄沁
上北河下北河曹儀四廳該道胡振組實存庫
銀二萬五千七百三兩零又收到四廳賠補折
耗稭草核減銀二千三百六十八兩零臣等會
同河臣撫臣赴庫盤查現在數目俱各相符十
八年歲搶修工程開歸道四廳共估銀五萬九
千四百二十六兩零河北道四廳共估銀六萬
九千七百五十兩零均經河撫二臣核實與商
卯五堡搶險所用工料現在造册具題其十九
年歲搶修項下開歸道共發銀六萬五千三十
三兩零河北道共發銀六萬七千五百二十五

兩零現在分投購料計日償工臣等復將道廳案卷細加檢查其歲修搶修工程内俱無未完積欠惟十六年陽武漫工銷六賠四一案在道府廳營員弁胡振組等名名下照例分爲四年按數追繳令歲六月始届初限十八年陽武漫工應賠銀兩未准部覆尚未分限著追廳員張學浩名下有應繳還核減銀一百五兩已據該道追繳收貯此外亦無分賠著賠款項再臣等體察折耗稭草緣由歷年以來收料官員不能預爲籌計以致堆貯日久漸成腐爛前此查過追繳之後又據河臣撫臣責令工員將所存三成四成稭料緊行補换新稭嗣後工員畏惧賠累堆貯舊料之弊自可杜絶惟購草一項體質柔脆積貯隄邊數月之後即多浥爛既不堪用以鑲工又難以責令賠補臣等與河撫二臣商酌此項草束嗣後令其隨時購用不得作爲庫貯展轉流交以滋虧折所有臣等清查河東河道總督所轄兖沂開歸河北三道暨所屬各廳

除賠還折耗稭草一項俱已實貯在庫外並無
虧空欠項緣由謹繕摺具
奏伏祈
聖鑒 臣等清查河東河務事竣於二月十七日由懷
慶府之武陟縣北上查勘直隸河務合併聲明
謹
奏
知道了
乾隆十九年二月　十六　日

一九九

奏

臣尹繼善臣富勒赫臣白鍾山謹

奏為奏明事竊照河工定例修過歲搶工程俱應
截至霜降後水落工平不復興修之時始行題
估去年因
欽差清查各廳錢糧前河臣高斌隨將修過工程料
物銀數截至七月底結數題估其八九十等月
做過歲搶工程未及核算再張家馬路大工合
龍之前
欽差臣舒赫德等恐水復故道銅山迤下埽壩各工
受險難資捍禦因預飭各廳營將險要處所速
為修整是以十一月內亦有修做工程經
欽差臣德爾敏同臣富勒赫於勘估歲搶修工程之

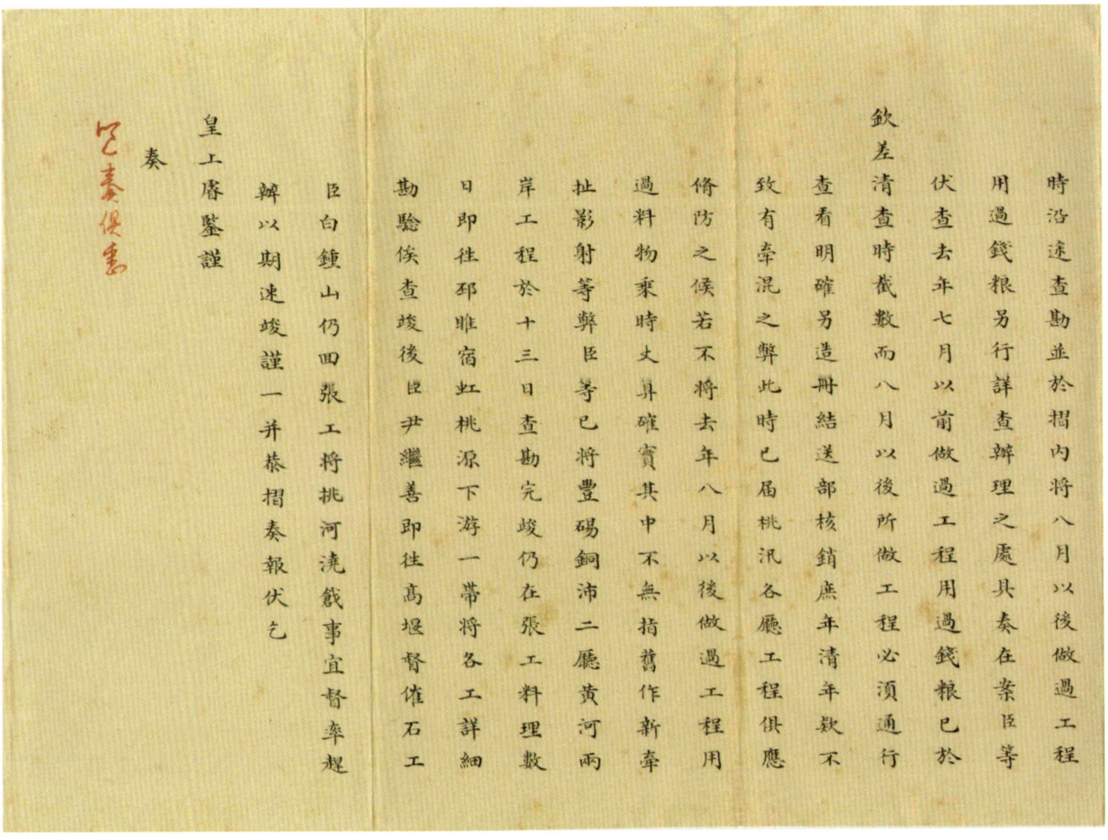

時沿途查勘並於摺內將八月以後做過工程
用過錢糧另行詳查辦理之處具奏在案臣等
伏查去年七月以前做過工程用過錢糧已於
欽差清查時截數而八月以後所做工程必須通行
查看明確另造册結送部核銷庶年清年款不
致有牽混之弊此時已屆桃汛各廳工程供應
脩防之候若不將去年八月以後做過工程用
過料物乘時丈量確實其中不無指舊作新牽
扯影射等弊臣等已將豐碭銅沛二廳黄河兩
岸工程於十三日查勘完竣仍在張工料理數
日即往邳睢宿虹桃源下游一帶將各工詳細
勘驗俟查竣後臣尹繼善即往高堰督催石工
臣白鍾山仍回張工將挑河澆戧事宜督率趕
辦以期速竣謹一并恭摺奏報伏乞
皇上睿鑒謹
奏

覽奏俱悉

乾隆拾玖年貳月 拾柒 日

二〇〇

奏

河東河道總督奴才白鍾山謹

奏為奏

聞事竊奴才於四月十五日自濟寧起程先赴豫東
黄河北岸查勘各廳工程水勢稽察料物錢糧
現今水勢隨長隨消一切土埽各工俱各平穏
其先經
欽差會勘
奏請急修之工奴才逐處督催文武員弁上緊儧
做務於伏汛前一律堅實完固以資捍禦其餘
次緩之工隨時相機修守不容揑混糜費所有
各廳本年預備料物已到工者逐垛丈量稱驗
覆核確實其未到工者勒限儧運全數貯工濟

用再灘内支河及堤身獾洞鼠穴均係河工隱
患奴才前在河東任内節經
奏請堵閉支河設立議叙議處之條填墊洞穴改
設獾兵懸賞之例俱蒙
恩准遵行在案今沿堤查看支河有未堵者飭令該
管廳備速行堵塞俾溜勢全歸正河不使分流
旁洩淤墊河身其洞穴未填補者飭令獾兵搜
捕填墊不留遺隙以固堤工所有奴才現在黃
河北岸查看辦理情形謹據實奏
聞容俟南岸查辦事竣再行具
奏伏乞
皇上睿鑒謹
奏
覽奏俱悉

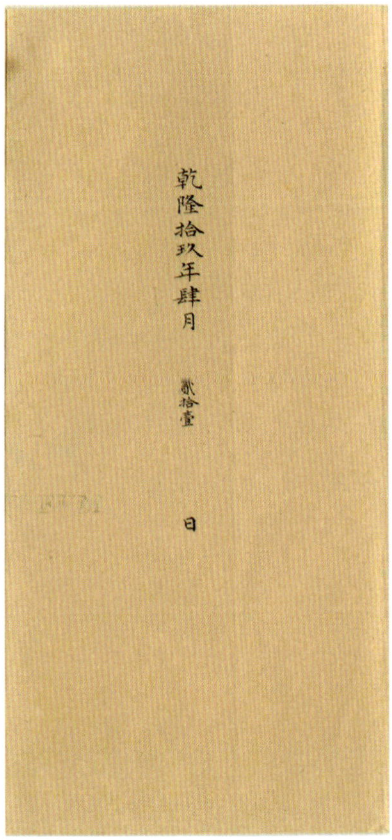

乾隆拾玖年肆月貳拾壹日

二〇一

奏

河東河道總督暫署山東巡撫事務奴才白鍾山謹

奏爲奏

聞事竊奴才前在黄河北岸查看水勢情形及辦理

工程事宜當經繕摺恭

奏在案奴才復由南岸一路察勘上下各廳土埽

各工相度形勢凡係必應急修預防者俱逐一

指示道廳營汛上緊憤修堅實以禦大汛如河

内新長淤灘逼溜偏趨有碍對岸之處或挑切

灘嘴以順其勢或挑挖引渠以導其流務使溜

走中泓不致侵堤嚙岸間有大堤離河尚遠不

應修做之工而該廳預爲請帑混修者奴才飛

飭停工追帑貯庫以杜糜費之端其應修之工

修築無幾而不如式者立即撤工追帑另委誠
實之員接辦所有已領銀兩勒限嚴追如數全
繳倘稍有逾限不完立即恭革治罪斷不敢稍
為姑息致滋獘竇總期帑不虛糜工歸實效以
仰副我
皇上慎重河防之至意茲奴才復蒙
聖恩暫署東撫印務於四月二十七日工次接印後
一切地方應行事件即攜帶書吏文卷沿途查
辦不敢稍有遲悞奴才現由黃河南岸查遍各
工即赴濟南省城辦理秋審各案率同司道等
詳慎分別定擬恭疏具
題至登州總兵李繩武奉
旨調補甘肅河州鎮新任總兵楊賛尚未到任今據
李繩武咨請委署前來奴才因海疆要地不便
一日乏員鎮守即照例劄委文登營副將札爾
杭阿就近暫行護理謹一併恭摺奏
聞伏乞
皇上聖鑒謹

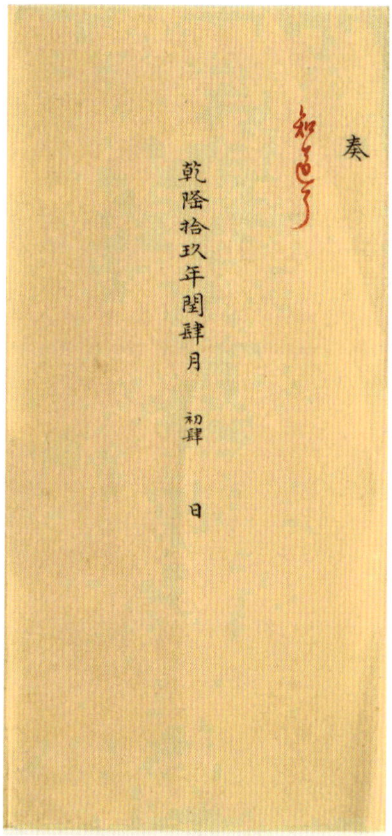
奏

知道了

乾隆拾玖年閏肆月初肆日

奏

河東河道總督臣白鍾山
河南巡撫臣蔣炳 謹

奏為奏
聞事竊照祥符黃河北岸十九堡西南上首坐灣水
勢北趨於十八年大河全勢側注北岸平家寨
以下處處受險經前河臣顧琮
題請搶築埽垻以萬抵禦今年春間該垻上首南
邊又長出淤灘一段挺立河心愈覺逼溜偏趨
北射沖激平家寨一帶埽垻工程不時蟄陷搶
護加廂殆無虛日臣白鍾山到任後查勘黃河
兩岸目擊該工情形甚險要深為焦慮細心
籌畫惟仰遵
皇上取直去灣之

聖訓將此逼溜之灘挑切順勢該壩庶免迎溜頂沖
隨即諭令該廳營汛酌調現有之兵堡等夫用
力挑切取直以避其險無須另估錢糧臣白鍾
山住宿蘭陽工次督催辦理臣蔣炳亦往來查
催於七月初四初九等日連次大風驟雨黃河
水勢陡長該工現在挑切之南灘忽闢引河一
道該道廳營等咸不勝歡欣飛報到臣臣白鍾
山星即親詣細加測量引河約長七百七十餘
丈河頭寬一百五十餘丈深七八尺不等河尾
寬一百一十餘丈深六七尺不等河身中間寬
五六七八十丈不等深一丈一二尺至一丈五
六尺不等引河儼似天開平家寨以西隨新長
淤灘蓋護頭二三壩工已平穩第引河頭有膠
泥一段擱過水勢不能暢注入引引河尾出水
之處與大河水勢兩相頂阻以致河身甚深河
之頭尾少淺恐其難望成河臣白鍾山與臣蔣
炳相度形勢熟籌細商必得將河頭過水之膠
泥挑空深通庶溜勢暢注歸引並將河尾逼溜

北趨之南灘挑切取直順勢毫無阻遏使大河
引河之水併力趨中則四五兩垻俱不受迎溜
頂冲之險該處埽垻工程可望化險為平臣等
悉心商酌意見相同現在仍撥兵夫上緊挑切
但臣等知識愚昧如斯辦理是否有當謹繪圖
貼說恭摺會
奏伏祈
皇上睿鑒訓示遵行謹
奏

甚爲可喜知道了

乾隆拾玖年柒月　貳拾貳　日

二〇三

奏

河東河道總督奴才白鍾山謹

奏為恭報霜降已過黃河水勢安瀾工程平穩情

形仰慰

聖懷事竊照豫東兩省黃河水勢工程節經奴才恭

摺

奏報在案今查黃河自六月二十日立秋以來水

勢節次長發沁河水勢亦陸續增長奴才親駐

堤工上下往來查勘南北兩岸凡有埽壩工程

險要之處隨即督率廳營汛弁上緊搶護幸人

夫齊集料物預為調撥備貯可以應手仰賴

皇上福庇

河神默佑所有兩岸上下工程俱各保護平穩至

祥符北岸十九堡天成引河以歷年至險之工

化為安流順帆此尤仰見

皇上聖誠感孚所致再運河今年水勢甚大幸在糧

船過完之後今已歸漕糧船回空過濟者已有

二千五百二十二隻奴才飛檄沿途官弁嚴催

北來空船迅駛過境早抵水次受兌新糧其泇

河汛內微山湖土石工程與捕河汛內五空橋

地方添建淺水閘座現在督催運料次第興工

謹將霜降已過秋汛內黃運兩河水平工穩及

回空糧船遄行南下情形恭摺奏

聞仰慰

聖懷伏祈

皇上睿鑒謹

奏

欣慰覽之

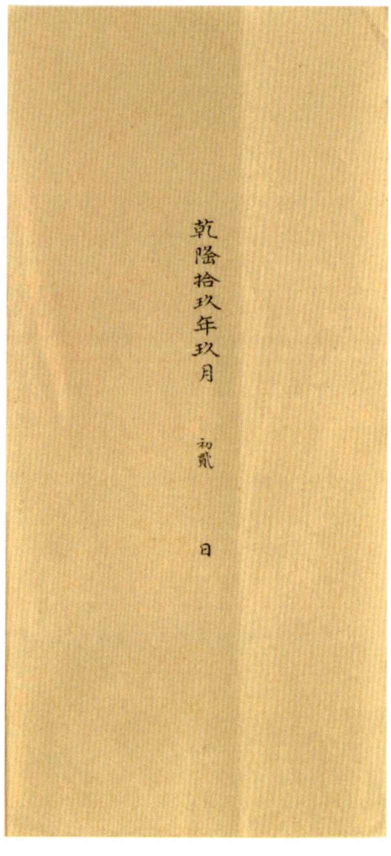

乾隆拾玖年玖月　初貳　日

奏

河東河道總督臣白鍾山謹

奏為請

旨事竊照東省河庫錢糧向係山東管河道專管其
黃運兩河工程亦係管河道一人兼理乾隆五
年間臣因該道南北交馳東西兼顧分身無術
隨與陞任山東撫臣碩色會商

奏請將管河道改為通省運河道專管運河兗沂
曹道改為分巡兗沂曹三府專管黃河一切修
防事宜經部覆准奉

旨依議欽遵在案嗣臣奉

命調任南河遂離河東之任今蒙

聖恩復任河東查勘黃運兩河工程該道等各管各

河事有專責已俱妥協惟黄河道因河庫錢糧
係運河道經管所屬各廳應支歲搶傜夫錢糧
及有核減節省解繳等項則惟運河道逐日登
記册檔爲憑運河道又因黄河工程係黄河道
經管不便隔屬越查近因臣到任盤查一切錢
糧兩道互相關查輾轉遲延經臣批令會同查
核造册具報現在徹底清釐臣查從前河南管
河河北二道亦因錢糧支放核銷兩道牽扯不
清每每不便臣於乾隆元年具
奏經部覆准南北兩岸工程錢糧照南河淮揚淮
徐二道之例令管河河北二道分管分辦奉
旨依議欽此歷年遵行在案今黄河運河二道事同
一轍應請嗣後於東省州縣額解河銀内就近
酌撥銀一萬五千兩並應解傜夫銀兩徑解交
黄河道收貯遇有黄河各廳應領工程錢糧即
便就近支發如有餘剩存作下年之用設或不
敷詳明再撥其核減及節省等銀亦聽黄河道
查明催提解繳年底按一年所出所入之數造

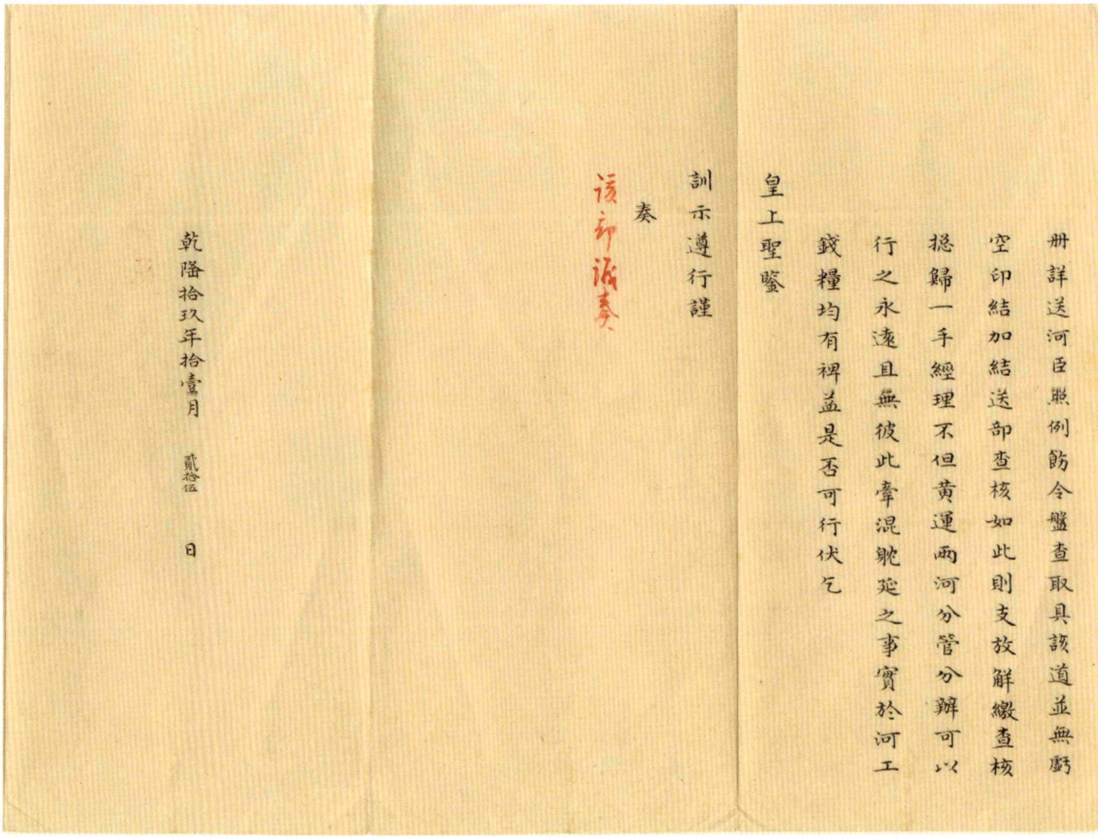

冊詳送河臣照例飭令盤查取具該道並無虧
空印結加結送部查核如此則支放解繳查核
總歸一手經理不但黃運兩河分管分辦可以
行之永遠且無彼此牽混駝延之事實於河工
錢糧均有裨益是否可行伏乞
皇上聖鑒
訓示遵行謹
奏
該部議奏
乾隆拾玖年拾壹月 貳拾伍 日

二〇五

奏

河東河道總督臣白鍾山謹

奏為奏

聞事竊照黄河凌汛内每有氷凌層叠漂淌東撞西擊勢若排山臨河堤埽工程少不防護周密即被撞損來歲修補即多費帑料臣預飭廳營汛弁於緊要埽壩處所俱密釘排樁或掛板片柳枝擋護氷凌撞擊誠恐陽奉陰違復差委標弁逐一查看今據各廳呈報臨河埽壩俱密釘樁板加意防護平穩前來臣查立春在即東風解凍恐上游氷凌順流而下仍有冲擊之虞除又嚴飭廳營勤加防護不得畏寒偷安外謹將豫東兩省黄河凌汛内堤埽各工保護平穩毫無

動捐緣由恭摺奏
聞仰慰
聖懷再查東省運河小挑臣自濟寧至韓莊一路查
勘塘河並奉
旨修築微山湖土石各工巡漕臣恩丕自濟寧至臨
清一路查勘挑河工程臣等仰體
皇上愛惜小民寒冬力作之至意飭發銀兩令各廳
買備薑湯食物犒賞以示鼓勵今届立春天氣
融和各夫倍加踴躍限内可以全行完竣不悮
新運合并陳明伏乞
皇上聖鑒謹
奏

已奏俱悉

乾隆拾玖年拾貳月　拾陸　日

二〇六

奏

河東河道總督臣白鍾山
巡視山東漕運給事中臣恩丕 謹

奏為

奏明事竊照山東運河南北計長一千三百餘里全賴各處泉湖之水節節灌輸以資浮送糧船其在臨清閘以北則由河南衛河入山東館陶縣境合漳水入運其在韓莊閘以南則由微山湖放出之水接濟漕運惟韓莊以北臨清以南全藉諸泉及馬踏蜀山等湖之水濟運臣等先飭令衛河懷糧二廳將衛河預為疏浚深通並禁止走洩水勢又飭行運河泇河等廳將微山湖及馬踏蜀山等湖之水收蓄充盈以待重運各湖出水閘洞堵閉堅實不許涓滴走洩臣等

因各處泉源攸關濟運尤爲緊要於挑河完竣之後即分路親赴泰安泗水曲阜滋陽等州縣有泉處所逐一履勘將泉洞泉河凡有沙草阻水之處隨即督令泉夫挑除淨盡使泉水俱由泉河暢流入運今挑河工竣開壩以來各處泉河之水源源相濟均已鋪勻足資浮送豫省糧船共四百二十八隻已皆出東境其南漕重運糧船亦陸續入境俱各遄行毫無阻滯臣等查浚泉源事畢臣恩丕即赴臺莊一路迎催糧船稽察停泊攙和盜賣等弊臣白鍾山即赴豫東二省黃河南北兩岸查料勘工謹將臣等浚泉完竣現在催漕並查勘黃河工料各緣由恭摺具

奏伏乞

皇上聖鑒謹

奏

知道了

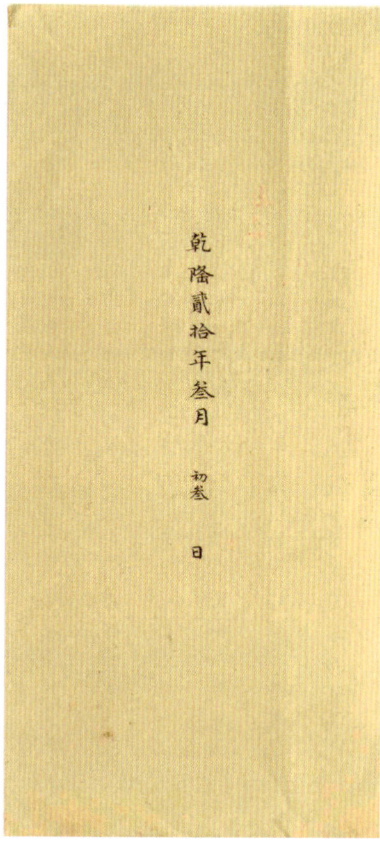
乾隆貳拾年叁月初叁日

二〇七

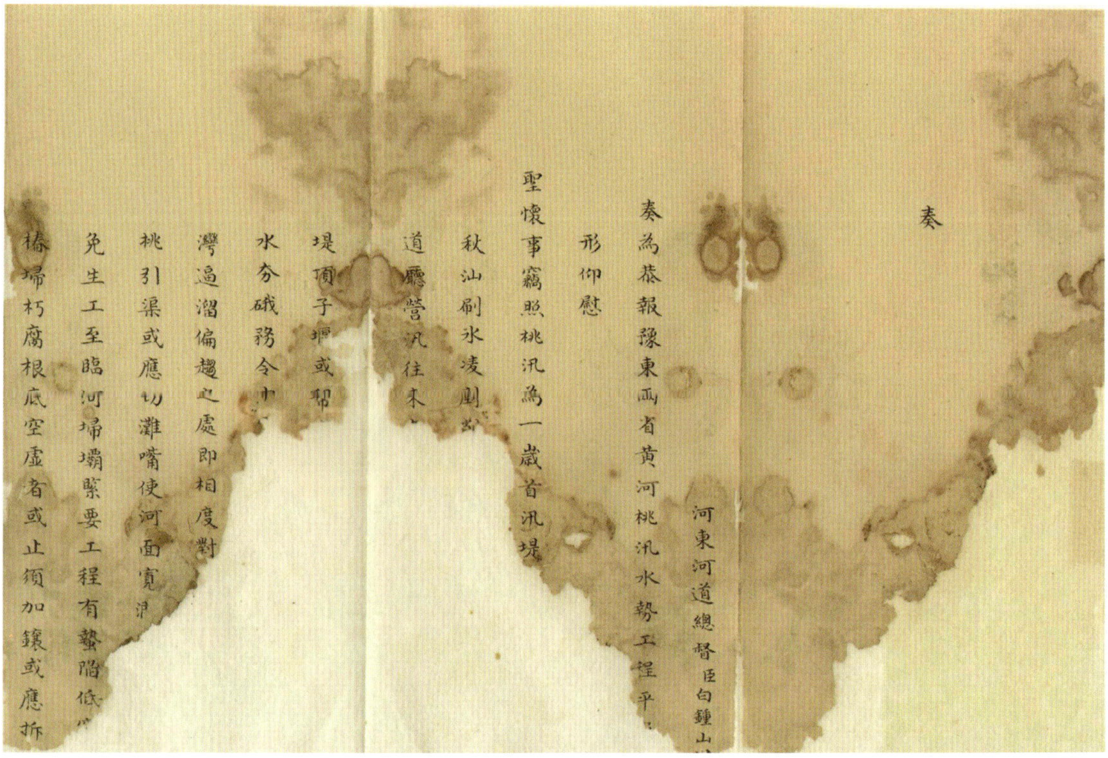

奏

河東河道總督臣白鍾山

奏為恭報豫東兩省黄河桃汛水勢工程平

形仰慰

聖懷事竊照桃汛為一歲首汛堤

秋汕刷水凌剷

道廳營汛往來

堤頂子埝或幫

水分礙務令

灣過溜偏趨之處即相度對

桃引渠或應切灘嘴使河面寬

免生工至臨河埽壩緊要工程有蟄陷低

椿埽朽腐根底空虛者或止須加鑲或應拆

務令著實穩固臣於勘工之際一面盤查料
趁此料物未動之時徹底清盤編號[illegible]東取
新舊牽混以期有備無患今查
清明起黃河之水雖節次加
岸堤埽各工俱
一片青
緊之時
刻少懈一處少
勢已過工程平穩情形恭摺
奏報仰慰
聖懷伏乞
皇上睿鑒謹
奏
覽奏俱悉

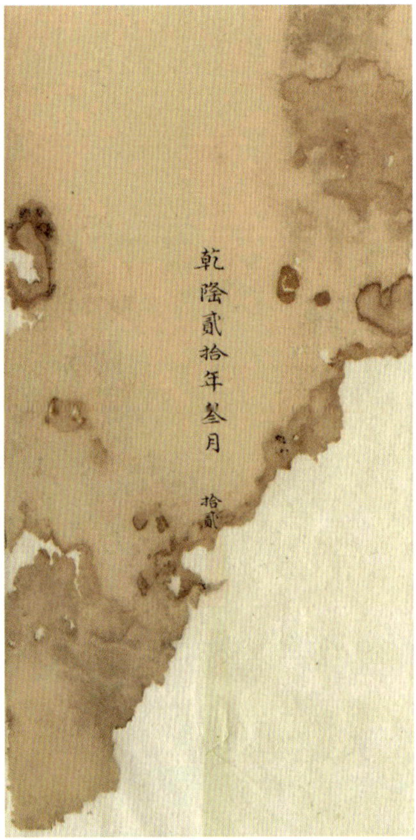
乾隆貳拾年叁月　拾貳

二〇八

奏

河南巡撫臣蔣炳謹

奏爲

奏報事竊照黄河水勢皆由寧夏上源而來河臣
白鍾山於三月中旬至豫查看兩岸工料於三
月二十五日回濟茲於四月初一日據寧夏府
知府童其瀾申報大河水勢自三月十四日起
至二十四日止長水四尺八寸等因臣查往年
寧夏長水俱在五六月間今於三月内即長至
數尺豫省兩岸堤工自應早爲防護隨一面飛
咨河臣白鍾山一面飛飭河道立即親赴各工
督率廳汛員弁兵夫人等加意防守毋少疎懈
臣仍不時派委員弁前往巡查以保無虞理合

恭摺

奏明再按察使沈廷芳告請終養日查明與例相

符業經具

題在案查終養定例一面具題一面飭令交代現

在秋審屆期所有該司印務已暫委布政使圖

爾炳阿署理合并

奏明伏祈

皇上聖鑒謹

奏

知道了

乾隆二十年四月廿一日

二〇九

奏

河東河道總督臣白鍾山謹

奏為黃河水勢加長工程平穩情形仰祈

睿鑒事竊臣赴豫查料勘工修防料理緣由現在恭

摺奏

聞茲於四月初二日據甯夏府報稱大河水勢於三

月十四日起至二十四日續長水四尺八寸等

因伏查黃河水勢向來甯夏報長俱在五六月

間今歲較早臣隨立即飛飭各該道廳營汛晝

夜住宿工所往來查勘加意防守復又多派効

力人員分住兩岸協同廳汛一體巡查防範不

使一處少踈一時少懈臣亦赴黃河要工處所

督率料理以期共保安瀾旋於四月初四日據

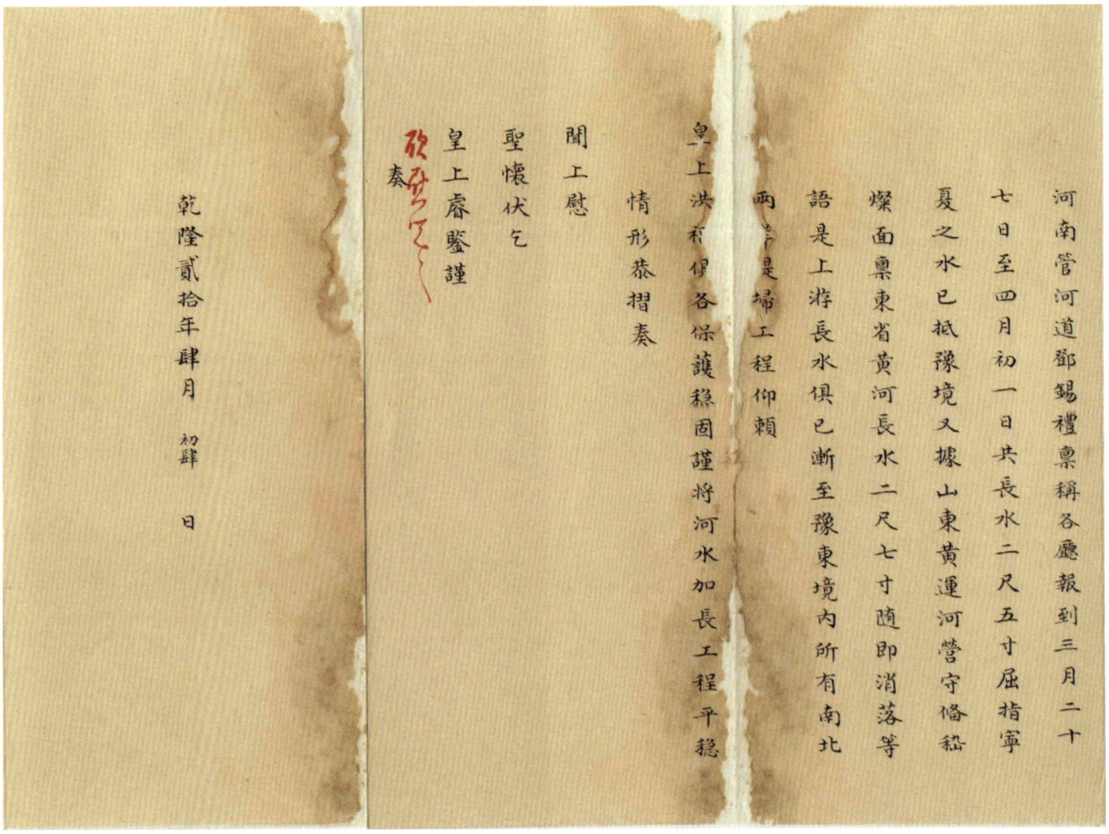

河南管河道鄧錫禮稟稱各廳報到三月二十
七日至四月初一日共長水二尺五寸屆指寧
夏之水已抵豫境又據山東黃運河營守備嵇
燦面稟東省黃河長水二尺七寸隨即消落等
語是上游長水俱已漸至豫東境内所有南北
兩岸堤埽工程仰賴
皇上洪福俾各保護穩固謹將河水加長工程平穩
情形恭摺奏
聞工慰
聖懷伏乞
皇上睿鑒謹
奏
欣慰覽之
乾隆貳拾年肆月　初肆　日

奏

臣富勒赫謹

奏爲奏

聞事本年四月初六日據甘肅寧夏府呈報黃河水勢自三月十四日起至二十四日申刻止長水四尺八寸等情臣隨飛飭各道廳營加謹防守外查寧夏水勢向年俱于五六月内始行長發今歲長水較早探量老壩口水誌自四月初三日起至初九日止陸續共長水一尺六寸寧夏水勢已過黃河南北兩岸一切堤埽工程俱各平穩臣現在前往高堰山盱查看洪澤湖堤工後即在黃河一帶上下策應督率在工文武員弁寔力修防以禦大汛所有寧夏黃河水長已

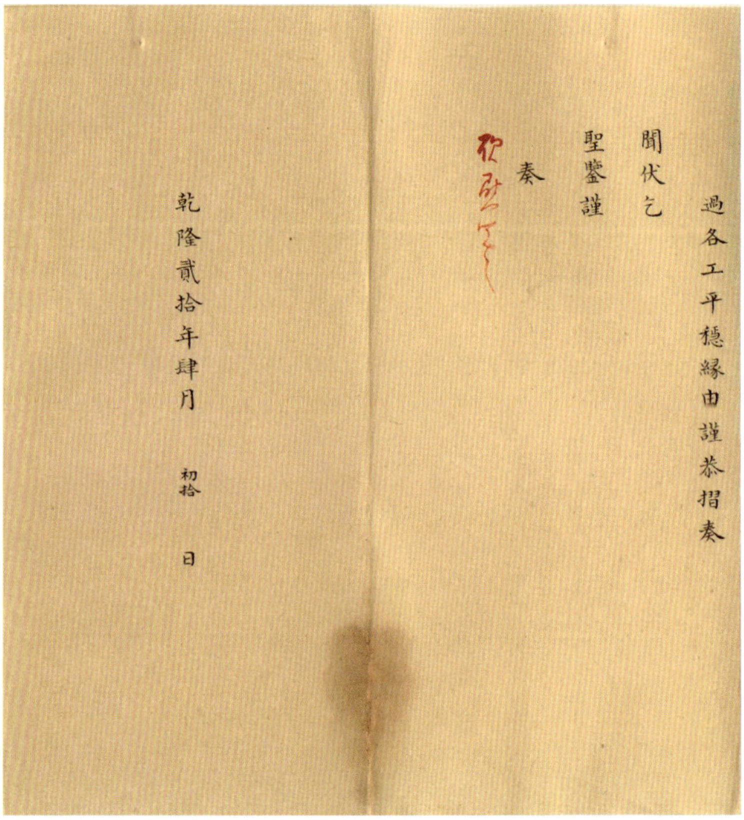
過各工平穩緣由謹恭摺奏
聞伏乞
聖鑒謹
奏
知道了
乾隆貳拾年肆月初拾日

奏

河南巡撫臣蔣炳謹

奏爲奏

聞事竊查黃河水勢由寧夏上源而來前據寧夏府
申報自三月十四日起至二十四日止長水四
尺八寸等因緣寧夏長水俱在五六月間今於
三月內即長至數尺豫省堤工自應早爲防護
經臣一面咨會河臣一面飛飭各河員加意防
守具摺恭
奏在案臣恐各河員或有疎懈復於四月初八日
親往巡查督率料理河臣白鍾山先據寧夏府
具報亦即來豫於考城縣會晤查豫省黃河水
勢自三月二十七日起至四月初十日止陸續

長水自三尺四寸至四尺一寸不等俱各隨長
隨消現存長水二尺餘寸並未出槽其南岸之
中牟九堡商邱五堡北岸之祥符十九堡蘭陽
之耿家寨等埽壩工程俱各平穩其餘歲搶工
程俱經河臣相度指示現在各河員慎重修理
加意防護臣於四月十二日回省河臣亦即起
程回東所有查明各工平穩緣由理合恭摺奏
聞伏祈
皇上聖鑒再按察使沈廷芳前告終養今已交代清
楚於本月十五日起身回籍合併陳明謹
奏
知道了
乾隆二十年四月十六日

二一二

奏

河東河道總督臣白鍾山謹

奏爲奏

聞事竊照寧夏府報到黄河水長臣隨飛飭道廳營汛並派効力人員分住两岸巡查防守當經

奏明在案臣恐廳汛各官因臣甫回山東離工稍遠或致懈弛所關匪細隨於四月初六日復馳

赴豫省黄河堤上查看水勢較前長二尺七八九寸不等臣即南北往來查勘該處道廳營汛均已在工効力人員亦俱遵照分住工所時時有人巡查處處有人防護星羅碁布絡繹無間埽埧各工經桃汛内廂修高厚堅固毋庸再行修做間有舊埽蟄陷坑窪之處臣即督令隨蟄

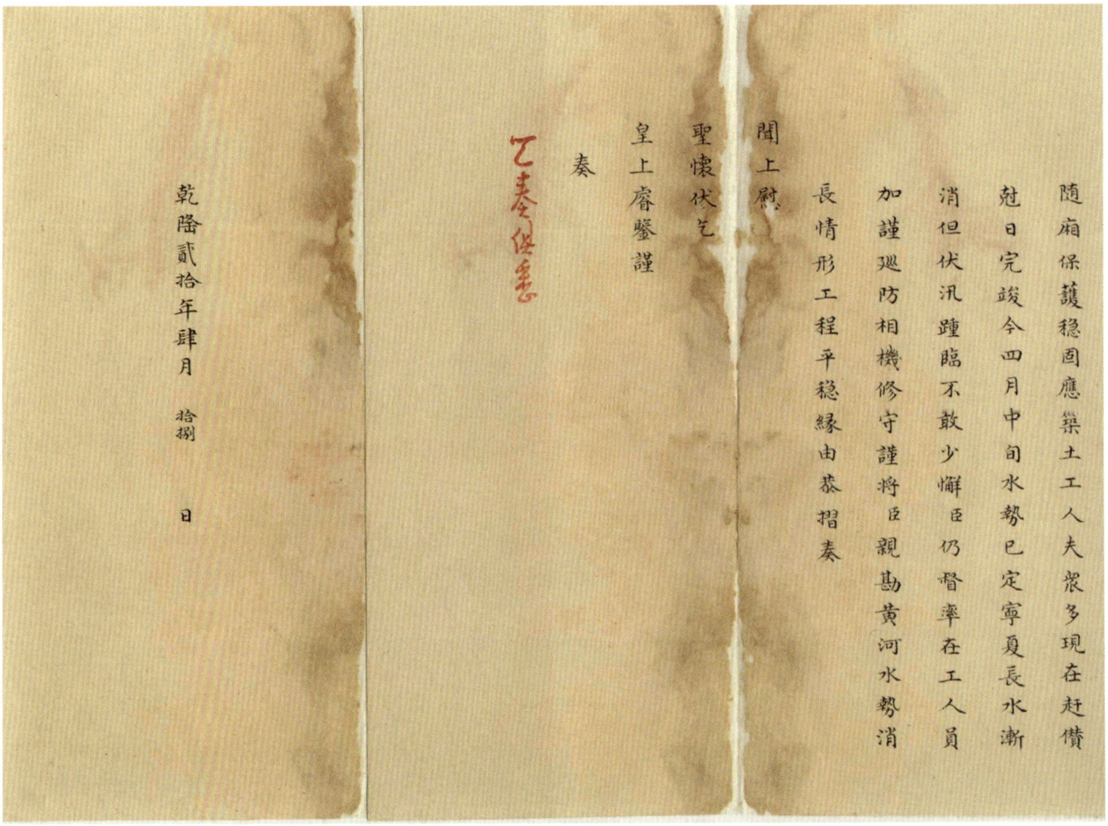

隨廂保護穩固應築土工人夫衆多現在赶儹
尅日完竣今四月中旬水勢已定寧夏長水漸
消但伏汛踵臨不敢少懈臣仍督率在工人員
加謹巡防相機修守謹將臣親勘黄河水勢消
長情形工程平穩緣由恭摺奏
聞上慰
聖懷伏乞
皇上睿鑒謹
奏

乾隆貳拾年肆月　拾捌　日

二一三

奏

河東河道總督兼署山東巡撫臣白鍾山謹

奏爲伏汛黃河水勢工程平穩仰慰

聖懷事竊照豫東兩省黃河今歲未入伏汛即於四
月初二日據寧夏府報到水長四尺八寸旋於
五月十五日又據寧夏府報到水長五尺一寸
寧夏水長爲時較早且發水又大臣心甚懸念
隨兩次馳赴黃河工次查勘水長工穩情形恭
摺

奏明在案今臣催儹南漕尾幫過濟即星往豫東
兩省南北兩岸上下往來查勘各工共長水五
六尺不等所幸隨長隨消堤岸埽壩等工均各
修防穩固道廳營汛並効力人員俱照檄飭節

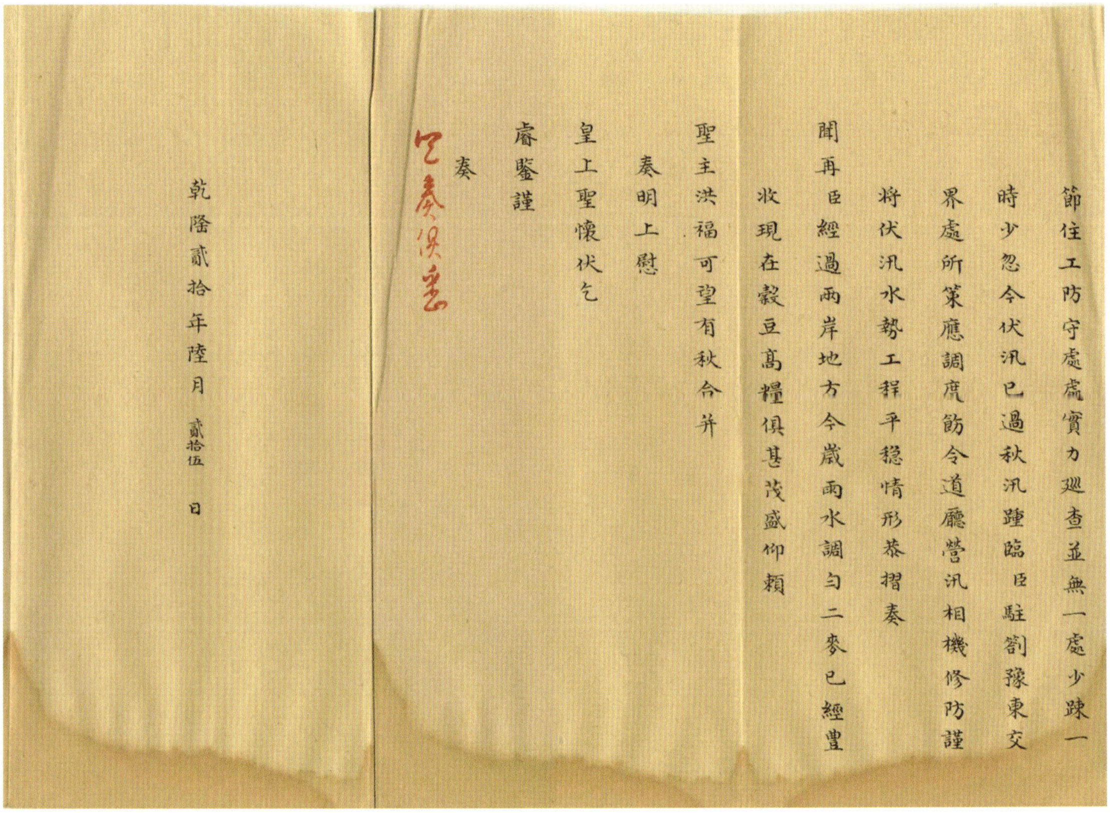

節住工防守處處實力巡查並無一處少疎一
時少忽今伏汛已過秋汛踵臨臣駐劄豫東交
界處所策應調度飭令道廳營汛相機修防謹
將伏汛水勢工程平穩情形恭摺奏
聞再臣經過兩岸地方今歲雨水調匀二麥已經豐
收現在穀豆高粱俱甚茂盛仰賴
聖主洪福可望有秋合并
奏明上慰
皇上聖懷伏乞
睿鑒謹
奏

覽奏俱悉

乾隆貳拾年陸月貳拾伍日

二一四

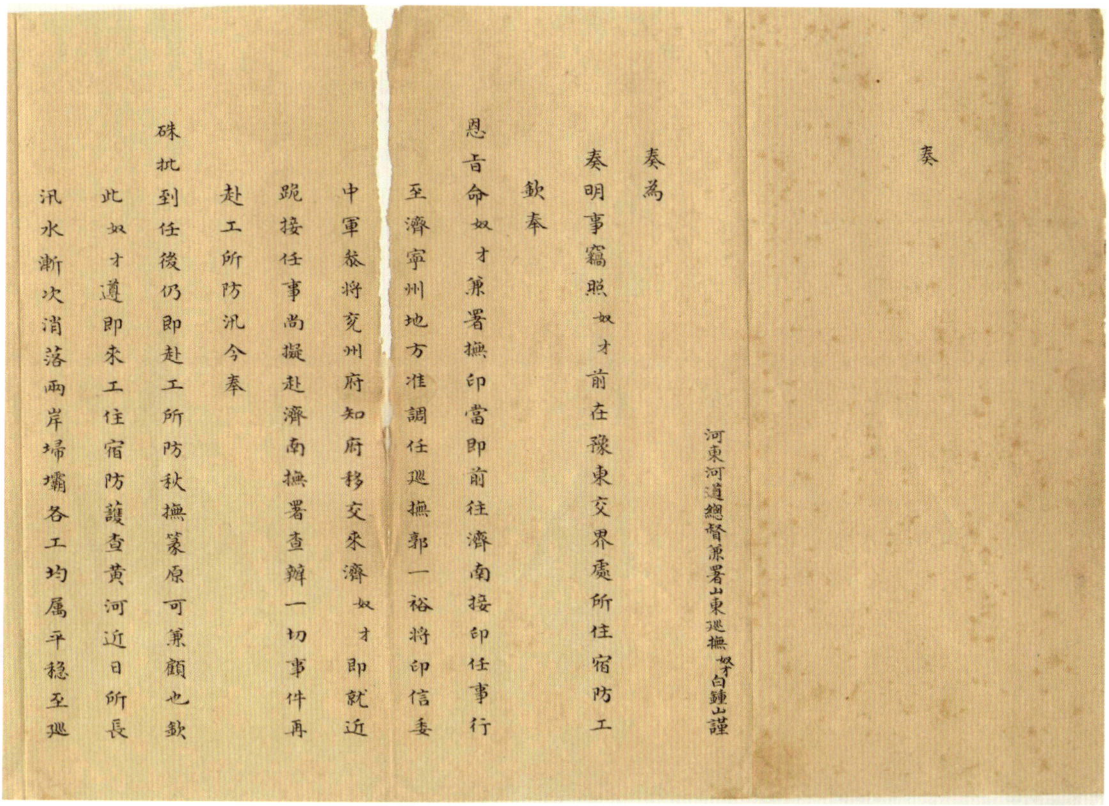

奏

河東河道總督兼署山東巡撫奴才白鍾山謹

奏爲

奏明事竊照奴才前在豫東交界處所住宿防工

欽奉

恩旨命奴才兼署撫印當即前往濟南接印任事行

至濟寧州地方准調任巡撫鄂一裕將印信委

中軍叅將兗州府知府移交來濟奴才即就近

跪接任事尚擬赴濟南撫署查辦一切事件再

赴工所防汛今奉

硃批到任後仍即赴工所防秋撫篆原可兼顧也欽

此奴才遵即來工住宿防護查黃河近日所長

汛水漸次消落兩岸埽壩各工均屬平穩至巡

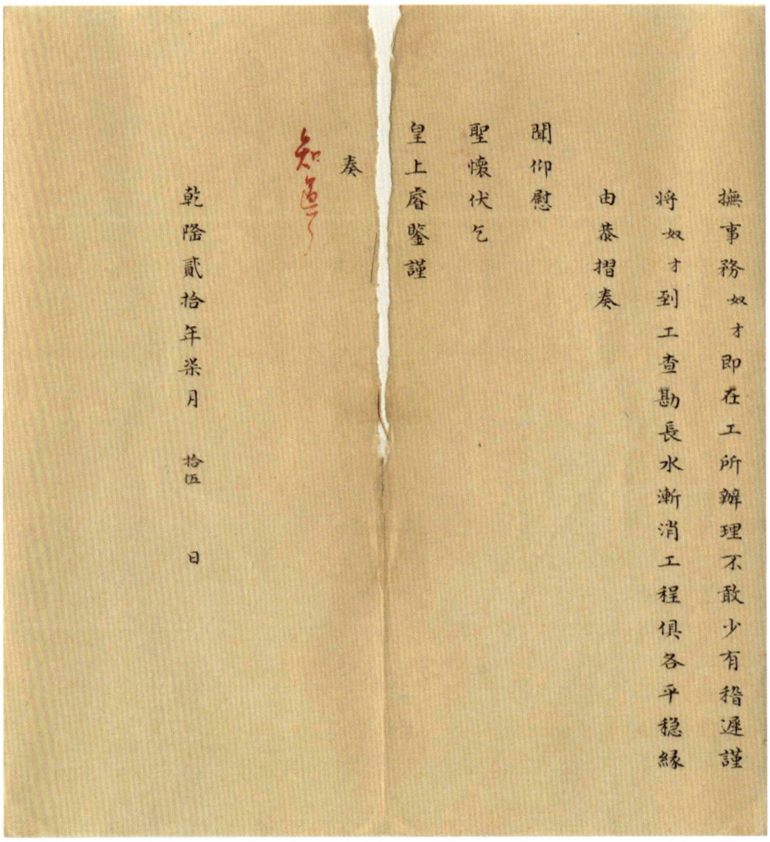

撫事務奴才即在工所辦理不敢少有稽遲謹
將奴才到工查勘長水漸消工程俱各平穩緣
由恭摺奏
聞仰慰
聖懷伏乞
皇上睿鑒謹
奏
知道了
乾隆貳拾年柒月拾伍日

二一五

奏

河東河道總督兼署山東巡撫臣白鍾山謹

奏為

奏明沿河秋禾情形事竊照今年雨水調勻秋禾
俱甚茂盛自前月二十七八兩日七月初旬連
值大雨臣誠恐雨水過多有碍禾稼往來河干
沿途查勘青黃遍野早穀高粱已有成熟將次
收割者留心詢問農民僉云今歲年成甚好臣
經過州縣地方惟濟寧州魚臺縣間有近湖窪
地存有積水今數日内亦漸消落現在飭查其
餘俱無碍收成除約收分數俟布政司查明詳
到另行奏
聞外謹將臣沿途所見秋禾豐盛情形恭摺具

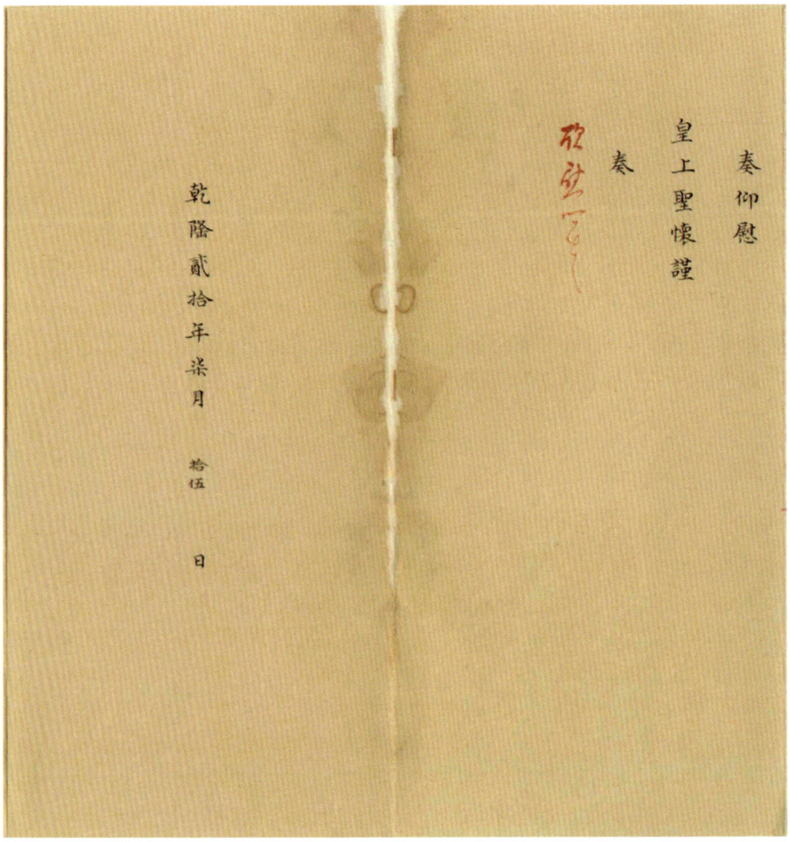

奏仰慰

皇上聖懷謹

奏

乾隆貳拾年柒月　拾伍　日

奏

甘肅巡撫臣陳弘謀謹

奏爲奏請

聖鑒事竊照凉州鎮標把總張雷於乾隆二十年六
月十一日赴司請領秋季官兵俸餉銀三千一
百兩載車解回行至省城北門外之金城關山
坡險窄緊逼黃河馬驚車覆車馬餉鞘一并墜
河車夫馬匹俱經淹斃車輛紛裂銀鞘漂没該
把總張雷得救乃免臣據報到即令省城三營
將備同臯蘭縣徐浩多僱水手懸賞打撈提臣
鎮臣先後委員前來打撈因黃河逼近山根水
深浪急一月以來未能撈獲日内河水漲發人
力難施餉鞘漂没並無情弊伏查律載錢帛軍

需起解長押官及解物人安置不如法致有損
失者計所損失坐贓論著落均賠還官若船行
卒遇風浪或外人失火延燒事出不測而有損
失者勘實免罪不賠等語今隨河失鞘並非安
置不如法防範不嚴所致事出不測俱已勘實
與免罪不賠之律相符但此項俸餉係官兵計
口授食之需不便久待准涼州鎮臣張接天請
於司庫本年兵餉内扣貯各提鎮營建曠項下
暫借銀三千一百兩補發各該營原領俸餉等
項臣與協辦督臣行據藩司明德議稱司庫借
項亦難久懸此案事出意外情非得已同舟理
宜共恤援照在京補放外任官員借支庫銀有
沿途病故者文官道員以下武官副將以下分
認代解之例於通省提鎮各營養廉公費銀内
公同捐帮計甘省各營每年額設養廉公費銀
一十九萬六千五百餘兩按數均攤每銀一兩
止該攤銀一分五厘零實屬衆擎易舉一年之
内即可歸補原款仍俟秋深水退多僱人夫再

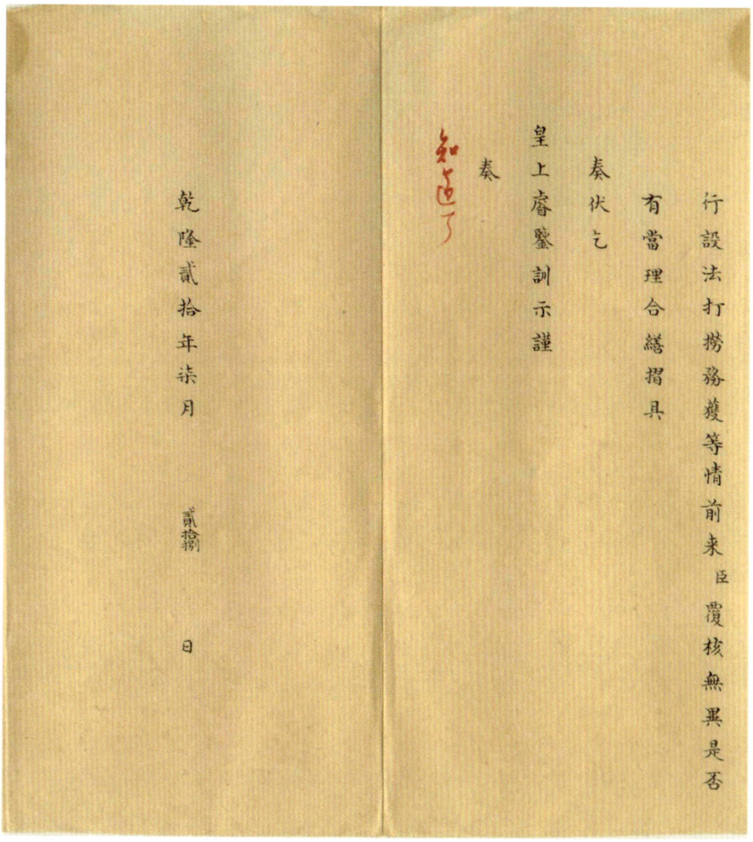

行設法打撈務獲等情前來臣覆核無異是否
有當理合繕摺具
奏伏乞
皇上睿鑒訓示謹
奏
知道了
乾隆貳拾年柒月　貳拾　日

二一七

奏

河東河道總督兼署山東巡撫臣白鍾山謹

奏為奏

聞事竊照七月下旬河水加長各工修護平穩業經

臣恭摺

奏明在案伏查往年黃河秋汛白露後河水即漸次消落勢緜力弱今白露後陰雨連緜沁黃並漲數日內復長水一丈四尺有餘較前更盛盈堤拍岸在在危險查兩岸地勢南高北窪南岸水勢離堤止有數寸北岸水勢與堤頂相平且多滲漏之處及雨淋水泡堤土卸陷者臣親歷各工上下往來督領道廳營汛並効力各官其水與堤頂相平者分投加築子埝上緊搶護以

禦水勢其有土性虛鬆堤土坐陷處所立即加
築裡戧以保穩固臨河埽壩工程有與河水相
平并水漫埽面者隨即動用料物加廂高厚以
資捍禦撫臣圖爾炳阿亦來南岸查看督令搶
護仰賴我
皇上聖德昭孚
河神默佑似此水大之日幸無風信水不揚波是
以人力得施數日之內搶護平穩今於八月十
七十八十九二十等日天氣晴明河水消落各
工俱得穩固臣原擬白露後由兗曹一帶查勘
被水地方因河水異漲仍在工所調度策應督
率修防今秋分已過河水日漸消落臣即前往
查勘被災情形除飭令道廳營汛仍行分住工
所加謹巡防保護不可因長水已消即少為懈
忽外謹將白露後河水大漲堤埽各工搶護平
穩緣由恭摺具
奏仰慰
聖懷伏祈

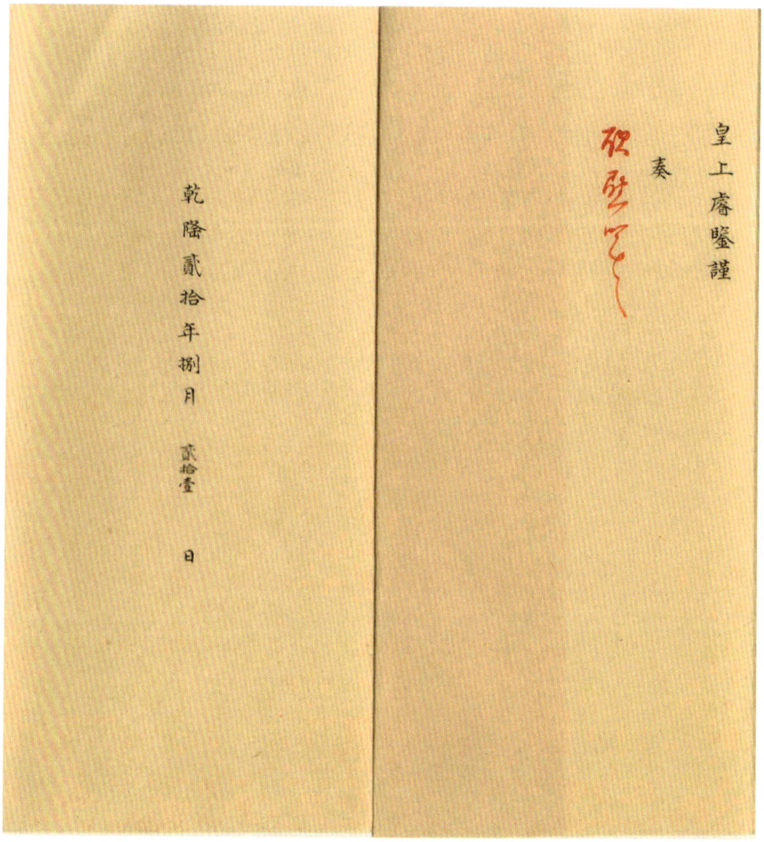

皇上睿鑒謹

奏

知道了

乾隆貳拾年捌月貳拾壹日

二一八

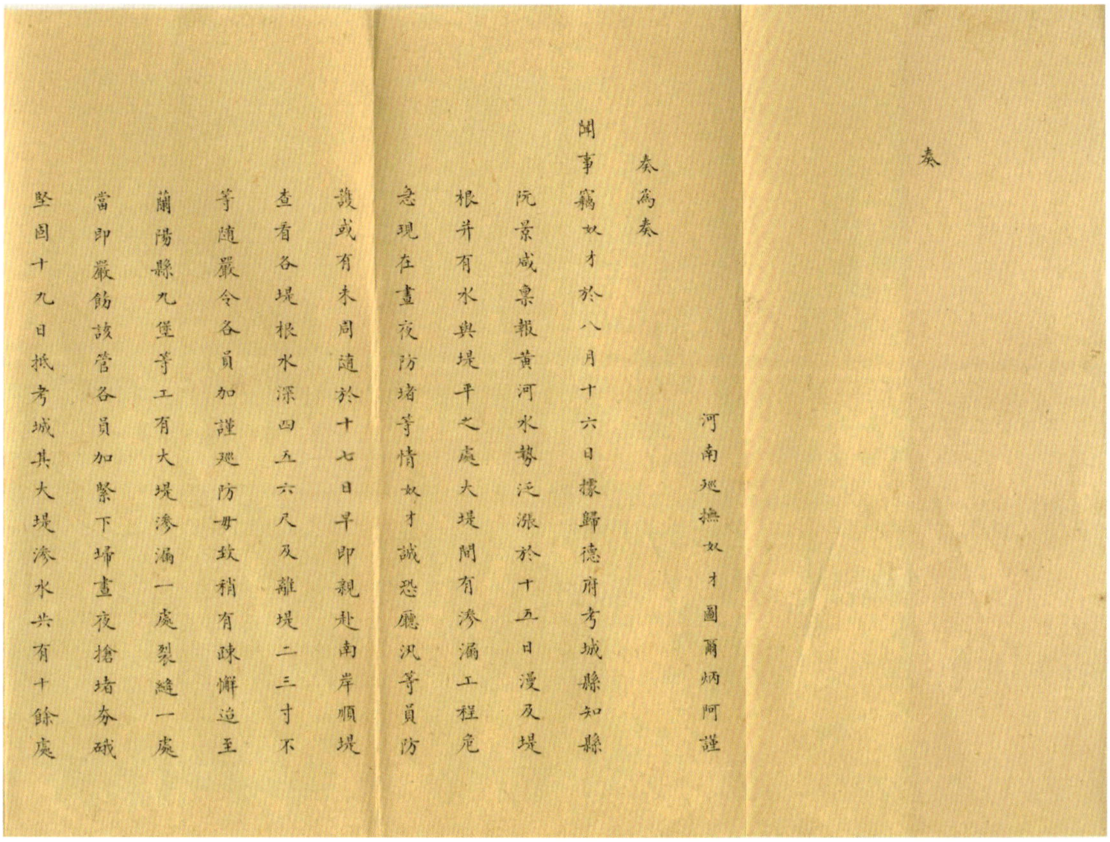
奏

河南巡撫奴才圖爾炳阿謹

奏爲奏

聞事竊奴才於八月十六日據歸德府考城縣知縣

阮景咸稟報黄河水勢泛漲於十五日漫及堤

根并有水與堤平之處大堤間有滲漏工程危

急現在晝夜防堵等情奴才誠恐廳汛等員防

護或有未周隨於十七日早即親赴南岸順堤

查看各堤根水深四五六尺及離堤二三寸不

等隨嚴令各員加謹巡防毋致稍有疎懈迨至

蘭陽縣九堡等工有大堤滲漏一處裂縫一處

當即嚴飭該管各員加緊下埽晝夜搶堵務碱

堅固十九日抵考城其大堤滲水共有十餘處

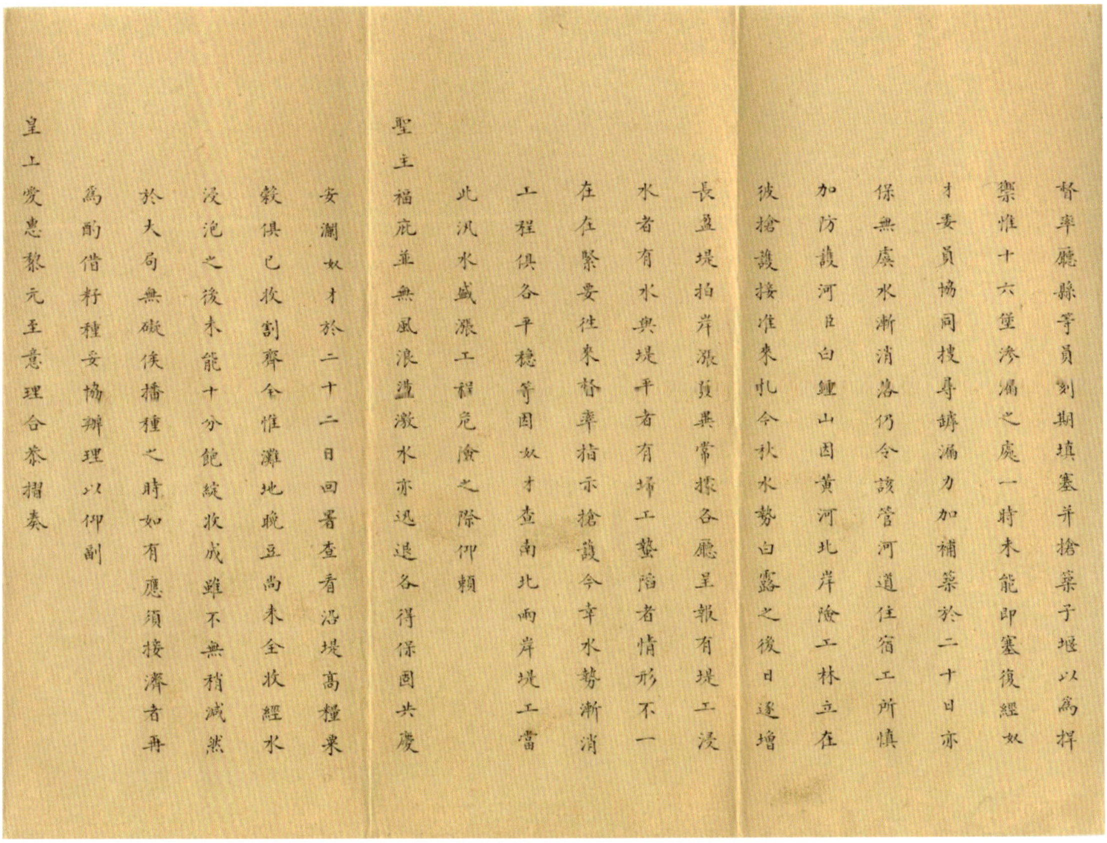

督率廳縣等員刻期填塞并搶築子堰以爲捍
禦。惟十六堡滲漏之處一時未能即塞，復經奴
才委員協同搜尋罅漏，力加補築，於二十日亦
保無虞。水漸消落，仍令該管河道住宿工所，慎
加防護。河臣白鍾山因黃河北岸險工林立，在
彼搶護，接准來札，今秋水勢白露之後日逐增
長，盈堤拍岸，漲發異常，撩各廳呈報，有堤工浸
水者，有水與堤平者，有埽工蟄陷者，情形不一，
在在緊要。往來督率，指示搶護，今幸水勢漸消，
工程俱各平穩等因。奴才查南北兩岸堤工當
此汛水盛漲，工程危險之際，仰賴
聖主福庇，並無風浪漫溢，水亦迅退，各得保固，共慶
安瀾。奴才於二十二日回署，查看沿堤高糧粟
穀俱已收割齊全，惟灘地晚豆尚未全收。經水
浸泡之後，未能十分飽綻收成，雖不無稍減，然
於大局無礙。俟播種之時，如有應須接濟者，再
爲酌借籽種，妥協辦理，以仰副
皇上愛恤黎元至意。理合恭摺奏。

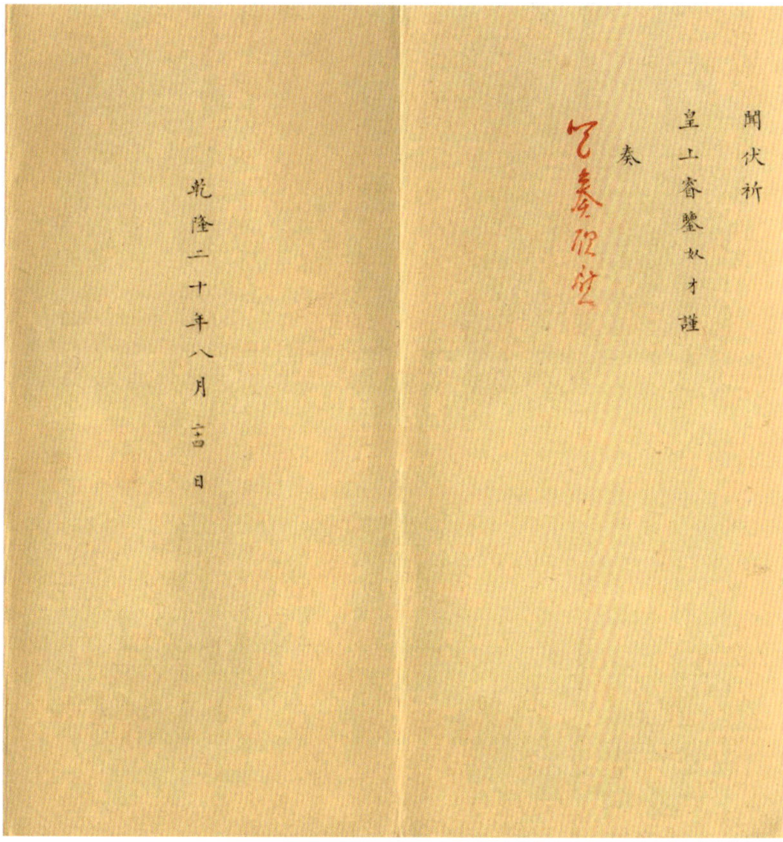

聞伏祈
皇上睿鑒奴才謹
奏

乾隆二十年八月十四日

二一九

奏

臣富勒赫跪

奏為黃河秋水復漲工程險而復平據實奏

聞仰祈

聖鑒事竊照本年河湖水勢異常盛漲至節屆白露

水落工平臣於七月二十八日將情形具

奏在案八月以來洪澤湖及運河等水有消無長

山盱五壩已於十五日斷流臣恐運河水勢

過洩且淮揚一帶堤岸浸水坍塌甚多明春

聖駕南巡為經由之緒道尤須豫為勘明敬謹辦理

隨於八月望前親行察勘詎黃河水勢自八月

初八九等日起陰雨連綿每日復有增長迄十

八十九等日豐碭水誌長至一丈四尺徐城水

誌長至一丈三尺餘寸較乾隆十八年盛漲之
日尚大至二尺餘寸不等凡黄河減水之處如
南岸之毛城鋪天然閘峯山閘北岸之蘇家山
閘壩悉行開放尚爾增長不已各處星堤拍岸
向年從未上水之河灘亦皆一片瀰漫迅流奔
注工程在在衝激隨修隨塌不一而足各廳紛
紛報險臣一面迅批指示各廳營加謹搶護一
面帶同恭將厲鎮星飛前往督率修守其最危
急者豐碭廳屬之南岸徐家庄新生工處十八
十九兩日溜忽下移將外灘塌去直逼堤根兼
之風狂雨驟水與堤平趕償下埽不及幸該處
舊有月堤五百餘丈臣於四月勘工時慮其險
要諭令加高培厚爲重門保障遊擊張吉適在
工防險見水大溜急大堤勢難保守隨開放水
戧保護月堤已得化險爲平又卯睢廳屬之南
岸峯山以下官庄地方彼處原無埽工外灘尚
寬八九十丈今亦因漫灘之水深至三四五尺
年久堤工驟被水浸於二十日又爲風浪攻擊

坐塌三十餘丈經淮徐道孫廷鉞率同廳營晝
夜搶護至二十二日漫處已經堵閉現將堤工
補還其餘各處險工亦均搶護穩固伏查此次
黃河水勢實屬異常盛漲仰賴
皇上洪福長於清水消落之後雖長驟而消速自二
十二日至三十日已消六尺一寸各灘盡露是
以得保無虞臣現在仍行適歷加意料理不敢
稍懈所有黃河秋水復漲工程已獲平穩情形
謹據實恭
奏仰慰
聖懷再徐州府屬之銅山豐碭蕭邳睢寧等州縣臣
於六月勘工時兩岸堤外秋禾尚好此次水長
甚驟灘上水深三四五尺致外灘秋禾復淹灘
上居民廬舍亦被水浸多有坍塌現在該地方
官逐細查辦合並奏
聞謹
奏

此等加意撫綏可也

乾隆二十年八月 三十 日

二三〇

奏

太子太保署理兩江總督革職留任臣尹繼善謹

奏爲奏

聞事竊照上下兩江先後被災各屬節經臣繕摺具

奏其下江淮揚徐海被水州縣臣與撫臣遵

旨分途察勘查明輕重情形并蕪松太等處沿海沿

江猝被風潮酌量撫恤查辦緣由久經會同撫

臣莊有恭詳細奏報在案副臣在高寶一帶督

同道府州縣將災務事宜妥協料理均有就緒

湖河水勢日漸消退工程咸屬平穩臣於八月

中旬暫行回署將一切緊要事件上緊趕辦並

往各處查勘工程兹於八月三十日據淮徐河

道孫廷鉞等禀報黄河水勢於十七八等日陡

長五六尺徐城水誌長至一丈二尺五寸較十
八年水勢更大二尺餘寸在在拍岸盈堤溜勢
汹湧各廳工程甚屬危險其迎溜頂冲之處閘
段蟄陷俱各竭力搶護平穩惟邳睢廳屬王家
堂官庄地方因堤工水泡日久於八月二十日
坐塌二十餘丈水勢漫灘漸次刷寬該道廳等
即將峯山四閘暫行開放分洩上游水勢隨即
消水二尺一面動料搶築壩工已於二十四日
斷流峯山各閘亦即次第堵閉臣查時過白露
似此黃水異漲實為僅見官庄地方雖塌堤漫
灘幸未掣動大溜文武工員竭力搶護仰賴
聖主洪福得以保固平穩目下黃水已消可無他慮
但所築壩工是否如式足資捍禦臣現在奏
命馳赴
行在當即繞道親往查勘與河臣富勒赫詳細斟酌
妥協辦理務期工程穩固臣謹據實奏報仰祈
睿鑒謹
奏

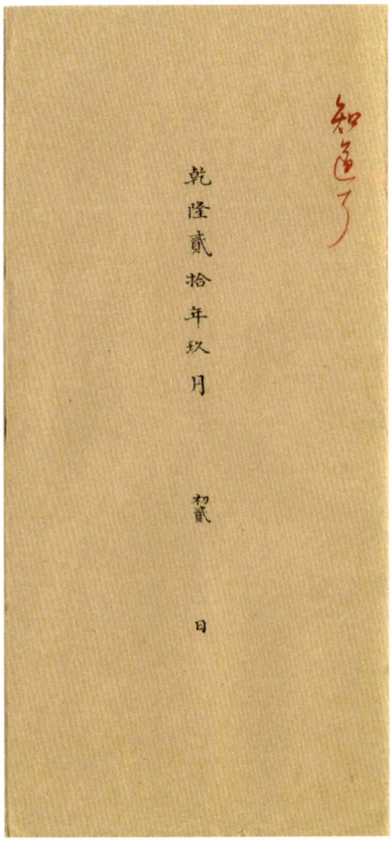

知道了

乾隆貳拾年玖月初貳日

後記

我是從數學史學習中逐步瞭解治黄史的。漢代《許商算術》的作者許商，好天文術數之事的王景、李尋善，他們既是數學家，又以治理黄河而聞名。我國現存最早的河工著作《河防通議》，將中國古典數學天元術運用到治黄工程中，創造了中國古代工程數學的一個高峰。除了數學史之外，内蒙古師範大學科學技術史研究還以少數民族科技史和地方科技史見長。李迪先生曾指出地方科技史研究的重要内容是人與自然環境變遷、科技遺迹與自然環境以及環境與生産的關係，此類研究具有明顯的現實意義和重要價值。想要通過大科學史研究，弄清變遷的原因和未來的發展趨勢，産出對于地方各方面的開發有更大、更直接價值的成果，這類研究大多離不開文獻。之後，李迪先生更是直接指出科技史研究不僅是對過去的科技工作和科技成果的回顧與總結，而且要着眼于現代，讓古人的發明創造爲今人服務，繼續在現代發揮其應有的作用。我將先生大科學史的治學理念視爲座右銘，在科研工作中更加注重讓科研成果服務于國家戰略與區域發展需求。

二〇一九年九月，習近平總書記在黄河流域生態保護和高質量發展座談會上指出，黄河流域在我國經濟社會發展和生態安全方面具有十分重要的地位。黄河流域生態保護和高質量發展是重大國家戰略。同年十月，黨的十九届四中全會提出『加强邊疆治理，推進興邊富民』，首次把邊疆治理寫入黨的文件。内蒙古師範大學組織科研力量，積極申報研究闡釋黨的十九届四中全會精神的國家社科基金重大項目，其中『中國特色社會主義民族區域自治制度自信研究』項目獲批。我承擔其中的『鑄牢中華民族共同體意識下的民族自治地方文化自信研究』子課題，而黄河是首選文化要素。二〇二四年，該項目順利結項，我也對黄河文化所藴含的時代價值有了更深的體會。

有鑒于此，我帶領文化遺産智能應用服務中華民族共同體建設『英才興蒙』團隊，以黄河爲主題，開展了文獻、文物、傳統工藝等多模態資源庫建設和跨模態應用示範工作。這次與内蒙古人民出版社合作出版的《黄河國家治理文獻集成》，旨在梳理和總結文獻中所藴含的歷史經驗和文化信息，爲當代及未來的黄河治理和地方文旅産業發展提供參考與借鑒。

感謝内蒙古民族文化産業研究院、巴彦淖爾市圖書館等单位的傾力相助，感謝内蒙古自治區黨委宣傳部、内蒙古出版集團、内蒙古人民出版社對本項目的支持與幫助。

在此，也向致力于黄河治理和大河安瀾的歷代先賢與當代典範表達崇高的敬意：你們的不懈努力與無私奉獻，爲黄河的安寧與人民的福祉築起了堅實的防綫；你們的智慧與勇氣，將永遠銘刻在中華民族的歷史豐碑上，激勵後人不斷前行。

董杰

二〇二五年一月